D1402508

La véritable
cuisine française

La véritable cuisine française

Auteur: Susi Piroué
Photographes: Susi et Pete A. Eising

CHANTECLER

Table des matières

7 De l'art de vivre
  - une introduction
8 Les régions culinaires
9 La carte géographique
10 L'historique de la cuisine
   française

Champagne, Paris, Ile-de-France

14 Les produits du terroir
16 Les gens, les festivités,
   les curiosités
18 Les secrets de la
   champagnisation
20 Les vins
21 Recettes régionales
40 Le fromage

Alsace, Lorraine, Franche-Comté, Savoie

46 Les produits du terroir
48 Les gens, les festivités,
   les curiosités
50 Les vendanges
52 Les vins
53 Recettes régionales
72 La choucroute et la
   charcuterie

Dauphiné, Bourgogne, Bresse, Lyonnais

78 Les produits du terroir
80 Les gens, les festivités,
   les curiosités
82 Les vins
85 Recettes régionales
104 Les volailles

Provence, Languedoc-Roussillon, Corse

108 Les produits du terroir
110 Les gens, les festivités,
    les curiosités
112 La Corse
114 Les vins
115 Recettes régionales
146 L'ail et les olives
148 Les herbes et les
    essences

Maquereaux au marché aux poissons.

Terrasse de café parisien.

*(Pages 2/3):
Un café à Sion-sur-l'Océan,
au bord de l'Atlantique.*

*Couleurs éclatantes:
le sud de la France.
A l'extrême droite: un bar
à Hyères sur la Côte d'Azur.*

Le Sud-Ouest:
Midi-Pyrénées,
Aquitaine

Bordelais, Pays basque,
    Gascogne, Béarn,
    Périgord

152 Les produits du terroir
154 Les gens, les festivités,
     les curiosités
156 Les vins
157 Recettes régionales
180 Les légumes

Auvergne, Limousin

186 Les produits du terroir
188 Les gens, les festivités,
     les curiosités
190 Les vins
191 Recettes régionales
206 Pâtisseries et confiseries
     de tradition
208 Desserts vedettes
     suprarégionaux

Poitou-Charentes,
vallée de la Loire

212 Les produits du terroir
214 Les gens, les festivités,
     les curiosités
216 Les vins
217 Recettes régionales
238 Le cognac et Cie

Bretagne, Normandie,
le Nord

244 Les produits du terroir
246 Les gens, les festivités,
     les curiosités
249 Recettes régionales
268 Le poisson et
     les fruits de mer

272 Index des recettes
     de A à Z
275 Index des recettes des
     entrées aux gâteaux
279 Crédits photographiques

Champ de tournesols en Provence.

Scène de marché.

Les températures du four

Ce livre donne les températures des fours
électriques et au gaz. Dans le tableau ci-dessous,
vous trouverez les correspondances entre les
deux.
Les fours au gaz n'ont pas tous le même
nombre de thermostats. Regardez donc le
manuel d'utilisation du vôtre avant de
commencer.

Four électrique	Four au gaz
150°C	Thermostat 1
175°C	Thermostat 2
200°C	Thermostat 3
225°C	Thermostat 4
250°C	Thermostat 5

*Maison rurale à toit
de chaume en Bretagne.*

De l'art de vivre

Une introduction

S i vous demandez ses impressions à quelqu'un qui revient d'un voyage
en France, il s'enthousiasmera d'abord pour les plages magnifiques
et les paysages inviolés. Il se croira obligé de parler des cathédrales
majestueuses et des merveilleux châteaux, pour montrer qu'il ne manque
pas de culture. Ce n'est qu'une fois abordée la question du temps, de
l'hébergement et de la cuisine, que son visage s'éclaire infailliblement.
«Ah oui, il y avait encore cette sauce...»

Cette fois, on ne peut plus l'arrêter. Oui, et le patron de ce petit restaurant
qui avait exhibé son pâté avec la mine de Dieu le Père le sixième jour de
la création. Il ne tarit plus sur les longues successions de plaisirs plus
intenses les uns que les autres, sur le pain croustillant et naturellement sur
le vin qu'on ne trouve que là-bas... et sur les marchés éclatant de mille
couleurs et leurs produits de choix, sur les regards critiques des ména-
gères et des hommes, sur l'amour avec lequel les marchands traitent
leurs produits.

L'art de vivre... Serait-ce une chasse gardée française? Sinon, pourquoi
tant de gens se rendent-ils en France tous les ans? Mais il est vrai qu'en
cette matière les Français peuvent nous donner des leçons. Regardons les
produits d'un œil critique, choisissons ceux qui sont frais, appétissants et
naturels, et confectionnons un bout d'art de vivre dans notre cuisine, dans
notre salle à manger. Les candidats ne se feront pas prier pour participer
en cuisine et à table, afin que la soirée se passe joyeusement devant des
assiettes et des verres remplis de bonnes choses, le tout dans une
ambiance conviviale.

Compliquée, la cuisine française? Examinez donc attentivement les
recettes de ce livre. Elles sont faciles à réaliser dans une cuisine équipée
normalement. Le résultat transparaît dans les photos d'ambiance. Et si la
cuisson d'une recette est légèrement plus longue que le temps indiqué,
profitez-en pour savourer votre plaisir à l'avance en discutant devant un
apéritif. Ce temps volé est un morceau de vie délectable. C'est dans ce
sens que nous voudrions voir se généraliser cet art de vivre, dans le sens
d'un sentiment européen qui ne connaît pas de frontières.

Les régions culinaires

Avez-vous déjà goûté un vin originaire du département de la Gironde ou bien vos préférences vont-elles aux délicieux vins rouges de la région d'Aquitaine? Dans le doute, vous choisirez probablement un bordeaux du Médoc. Vous aurez peut-être remarqué que, dans les trois cas, il s'agit de la même région. Par cette entrée en matière, je souhaite simplement attirer votre attention sur la difficulté qu'il y a à découper la France en entités plus ou moins cohérentes. Les 95 départements créés après la Révolution n'ont jamais vraiment pénétré la conscience des Français. La cuisine régionale de la France est aussi diversifiée que ses paysages et que les produits propres à chaque terroir. Pour donner à ce livre de recettes une présentation claire, j'ai malgré tout choisi de structurer cette mosaïque en unités culinaires, c'est-à-dire culturelles, et de les rassembler en huit chapitres. Ce choix suppose inévitablement la juxtaposition au sein d'un même chapitre de régions très différentes les unes des autres.

Champagne, Paris, Ile-de-France

Ce chapitre regroupe Paris, la fougueuse capitale, et deux régions sages et tranquilles. La cuisine parisienne se distingue avant tout par l'école des grands maîtres queux et leurs célèbres sauces. Des spécialités culinaires telles que la soupe à l'oignon, les pommes frites universellement connues et les brioches légères viennent de Paris. L'Ile-de-France, les alentours de la capitale à vocation maraîchère, est connue pour ses délicieux fruits et légumes comme les asperges d'Argenteuil, les carottes de Crécy et les fraises de la vallée de la Bièvre. Les poissons d'eau douce et le gibier font partie des trésors locaux. La cuisine et le paysage de la Champagne offrent un vif contraste avec le vin pétillant de luxe du même nom. Simplicité et rusticité, deux épithètes qui leur iraient bien. Charcuteries, pieds de cochon et têtes de veau en sont les ambassadeurs.

Alsace, Lorraine, Franche-Comté, Savoie

En Alsace, non seulement on parle un dialecte alémanique, mais la cuisine est elle aussi très proche de celle de sa voisine orientale. Choucroute et porc, oie et préparations à base de foie gras sont les piliers de la gastronomie alsacienne. En Lorraine, la cuisine est plus française, plus raffinée. La culture fruitière y est très développée. De précieuses eaux minérales jaillissent des versants vosgiens. Dans les collines du Jura en Franche-Comté et dans les Alpes occidentales en Savoie, la cuisine ressemble à celle de la Suisse romande voisine. Les principaux ingrédients en sont la crème et le fromage, de même que les truites, les brochets et les écrevisses.

Dauphiné, Bourgogne, Bresse, Lyonnais

Une des clés de voûte de la gastronomie bourguignonne est le vin dans lequel on fait cuire le poisson, la volaille, la viande et le gibier, mais aussi les escargots de Bourgogne et la fameuse moutarde de Dijon. Le bœuf de Charolais bourguignon, le jambon du Morvan, les saucissons de Lyon et le poulet de Bresse à la chair fine sont recherchés dans toute la France. Coincé entre la frontière italienne à l'est et le Rhône à l'ouest, le Dauphiné a une cuisine qui est surtout réputée pour ses soufflés de toutes natures.

Provence, Languedoc-Roussillon, Corse

La Provence et la région de Nice offrent mille et une spécialités de poissons, dont la bouillabaisse est certainement la plus illustre. L'agneau et tous les légumes méditerranéens sont avec l'huile d'olive les principaux éléments de cette cuisine extrêmement variée. Vastes plaines côtières et reliefs aux gorges sauvages dans l'arrière-pays – tel est le paysage du Languedoc et du Roussillon. La gastronomie y est un peu moins riche, quoiqu'on retrouve le poisson et les fruits de mer, avec en plus de solides ragoûts comme le cassoulet. La Corse, l'Ile de Beauté en Méditerranée, était avant l'invasion des touristes un pays pauvre et aride. A l'image d'une cuisine simple: la viande de porc à moitié sauvage, de chèvre et de mouton, le miel, les herbes et les châtaignes sont les produits locaux, complétés par des poissons de la Méditerranée.

Le Sud-Ouest: Midi-Pyrénées, Aquitaine

Derrière ce raccourci se cache une région aux facettes multiples, englobant aussi bien les Pyrénées que le Bordelais, le Béarn, la Gascogne et la Dordogne y compris le Périgord. La cuisine basque offre des noms aussi étranges que tripotch, loukinkas et ttorro, du boudin de mouton, des saucissons à l'ail et un ragoût de poissons de l'Atlantique. Dans les forêts gasconnes, on élève des poules, des pintades, des dindons et des oies. La cuisine simple et nourrissante du Périgord n'est pas avare de spécialités d'oie et de canard. Les plats du Bordelais sont aristocratiques et raffinés à l'égal des vins. A côté des poissons et des fruits de mer, les plats de viande s'harmonisent bien avec le vin rouge.

Auvergne, Limousin

Le centre de la France, loin des côtes, est caractérisé par des paysages sereins, peu peuplés, par les dômes volcaniques du Massif central et les contreforts nord-ouest de cette montagne insolite. La cuisine du Massif central, pauvre, est simple et tient au corps. Plats de pommes de terre, grosses soupes savoureuses et ragoûts de mouton ou de bœuf, lait et fromage dominent. Dans le Limousin, les châtaignes comptent parmi les principaux ingrédients.

Poitou-Charentes, Vallée de la Loire

La gastronomie des Charentes, berceau du cognac, est basée sur les trésors de l'Atlantique. Le lait, la crème, le beurre et le vin sont les éléments de cette cuisine simple. Il en va de même pour la Vendée, région paisible en retrait de ses plages très fréquentées. Le Poitou est renommé pour ses desserts, ses pâtisseries et ses confiseries. La vallée de la Loire, contrée des châteaux, est un pays de cocagne, et pas uniquement pour les gourmets et les amateurs de vins. On y prépare des mets de choix à base de viande, de poisson, de gibier et de volaille.

Bretagne, Normandie, le Nord

Accidentée, déchiquetée et battue par les vents, telle se présente la Bretagne, l'avant-poste occidental de la France. Les poissons de l'Atlantique et toutes sortes de crustacés, les prés-salés (moutons engraissés sur des pâturages côtiers) ainsi que les crêpes sont les plats régionaux. Comme en Normandie, le cidre remplace le vin. Le beurre, la crème et le lait sont les principaux ingrédients de la cuisine normande (Manche). A l'extrême nord, où l'influence de la Flandre belge est déjà nettement perceptible, vous trouverez une cuisine sans chichi avec laquelle on boit de la bière, et de nombreuses douceurs.

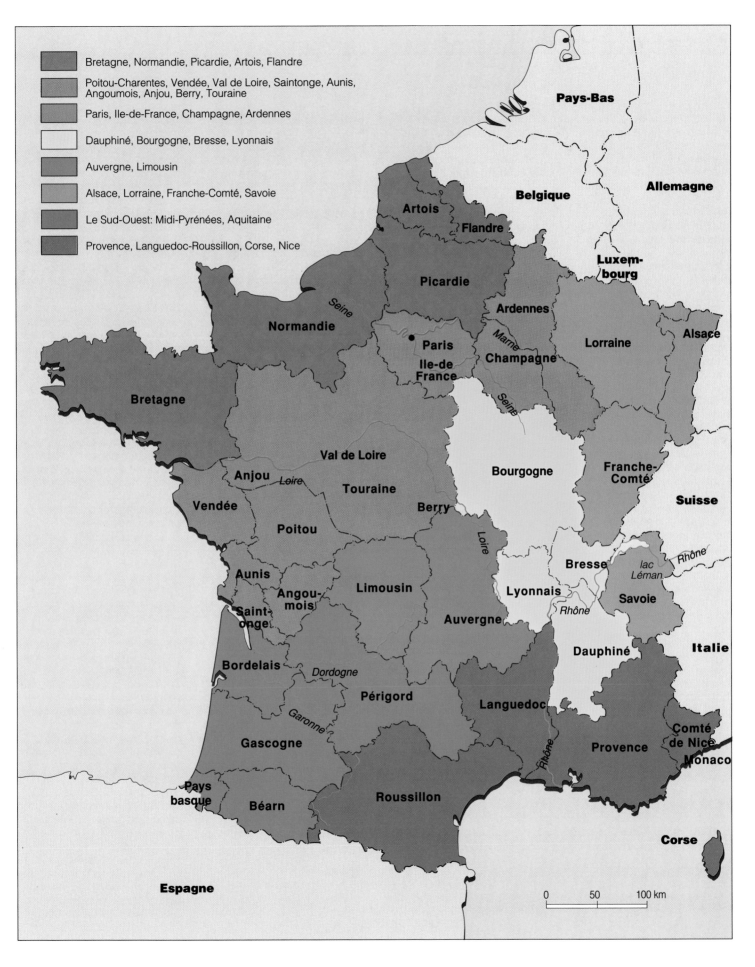

9

L'historique de la cuisine française

La cuisine française? Fine et compliquée, dit l'amateur de tables prestigieuses. La cuisine française? D'une simplicité raffinée et facile à faire, dit l'habitué de bistrots et d'auberges de campagne. Est-elle unique ou multiple? Qu'est-ce qui fait sa spécificité? Pour l'apprendre, jetons un regard en arrière.

La cuisine des Gaulois, les ancêtres des Français, était simple comme il se doit. Les seuls témoignages que l'on en ait nous ont été transmis par des écrits romains. Grâce à eux, nous savons que les Gaulois affectionnaient les plats très relevés. Ils consommaient peu de pain, contrairement à la viande et au poisson qu'ils assaisonnaient de cumin et de vinaigre. Ils mettaient aussi du cumin dans leurs boissons. Le vin venait de Marseille ou d'Italie.

Les Francs, qui s'établirent sur le territoire de la France actuelle au Ve siècle, introduisirent les manières raffinées des Romains. Ils mangeaient couchés et les tables étaient fleuries. Leur cuisine fut romaine jusqu'au début du Moyen Age et à l'épanouissement des monastères, qui fit faire des progrès décisifs à l'art culinaire.

Au XIIIe siècle, on bâtit d'immenses cheminées, en partie au centre des salles, où l'on cuisait les viandes et les légumes. C'est alors que se développa l'art de la cuisine en sauce, un livre de cuisine de l'époque citant déjà dix-sept sauces à préparer séparément et à servir avec différents mets.

Au XVIe siècle, à l'époque de François Ier, la cuisine française connut un renouveau inspiré du mode de vie de la Renaissance italienne. On mangeait très peu de viande de boucherie, mais beaucoup de poisson, de volaille, de gibier à poil et à plume. Les légumes étaient peu prisés. C'était le temps des joyeuses ripailles.

Au cours de l'époque qui suivit, on se serra la ceinture. L'économie était de rigueur à cause des nombreuses guerres et il fallut attendre le règne d'Henri II pour que la gastronomie connaisse une nouvelle période faste. Deux reines françaises de sang italien, Catherine et Marie de Médicis, passent encore de nos jours pour les principales fondatrices de la cuisine française. Elles emmenèrent en France avec elles leurs cuisiniers, qui étaient réputés les meilleurs du monde, et les cuisiniers français, loin de s'insurger, prirent des leçons auprès d'eux.

Henri IV fut un promoteur de la culture culinaire et de la viticulture. Le XVIIe siècle vit la publication des premiers grands ouvrages normatifs de l'art culinaire français écrits par La Varenne et Massaliot. Les préoccupations allaient à l'art riche et varié de préparer des sauces et l'on se mit à baptiser des plats en l'honneur de personnages nobles ou haut placés. C'était aussi le temps où les hors-d'œuvre et les entremets, culinaires s'entend, furent servis pour la première fois. Autrefois, «entremets» désignait toutes sortes de divertissements en cours de repas. La cuisine de cette époque était cependant plus pompeuse et fastueuse que fine et délicate. Les festins organisés sous le règne de Louis XIV, le Roi Soleil, avaient une exubérance baroque. Le prince de Condé et le surintendant Fouquet, surtout, firent beaucoup pour la cuisine, et les maîtres queux les remercièrent en donnant leurs noms ou ceux de leurs égaux à leurs créations. La sauce béchamel, une «invention» de l'époque, et les côtes d'agneau Maintenon sont des exemples d'hommages rendus à une classe qui se mobilisa pour donner un nouvel essor à la cuisine française. C'est également à cette époque que les lourds ustensiles de cuisine du Moyen Age furent remplacés par d'autres

Chapiteau roman et partie de colonne figurant une scène de la vie quotidienne.

en fer-blanc. Louis XIV lui-même était un trop gros mangeur pour figurer dans l'histoire comme un gourmet, mais c'est pourtant à lui que l'on doit l'introduction d'un nouvel ordonnancement du menu. A compter de cette époque, les mets furent servis les uns après les autres et non plus, comme avant, empilés sur de vastes plats en pyramides gigantesques.

Si opulence et gloutonnerie démesurée caractérisaient la cour du Roi Soleil, il lui succéda une époque de raffinement sous la régence de Philippe d'Orléans. C'est là que la haute cuisine française sort des limbes. A la cour, les ustensiles de cuisine étaient en argent, le Régent lui-même aidait à la préparation des plats. Jusqu'au début du XVIIIe siècle, la nourriture était cuite dans la cheminée, il y avait à présent des fourneaux de dix à vingt foyers.

L'intérêt pour la cuisine se prolongea sous Louis XV. De cette époque, nous possédons un témoignage, transmis par Brillat-Savarin, relatif à la composition d'un menu bourgeois. Il ressemble assez à nos menus contemporains:
1er service: bœuf au bouillon, veau dans son jus, hors-d'œuvre.
2e service: dindonneau, plat de légumes, salade.
3e service: fromage, fruits, confiture.
A la cour et dans les familles nobles, un tel menu se composait, il est vrai, de quelque deux cents (!) mets différents. Le temps de l'incommensurable splendeur devait bientôt toucher à sa fin, mais, sous Louis XVI, le dernier monarque avant la Révolution, il y eut encore un événement culinaire de taille: l'ouverture à Paris du premier restaurant! Les cartes reflétaient l'esprit du temps. Elles comportaient plus de deux cents plats et cela à une époque où réfrigérateurs et robots de cuisine n'existaient pas.

Après la Révolution, il fut d'abord de bon ton de renier les débauches passées et de mener une vie spartiate. Mais les nouveaux maîtres étaient en définitive eux aussi des Français et ils se lassèrent très vite de pratiquer ces nouvelles vertus à table. L'aristocratie avait émigré, mais les cuisiniers étaient restés. Ils étaient maintenant au service des

quels les ouvrages d'Escoffier et de Pellaprat. Après la Première Guerre mondiale, l'aménagement des cuisines fut en net progrès, l'acier spécial, le nickel et l'aluminium remplaçant les couverts en cuivre. La métallurgie, privée de débouchés pour l'armement, se consacra à la production d'appareils pratiques et d'entretien aisé. On vit

mettent de génération en génération. Les familles sont les dépositaires des spécialités régionales, des coutumes festives centenaires. C'est dans ce fonds que puisent les maîtres cuisiniers, c'est lui qu'ils aménagent, qu'ils affinent, mais ils retournent toujours à cette constante du peuple français attaché à une cuisine préparée et dégustée à

l'aise, en dépit du travail féminin et de la vie trépidante. La nouvelle cuisine des années soixante-dix, qui prônait la réduction des temps de cuisson, le renoncement aux sauces liées à la farine et les aliments naturels, est restée, dans sa forme pure, l'affaire de quelques restaurants à toques. Dans les familles et les bistrots, mais aussi dans les grands restaurants, on poursuit comme par le passé l'art traditionnel de la cuisine française. Si les plats sont un peu plus légers, le nombre de services n'a pas changé. On continue à boire du vin à table, un peu moins qu'avant, mais avec une exigence de qualité nettement accrue. Aujourd'hui comme hier, tout cela est une partie intégrante et indispensable du savoir-vivre français.

La façade sud-est du château de Chambord, un des grands châteaux de la Loire.

nouveaux maîtres et des grands bourgeois; on ralluma les fourneaux. Bientôt, à Paris, les restaurants sortirent de terre comme des champignons et, dans les classes supérieures, on fit bonne chère comme au temps de Louis XIV. L'œuvre maîtresse de Brillat-Savarin, La *Physiologie du goût*, la bible des plaisirs de la table, parut en 1826. L'époque suivante renoua avec la modération. Louis-Philippe vivait bourgeoisement et attendait de sa cour qu'elle fît de même. C'est néanmoins l'époque où furent fondés de célèbres clubs et associations gastronomiques, les ancêtres de la future Académie gastronomique. Pendant le dernier tiers du XIXe siècle, la cuisine française atteignit son apogée, un processus qui trouve son prolongement jusqu'au siècle présent. On publia quantité de livres de cuisine, encore valables aujourd'hui, parmi les-

le développement et la démocratisation du verre et de la céramique résistants au feu. Les cuisines devinrent plus claires, mieux agencées. Un élément majeur de cette ère nouvelle fut la technique du froid, du réfrigérateur au congélateur. De plus, l'utilisation des appareils ménagers électriques se généralisa. Voici pour l'évolution de la cuisine en France, telle qu'elle a traversé les grands avatars de l'histoire. A cela viennent se greffer les événements régionaux, les influences externes tant à l'égard des produits que des hommes. Dans la mesure du possible, j'approfondirai ces points dans les portraits des régions, dans les reportages sur les produits et dans les différentes recettes.
Quelle est la situation actuelle? La cuisine des grands maîtres queux coexiste avec une cuisine familiale traditionnelle, dont les recettes se trans-

Une vieille enseigne d'auberge de toute beauté à Riquewihr en Alsace.

Champagne, Paris, Ile-de-France

Symbole d'une capitale:
Vue par-delà la Seine de la tour Eiffel à Paris

Les produits du terroir

Si Paris, la turbulente capitale, centre de la nation à tous points de vue, ne produit pas elle-même de matières premières, elle peut en revanche faire état d'une cuisine individuelle qui a été inspirée par les grands maîtres de l'art culinaire. Depuis longtemps, les cuisiniers français les plus doués viennent faire leurs preuves à Paris devant des gourmets habitués à l'excellence. Les fameuses sauces comptent parmi les spécialités de la ville. Les frites et les brioches sont également originaires de Paris, sans oublier la soupe à l'oignon que les couche-tard et les lève-tôt dégustaient autrefois côte à côte autour des anciennes halles.

La capitale en constante expansion se trouve au milieu d'une contrée paysagère et maraîchère parcourue par de nombreux cours d'eau. L'Ile-de-France, le cœur de la France, produit les meilleurs légumes et les meilleurs fruits. Les carottes rouge vif de Crécy ont donné leur nom à toutes les préparations aux carottes, les asperges d'Argenteuil sont très prisées par les gourmets et, last but not least, les champignons de couche s'appellent champignons de Paris parce qu'ils provenaient à l'origine de la région parisienne. A Clamart, on trouve les petits pois les plus fins et la vallée de la Bièvre est connue pour ses fraises aromatiques. Le gibier et les poissons d'eau douce font également partie des trésors de cette riante région.

Deux fromages réputés viennent de l'est de la région: le coulommiers et le brie. Le fontainebleau tire son nom du château homonyme situé au sud-est de Paris. Ils sont tous doux et crémeux et se marient à une cuisine raffinée.

L'Ile-de-France est bordée à l'est par la Champagne. A l'écoute de ce nom, on songe

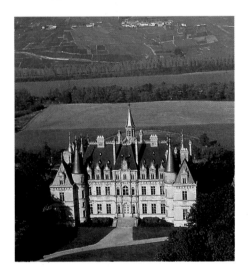

L'imposant château de Boursault, autrefois propriété de la veuve Clicquot.

En haut: le merveilleux jardin de Giverny, à l'ouest de Paris, où le grand impressionniste et gourmet Claude Monet passa ses dernières années, invite le visiteur à la contemplation.

A droite: Coulonges-Cohan, une des églises fortifiées des XIe et XIIe siècles, telles qu'on en rencontre un peu partout en Champagne.

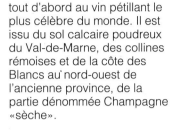

tout d'abord au vin pétillant le plus célèbre du monde. Il est issu du sol calcaire poudreux du Val-de-Marne, des collines rémoises et de la côte des Blancs au nord-ouest de l'ancienne province, de la partie dénommée Champagne «sèche».

En revanche, la Champagne «humide» est une région de lacs de barrage et de rivières où l'on pêche le brochet, la truite et l'écrevisse. On y pratique aussi l'élevage sur des pâtures grasses.

La province historique de Champagne englobe aussi les Ardennes au nord, une contrée de collines doucement vallonnées, aux forêts de hêtres et de chênes giboyeuses abondant en sangliers. Les charcuteries, boulangeries et pâtisseries qui confectionnent encore des spécialités traditionnelles à l'ancienne se sont regroupées sous l'emblème du sanglier.

La cuisine de la région est modérément riche. Les cochonnailles, telles que le boudin et les andouillettes ainsi que le jambon d'Ardennes séché, sont appréciées dans tout le pays. Les plats de lapin et de volaille sont mitonnés dans le vin de la région.

Tout en haut: boulangerie-pâtisserie à Paris – on peut y acheter du pain frais plusieurs fois par jour.

Au centre: marché de rue à Paris. Il y a des arrivées journalières de produits frais de tous les coins du pays.

A gauche: étal de fromager à Paris – le choix est saisissant. On dénombrerait plus de 500 sortes de fromages.

Les gens, les festivités, les curiosités

Paris! La capitale de la grande nation, qui a de tous temps présidé aux destinées du pays, est le centre de tout – même de la cuisine. Dans les petites rues tranquilles, on trouve encore le bistrot où madame trône derrière sa caisse, tandis que le patron règne sur la cuisine. A ce propos, le bistrot est né à Montmartre. Le terme serait dû aux cosaques qui y étaient cantonnés en 1814 et qui ponctuaient leur désir pressant de nourriture et de boisson des mots «bistro, bistro» (vite, vite).

Il existe encore des cafés où les habitués se retrouvent en fin d'après-midi autour d'un «ballon de rouge» pour échanger les nouvelles de la journée, des brasseries et bien sûr des grands restaurants et leur grande cuisine.

Les Parisiens, véritable brassage de populations, sont unis dans leur vague mépris des provinciaux. L'habitant de la capitale est plus exigeant dans le choix des victuailles de haute qualité qui affluent de tout le pays et qui sont tout aussi appétissantes dans les petites épiceries que dans les nombreux marchés hebdomadaires et les magasins haut de gamme. Même si les halles ont déserté la ville, le marché de primeurs de Buci, au centre-ville, vaut en tout cas une visite.

En l'honneur du jambon de Paris se tient tous les ans en octobre un marché de la ferraille et du jambon, et les quelques pieds de vigne de Montmartre font ce même mois l'objet d'une fête des vendanges. Au début de l'été, les fêtes du Marais dans le vieux quartier juif du même nom proposent en marge des concerts et des pièces de théâtre, des dégustations de spécialités fines de toutes les provinces françaises.

Beaucoup connaissent Paris, un peu moins l'Ile-de-France, si l'on excepte les châteaux comme Versailles, Fontainebleau et bien d'autres, où ont lieu chaque année des festivals de musique et où l'on peut admirer les objets d'art du patrimoine royal. Les forêts environnantes sont des buts d'excursion courus des Parisiens.

Si la Champagne du champagne offre un paysage un peu monotone, Reims et son imposante cathédrale, Epernay et Châlons-sur-Marne méritent absolument une visite. Les amateurs de luxe pétillant en bouteille s'intéresseront en premier lieu aux grands producteurs de champagne et à leurs immenses galeries crayeuses, où le champagne trouve des conditions de stockage idéales. Les petites villes et villages viticoles aux noms prestigieux donnent une impression plutôt calme et effacée.

A l'ouest, on rencontre le long de la route touristique des Eglises les constructions à colombages et les églises en bois qui font le charme de cette région. Le plus grand lac de barrage d'Europe, appelé «Le Chantecoq», est la principale «halte» sur le parcours des oiseaux migra-

En haut: le Centre national d'art et de culture Georges Pompidou qui a ouvert ses portes en 1977 est un centre de communication pour manifestations artistiques et culturelles en tout genre.

Au centre: l'élégant parc de Versailles, un modèle de jardins à la française du XVIIe siècle, séduit par sa symétrie et par sa rigueur géométrique.

Ci-contre: la cathédrale de Reims; c'est ici que furent sacrés les rois de France de 988 à 1825.

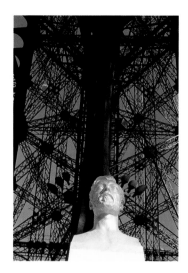

teurs d'Europe et un paradis des loisirs.

Une très jolie fête est organisée en Champagne le soir de Noël: le Noël des bergers de Braux-Sainte-Cohière.
Le grand festival international de marionnettes a lieu tous les quatre ans à Charleville-Mézières.
Mesnil-sur-Oger possède un musée du vin privé où sont exposés de vieilles bouteilles et d'anciens pressoirs et outils.

Dans la région des Ardennes, de nombreuses fortifications sont les témoins d'une histoire chahutée et belliqueuse.
A Sedan sur la Meuse, théâtre de la capitulation de Napoléon III, on peut voir une fortification impressionnante datant des XIVe-XVe siècles.

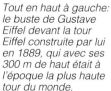

Tout en haut à gauche: le buste de Gustave Eiffel devant la tour Eiffel construite par lui en 1889, qui avec ses 300 m de haut était à l'époque la plus haute tour du monde.

Tout en haut à droite: le paisible canal de la Marne près de Langres en Champagne.

Au centre à gauche: chez les bouquinistes des bords de Seine les bibliophiles sont toujours à la recherche de trésors cachés.

Au centre à droite: idylle urbaine au centre de la grouillante métropole. Les moineaux offrent aux habitants un petit bout de nature.

En bas à gauche: la statue de la pucelle d'Orléans à Reims, où le roi Charles VII fut sacré en sa compagnie.

En bas à droite: la place des Vosges, autrefois le cœur du quartier aristocratique de Paris, fascine par sa quiétude et par l'unité de son style architectural du XVIIe siècle.

Les secrets de la champagnisation

L'histoire du champagne commence par une contrariété: les vins de cette région de France avaient invariablement tendance à fermenter une seconde fois au printemps. Les bouteilles explosaient et les pertes étaient considérables. Dom Pérignon, moine et maître de chais de l'abbaye de Hautvillers, réussit vers 1700 à mater le «génie dans la bouteille». Il utilisa pour la première fois des bouteilles à verre épais, résistantes à la pression, et des bouchons de liège.

Au XIXe siècle, tous les vins mousseux obtenus par champagnisation s'appelaient champagne. De nos jours, cette appellation est réservée à la région d'origine du même nom. Tous les autres vins français faits selon une méthode identique portent la dénomination de vins mousseux. Le procédé de champagnisation coûte du temps et de l'argent. A quoi cela tient-il? Il ne faut pas que les bulles générées par le gaz carbonique cessent de monter

dans le verre, qu'elles «meurent» au bout de quelques secondes. Il n'est pas question d'ajouter simplement du gaz carbonique, la «prise de mousse» doit se faire dans le vin. Le processus est le suivant: le moût subit d'abord la fermentation habituelle. Puis on procède à l'assemblage de la cuvée, c'est-à-dire que l'on mélange ensemble des vins de secteurs, cépages et années différents. Au printemps, on ajoute au vin vieux des sucres et des levures dilués. Les bouteilles sont alors bouchées, une seconde fermentation intervient et dégage du gaz carbonique. Après un temps déterminé, les bouteilles sont placées sur pointe (goulot en bas) sur des pupitres de remuage, ce qui amène la levure à se déposer sur le bouchon. On dégorge la bouteille (en débarrassant le vin de son dépôt sans le priver de ses bulles) et on y met un bouchon neuf. Le gaz carbonique ne s'échappera qu'à l'ouverture de la bouteille.

Dépôt de levure et de cuve accumulé sur le bouchon dit de remplissage après la seconde fermentation.

A droite en haut et au centre: mise en bouteilles du vin avant la seconde fermentation. Les bouteilles sont provisoirement munies d'une capsule à garniture plastique.

A droite: en vue de la seconde fermentation, les bouteilles sont empilées les unes sur les autres dans des caves ou des galeries creusées dans la craie où règne une température constante.

Tout en haut: après 2 semaines à 3 mois, les bouteilles sont d'abord mises à l'horizontale dans ces pupitres.

Ci-dessus: le caviste tourne les bouteilles en les secouant un peu (remuage) et les redresse progressivement jusqu'à ce que le dépôt se détache des parois de la bouteille et vienne s'accumuler sur le bouchon.

Ci-dessus: le dégorgement est l'opération qui consiste à déboucher la bouteille, provoquant ainsi l'expulsion du dépôt sous la pression du gaz carbonique.

Les vins

La capitale de la France, métropole des amateurs et connaisseurs en vins, est située à l'écart des grandes régions viticoles. Paris et la région parisienne sont trop au nord pour produire des vins de qualité. Pourtant, grâce aux couvents montmartrois, on y élève des vignes depuis le XVIe siècle, vignes qui ont pris une grande importance au XVIIe siècle. De nos jours, il en subsiste quelques ceps.

En Ile-de-France, on trouve des vignobles dans des endroits peu favorables d'un point de vue climatique, comme à Suresnes où a même lieu une fête des vendanges. L'un des vins proches des blancs de Champagne se nomme carnetin, qui par sa seule originalité mérite qu'on le cite.

En Champagne, c'est une autre histoire. C'est ici, à la frontière vinicole septentrionale que l'on produit le mousseux le plus noble du monde, et ce dans la plus petite région de production de France avec seulement 34 000 hectares de vignes, soit 2 % de la superficie viticole globale. Si les raisins y mûrissent, c'est grâce à la faible altitude mais surtout au sol crayeux et poreux qui accumule la chaleur. La craie est d'ailleurs l'un des sols les plus appréciés au monde pour la viticulture. La forte hygrométrie, due aux grandes étendues d'eau et aux forêts, conjuguée à des étés et à des automnes cléments, contribue à faire régner des conditions optimales dans cette région nord.

Les ceps se partagent trois zones de production, la montagne de Reims, la vallée de la Marne et la côte des Blancs. Il existe aussi des superficies plus modestes dans des secteurs favorables des départements périphériques.

Ces trois zones ayant droit à l'appellation champagne ont un triple encépagement, avec pour deux tiers le pinot noir, un raisin rouge qui donne les meilleurs vins rouges de la Bourgogne proche. En Champagne, le jus des raisins rouges vinifié sans les pellicules donne un vin blanc. Le pinot noir confère au champagne corps et plénitude. Il acquiert fraîcheur et finesse par l'apport du chardonnay, un cépage blanc. Il donne des vins très «mousseux». Le troisième cépage est rouge à nouveau: le pinot meunier est particulièrement résistant et survit aussi dans des secteurs menacés par les gelées. Il apporte au champagne charpente et jeunesse. Ces trois cépages sont présents soit individuellement soit en association dans le mélange des vins. Un champagne obtenu

Vue de la vallée de la Marne, dont les coteaux portent les précieuses vignes qui produisent le champagne. A l'arrière-plan, la ville d'Epernay, principal centre avec Reims de la commercialisation du champagne.

exclusivement à base de raisins noirs s'appelle «blanc de noirs», un autre obtenu exclusivement à base de raisins blancs, «blanc de blancs».

Le champagne n'est pas un vin de vignerons. Ces derniers vendent leur récolte aux «maisons» de champagne. Les tarifs varient en fonction de la situation de chaque commune et de ses vignobles. Ces grandes firmes assemblent en cuvée les vins d'années, de secteurs et de cépages différents selon des recettes secrètes, afin de garantir une qualité constante. Ce n'est que les années exceptionnelles que l'on produit des champagnes millésimés à partir de la production d'une année unique.

Il existe parallèlement des petits producteurs qui fabriquent du champagne avec les vins d'une seule commune.

Mais le vin de base n'est pas le seul à déterminer le goût du produit fini. Lors du dégorgement, on ajoute au champagne clarifié un mélange de sucre et de vin, dit dosage d'expédition. Selon le pourcentage, on obtient du champagne brut, sec, demi-sec, demi-doux et doux.

Le champagne peu sucré peut être bu à l'apéritif ou entre les services d'un menu; le doux, produit en faibles quantités, convient aux desserts.

Là où des parcelles recherchées donnent des produits d'une qualité aussi élevée, il reste peu de place pour des vins «normaux». Il existe cependant deux appellations d'origine pour des crus tranquilles, donc non mousseux. L'AC coteaux champenois concerne des chardonnays issus de la côte des Blancs. Le rosé des Riceys est une curiosité. Produit exclusivement à base de pinot noir, il compte parmi les meilleurs rosés français – son seul défaut est sa rareté.

Recettes régionales

Soupes et entrées

22 Soupe à l'oignon
(Paris)
22 Soupe à la reine
(Ile-de-France)
23 Pissenlits au lard
(Champagne)
23 Salade champenoise
(Champagne)
24 Pâté au ris de veau
(Paris)

Poissons et crustacés

26 Daurade farcie au merlan
(Ile-de-France)
26 Suprême de brochet
(Champagne)
27 Truites au vin blanc
(Champagne)
28 Homard à l'américaine
(Paris)

Viandes, volailles et gibier

30 Foie de veau à la briarde
(Ile-de-France)
31 Bœuf à la mode
(Ile-de-France)
32 Suprême de volaille
(Ile-de-France)
32 Poulet au champagne
(Champagne)
33 Poule en hochepot
(Ile-de-France)
34 Gibelotte de lapin
(Ile-de-France)
34 Perdrix à la vigneronne
(Ile-de-France)
35 Haricot de lièvre
(Ile-de-France)

Accompagnements

36 Pommes soufflées
(Paris)
36 Purée Crécy
(Ile-de-France)
37 Purée d'oignons
(Champagne)
37 Endives à l'ardennaise
(Champagne)

Desserts

38 Crème champenoise
(Champagne)
38 Sorbet au champagne
(Champagne)
39 Crème Bourdaloue
(Ile-de-France)

Soupe à l'oignon
(Paris)

Ingrédients pour 6 portions:

150 g d'oignons
50 g de beurre
1 cs de farine
1,5 l de bouillon de viande léger
6 tranches fines de pain blanc
100 g de gruyère finement râpé
4 cl de cognac ou de porto
sel, poivre du moulin

Réalisation: 50 minutes
Par portion: 900 kJ/210 kcal

1 Eplucher et hacher très fin les oignons. Faire fondre le beurre dans une cocotte. Ajouter les oignons et les faire cuire 15 minutes à feu doux, sans colorer, pour les attendrir. Saupoudrer de farine, mouiller avec le bouillon. Saler, poivrer.

2 Laisser frémir à couvert 15 minutes à feu moyen. Préchauffer le four à 220° C.

3 Pendant ce temps, faire griller les tranches de pain sans matière grasse dans une poêle. Les mettre dans des soupières individuelles allant au four. Verser la soupe sur le pain. Saupoudrer de fromage.

4 Placer les soupières sur la plaque centrale du four (thermostat 4) et faire gratiner la soupe pendant 7 minutes environ. Parfumer au cognac ou au porto (facultatif).

• En l'absence de petites soupières allant au four, posez les tranches de pain dans des assiettes creuses. Râpez finement le fromage par-dessus avant de verser la soupe brûlante.

• A Paris, les noctambules la mangent après le spectacle. Elle a acquis ses lettres de noblesse dans les bistrots des anciennes halles.

Soupe à la reine
(Ile-de-France)

Ingrédients pour 4 portions:

1 l de consommé de viande ou de volaille
1 tranche de 4 cm de pain blanc (écroûté) rassis
12 amandes douces
1 amande amère
4 œufs
1 filet de poitrine de poulet rôti
100 g de crème fraîche
sel
poivre blanc du moulin

Réalisation: 45 minutes
Par portion: 1 005 kJ/325 kcal

1 Mettre le consommé à bouillir. Emietter le pain avec les doigts et l'ajouter à la soupe. Donner plusieurs petits coups de bouillon. Oter la marmite du feu.

2 Plonger les amandes dans l'eau bouillante et en retirer la peau. Cuire les œufs durs, les écaler et extraire le jaune (réserver le blanc pour une autre utilisation). Hacher fin le poulet sans la peau.

3 Réunir la viande, les jaunes d'œufs et les amandes dans un mortier et les piler ou les passer au hachoir électrique. Amalgamer ce mélange à la soupe. Ajouter la crème fraîche.

4 Passer la soupe au tamis. Réchauffer et rectifier l'assaisonnement.

• Accompagnement: de très fines tranches de baguette grillées au beurre conviennent très bien.

• N'employez pas plus de 1 amande amère!

• Une bonne entrée en matière pour un repas de fête.

Pissenlits au lard
(Champagne)

Ingrédients pour 4 portions:

300 g de feuilles de pissenlit
  frais
150 g de lard maigre fumé
2 cs d'huile d'olive
2 cs de vinaigre de vin
sel, poivre du moulin

Réalisation: 20 minutes
Par portion: 1 200 kJ/290 kcal

1 Trier les feuilles de pissenlit, les passer sous l'eau froide, les égoutter et les éponger. Dresser les feuilles dans un saladier. Saler modérément, poivrer généreusement.

2 Tailler le lard en petits dés. Chauffer l'huile dans une poêle et y faire rissoler les lardons en remuant pendant 10 minutes à chaleur moyenne. Verser le vinaigre en tournant rapidement.

3 Verser la sauce de salade chaude sur le pissenlit, bien mélanger et servir aussitôt.

• Le pissenlit se vend surtout sur les marchés. Les jeunes feuilles cueillies dans le jardin ou dans les prés avant la floraison se prêtent aussi très bien à cette salade. Dans le deuxième cas, assurez-vous d'abord que le pré n'est pas bordé par une route très fréquentée.

Salade champenoise
(Champagne)

Ingrédients pour 4 portions:

1 scarole
4 tomates
150 g de foies de volaille
1 cc de beurre
50 g de lard maigre fumé
1 cc de moutarde mi-forte
1 cs 1/2 de bon vinaigre de vin
6 cs d'huile d'olive
sel, poivre du moulin

Réalisation: 40 minutes
Par portion: 1 200 kJ/290 kcal

1 Nettoyer, laver et éponger la salade. Déchirer les feuilles en petits morceaux. Les disposer dans un saladier.

2 Ebouillanter les tomates, les éplucher, exprimer les graines, couper la chair en petits dés et en parsemer les feuilles de salade.

3 Passer rapidement les foies de volaille sous l'eau froide, les couper en deux. Faire fondre le beurre dans une poêle. Saisir les foies des deux côtés, les égoutter sur du papier absorbant. Détailler le lard en tout petits dés et le faire fondre 5 minutes environ dans le reste du beurre.

4 Faire une sauce avec la moutarde, le vinaigre et l'huile, saler et poivrer. Répartir les foies et le lard tièdes sur la salade. Napper avec la sauce. Mélanger le tout à table.

• Accompagnement: de minces croûtons, à savoir des tranches de ficelles (les fines baguettes) grillées à sec ou rôties dans un peu de beurre.

• Conseil: cette salade devient une petite collation si vous y ajoutez 1 œuf poché par personne. Dressez sur les croûtons.

23

Pâté au ris de veau

(Paris)

**Ingrédients pour 8-12 portions
(un moule à pâté de 2 l):**

Pour la pâte:
650 g de farine
350 g de beurre ramolli
1 œuf entier
1 jaune d'œuf
sel

Pour la farce:
1 ris de veau (300 g)
800 g de veau (escalopes ou
    filet)
1 cc d'épices pour pâté
200 g de crème fraîche
1 œuf
200 g d'épinards
2 branchettes de thym
2 branchettes de romarin
4 échalotes
1 cc de beurre
500 g de jambon cru doux
sel, poivre blanc du moulin

Pour la gelée:
5 feuilles de gélatine blanche
300 ml de fond de veau
    (en pot)
80 ml de madère

Autres ingrédients:
beurre pour le moule
2 jaunes d'œufs pour dorer
1 cs de crème pour dorer

Réalisation: 4 h 1/2
*   (+ 6 h de refroidissement
    minimum)*
Pour 12 portions, par portion:
2 775 kJ/660 kcal

Paris est la métropole des
pâtés fins depuis que
Catherine de Médicis a importé
le «buon gusto» (bon goût) en
France. Le nom «pâté» vient au
demeurant de l'italien «pasta»
(pâte). Un pâté exige beaucoup de travail, mais il est
largement compensé par son
goût incomparable et on le
mangerait avec les yeux.

• A propos de la cuisson:
sachant que tous les fours ont
des températures différentes,
il est indispensable de vérifier
si le pâté est cuit. Observez le
jus de viande par la «cheminée». S'il est clair, la farce est
cuite. Ou bien piquez dans le
pâté une fine broche pendant
4-5 secondes avant de la
porter à votre lèvre inférieure.
Si la pointe et le haut de la
broche sont très chauds et le
milieu chaud, le pâté est cuit.
Mais si le milieu de la broche
reste froid, prolongez un peu
la cuisson.

1 Mettre le ris de veau à dégorger 2 h environ. Entre-
temps, tamiser la farine pour la
pâte sur un plan de travail.
Creuser un puits au centre.
Y mettre le beurre, l'œuf entier
et le jaune. Verser 10 cs d'eau
environ. Saler. Pétrir le tout et
mettre au réfrigérateur pour
1 heure environ.

2 Couper le veau en petits
cubes et les mettre dans un
plat creux. Assaisonner avec
les épices pour pâté, le sel et
le poivre. Les mélanger à la
crème et à l'œuf entier, et
placer 30 minutes au congélateur.

3 Blanchir le ris de veau 5 minutes environ dans l'eau
bouillante. Puis égoutter et laisser refroidir. Laver et nettoyer
les épinards, garder les feuilles
entières. Les blanchir à peine,
les rafraîchir à l'eau froide et
les égoutter. Nettoyer le ris de
veau et l'envelopper dans les
feuilles d'épinards.

4 Laver les branches de thym
et de romarin, ôter les
feuilles et les hacher finement.
Eplucher et hacher fin les
échalotes. Faire revenir le tout
dans le beurre, laisser refroidir.
Couper le jambon en gros dés.

5 Moudre les cubes de veau gelés dans le moulin à viande (grille la plus fine) ou au robot ménager, puis passer le tout au tamis grossier. Y amalgamer les herbes et le jambon, réserver au réfrigérateur. Beurrer un moule à pâté. Préchauffer le four à 180° C.

6 Sur un plan légèrement fariné, abaisser la pâte sur environ 1/2 cm d'épaisseur. Découper un couvercle. Foncer le moule et piquer le fond avec une fourchette. Enlever les bords qui dépassent. Garnir avec la moitié de la farce. Disposer le ris. Recouvrir avec le reste de la farce et lisser la surface.

7 Badigeonner les bords de la pâte avec 1 jaune d'œuf battu. Poser le couvercle de pâte et percer un trou au centre. Faire une cheminée avec du papier alu. Décorer le couvercle avec les restes de pâte. Mélanger ensemble la crème et le 2e jaune d'œuf. En badigeonner le couvercle.

8 Enfourner le pâté (gaz: thermostat 3) pour 70 minutes environ. Vérifier la cuisson! Enlever l'alu, laisser refroidir le pâté. Faire ramollir la gélatine. Faire bouillir le fond de veau additionné de madère. Y faire fondre la gélatine. Couler la gelée dans l'ouverture. Laisser refroidir 6 h minimum.

Daurade farcie au merlan
(Ile-de-France)

Suprême de brochet
(Champagne)

Ingrédients pour 6 portions:

1 daurade prête à cuire,
si possible ouverte sur le
dessus et sans arêtes
(1,2 kg environ)
4 filets de merlan (150 g pièce)
30 g de pain blanc rassis
(écroûté)
2 œufs durs
1 bouquet d'estragon
quelques branches de cerfeuil
4 gousses d'ail
4-5 cs de jus de citron
125 g de crème fraîche
2 jaunes d'œufs
noix de muscade fraîchement
râpée
50 g de beurre
sel, poivre du moulin

Réalisation: 1 h 1/4
Par portion: 1 600 kJ/380 kcal

1 Passer la daurade à l'eau
froide, l'éponger. Tailler les
filets de merlan en cubes et les
mettre dans un plat creux.
Emietter le pain par-dessus.

Ecaler et couper en dés les
œufs durs. Effeuiller les
branches d'herbes. Peler les
gousses d'ail. Les mélanger
aux autres ingrédients.

2 Réduire peu à peu ce mélange en purée au hachoir
électrique. Ajouter 2 cs de jus
de citron, la crème fraîche et
les jaunes d'œufs crus. Bien
mélanger, assaisonner avec la
muscade, le sel et le poivre.

3 Farcir la daurade. En recoudre le ventre. Préchauffer le
four à 230° C.

4 Placer le poisson dans un
plat beurré allant au four.
Le garnir de noisettes de
beurre et l'arroser du jus de
citron. Le faire cuire 30 minutes
environ au four préchauffé
(gaz: thermostat 4).

• Astuce: si possible, faites
retirer par le poissonnier l'arête
centrale de la daurade.

Ingrédients pour 4 portions:

1 brochet nettoyé prêt
à cuire (1,5 kg environ)
50 g de lard gras frais
2 oignons
4 échalotes
750 ml de rosé de Riceys (un
rosé de Champagne)
1 bouquet garni (persil, thym
feuille de laurier)
3 clous de girofle
250 g de champignons de
Paris
50 g de beurre + beurre pour
la casserole
2 cs de farine
sel, poivre du moulin

Réalisation: 1 h 1/2
Par portion: 2 400 kJ/575 kcal

1 Rafraîchir le poisson et
l'éponger. Couper la tête et
la queue. Inciser le poisson le
long de l'arête centrale de la
tête à la queue. Lever les filets
en passant le couteau le long
des arêtes derrière les ouïes du
dos au ventre. Les poser sur
une planche, peau en dessous,
et retirer la peau à l'aide d'un
couteau très aiguisé. Couper
chaque filet en deux.

2 Couper le lard en bâtonnets. Inciser délicatement
les filets avec un couteau
pointu et les larder.

3 Eplucher et hacher très
finement les oignons et les
échalotes. Verser 1/4 l de vin et
1/4 l d'eau dans une casserole.
Y jeter la moitié des oignons et
des échalotes avec les parures
du poisson. Porter ce fumet à
ébullition avec le bouquet
garni, le sel, le poivre et les
clous de girofle. Laisser cuire
quelque 30 minutes.

4 Dans l'intervalle, nettoyer
les champignons, les frotter
avec du papier absorbant, ne
pas les laver. Les couper en
tout petits dés.

Truites au vin blanc

(Champagne)

5 Beurrer une poissonnière, y mettre les filets. Passer le fumet à l'étamine et en prélever 1/4 l. En arroser le poisson avec le reste du vin. Faire pocher le poisson à couvert à feu doux 10-12 minutes, sans faire bouillir.

6 Dans une casserole, faire sauter à feu moyen les champignons avec la moitié du beurre et le reste des échalotes et des oignons hachés sans adjonction de liquide. Remuer constamment pour que les champignons ne colorent pas.

7 Tapisser le fond d'un moule allant au four avec cette duxelle de champignons. Poser par-dessus les filets de poisson. Préchauffer le four à 250° C.

8 Faire réduire le fumet de moitié environ. Manier le reste du beurre avec la farine, incorporer ce beurre manié au

fumet, rectifier l'assaisonnement et verser le tout sur les filets de poisson.

9 Faire gratiner 2-3 minutes au four (gaz: thermostat 5).

• L'alliance du rosé de Riceys, un rosé champenois tendre, et du brochet fait de ce plat une spécialité régionale typique.

• Le rosé de Riceys n'est pas facile à se procurer. Remplacez-le par un vin blanc tranquille de Champagne (coteaux champenois) ou un rosé tendre d'une autre région de France, tel un vin gris de Lorraine ou du sud de la France. Servez à table le même vin que celui dans lequel vous aurez poché le brochet.

Ingrédients pour 4 portions:

*4 truites nettoyées prêtes à
    cuire (200 g pièce)*
250 ml de lait
4 cs de farine
60 g de beurre
3 échalotes
*200 ml de vin blanc de
    Champagne
    (coteaux champenois)*
100 g de crème fraîche
1 jaune d'œuf
1 bouquet de ciboulette
sel, poivre du moulin

Réalisation: 1 h
Par portion: 1 960 kJ/460 kcal

1 Passer les truites à l'eau froide, les éponger. Verser le lait dans une assiette plate. Saler, poivrer. Tamiser la farine dans une assiette creuse. Tremper les truites dans le lait avant de les rouler dans la farine.

2 Faire fondre 1 cs de beurre dans une grande poêle. Y faire frire les truites à feu doux en deux fois pendant 7 minutes environ de chaque côté. Disposer les truites frites sur un plat et tenir au chaud.

3 Eplucher et hacher fin les échalotes. Faire fondre le reste du beurre dans une casserole, y faire suer les échalotes jusqu'à ce qu'elles deviennent transparentes. Mouiller avec le vin. Fouetter la crème fraîche et le jaune d'œuf pour lier la sauce. Ne plus faire bouillir. Saler et poivrer.

4 Laver, éponger et hacher la ciboulette. Napper les truites de la sauce. Garnir avec la ciboulette hachée. Servir très chaud avec des pommes vapeur et des légumes printaniers.

• Pour un repas de fête, employez du champagne brut pour la sauce.

Homard à l'américaine

(Paris)

Ingrédients pour 4 portions:

2 homards surgelés
    (de 700 g pièce)
1 oignon
1 échalote
2 tomates bien mûres
4 cs d'huile d'olive
1 gousse d'ail
2-3 branches de persil et
    d'estragon
200 ml de vin blanc sec
40 ml de cognac
1 pincée de poivre de cayenne
5 cs de beurre
sel, poivre du moulin

Réalisation: 1 h 1/2
    (+ 4 h pour faire décongeler les homards)
Par portion: 2 200 kJ/ 520 kcal

L'étymologie de cette recette raffinée reste un mystère. L'utilisation de tomates et d'huile d'olive, inconnues dans cette région au siècle dernier, va à l'encontre de la thèse selon laquelle ce plat serait originaire de Bretagne et son nom une déformation de «à l'armoricaine». Ces deux ingrédients indiquent probablement une origine provençale. Un gastronome parisien anonyme aurait donc «parisianisé» ce mets en secret.

• Vin conseillé: un vin blanc noble, tel un meursault, un corton-charlemagne ou un sancerre.

• Astuce: si vous souhaitez acheter des homards vivants, cuisez-les 15 minutes à gros bouillons. Demandez conseil à votre poissonnier.

1 Faire lentement décongeler les homards au réfrigérateur pendant 4 h environ. Tronçonner les queues de homard aux articulations de la carapace.

2 Avec un couteau bien aiguisé, fendre le coffre en deux dans la longueur. Retirer la poche contenant du gravier. Mettre de côté les intestins blancs et crémeux et le corail. Briser les pinces et les pattes.

3 Eplucher et hacher très fin l'oignon et l'échalote. Ebouillanter les tomates, les peler, ôter les graines et concasser la pulpe.

4 Faire chauffer l'huile dans une cocotte à parois épaisses, y faire sauter les morceaux de homard et les retirer aussitôt. Réduire la chaleur. Ajouter dans l'huile l'oignon et l'échalote, et les faire étuver sans colorer. Presser une gousse d'ail par-dessus. Bien mélanger le tout avec une cuiller de bois.

5 Laver, éponger, concasser le persil et l'estragon, et les ajouter. Dresser dessus les morceaux de homard. Ajouter le vin blanc. Réchauffer un peu le cognac dans une louche, le flamber et le verser dans la cocotte. Assaisonner, couvrir et laisser cuire à petits bouillons pendant 10 minutes.

6 Avant de servir, extraire la chair des tronçons de queues, des pattes et des pinces, et dresser les demi-coffres par-dessus. Tenir au chaud.

7 Faire réduire un peu le jus de cuisson. Concasser le corail et les intestins dans un mortier, les manier avec le beurre et les ajouter au coulis. Le corail rougit à la chaleur. Fouetter vivement la sauce, faire bouillir 2-3 fois. Oter du feu.

8 Ajouter à la sauce le reste du beurre en noisettes. Napper le homard de la sauce. Servir sans attendre.

Foie de veau à la briarde

(Ile-de-France)

Ingrédients pour 6 portions:

1 crépine de porc
(à commander à l'avance!)
1 foie de veau (de 1 kg)
100 g de lard maigre
fumé
2 jeunes carottes
2 oignons
1 bouquet garni (persil,
thym, laurier)
150 ml de vin blanc sec
150 ml de consommé ou de
fond de viande
50 g de beurre
sel, poivre du moulin

Réalisation: 2 h 1/4
Par portion: 2 300 kJ/550 kcal

1 Faire tremper la crépine dans l'eau chaude. Laver et parer le foie. Y pratiquer des incisions à l'aide d'un couteau pointu et aiguisé.

2 Détailler 75 g de lard en bandes minces et hacher finement le reste.

3 Larder le foie avec les bandes de lard, poivrer. Egoutter la crépine, l'étaler délicatement et y envelopper le foie.

4 Laver et émincer les carottes. Eplucher et hacher les oignons.

5 Faire fondre les lardons dans une cocotte. Y faire revenir le foie sur toutes ses faces. Verser l'excès éventuel de graisse. Ajouter les carottes et les oignons. Réduire la chaleur et faire cuire 5 minutes en remuant souvent. Mettre le bouquet garni. Saler. Mouiller avec le vin et le bouillon.

6 Couvrir et laisser cuire le foie à feu modéré pendant 1 h 1/2 environ.

7 Enlever la crépine et réserver le foie au chaud. Oter le bouquet garni. Passer la sauce à la passoire fine.

Egoutter les carottes et les oignons, réduire la moitié en purée. Incorporer le beurre à la purée. Mélanger de nouveau à la sauce le reste des carottes et des oignons.

8 Dégraisser la sauce. Escaloper le foie, ranger les tranches sur un plat et les recouvrir avec la sauce. Servir la mousse de légumes à part.

• Commandez de préférence le foie de veau à votre boucher pour le jour de l'abattage. Plus il est frais, meilleur il est. Commandez également la crépine de porc.

• On peut accompagner ce plat de baguette ou encore de pain de campagne blanc.

• Vin conseillé: à défaut de vins régionaux (cette recette, comme son nom l'indique, vient de la Brie), un beaujolais fera très bien l'affaire. Pas forcément un primeur, essayez plutôt un chiroubles tendre et fruité ou un fleurie bouqueté.

Bœuf à la mode
(Ile-de-France)

Ingrédients pour 6 portions:

*1 kg de bœuf (désossé, dans
     la culotte ou l'aiguillette)*
75 g de lard gras frais
60 ml de cognac
200 g de lard maigre fumé
350 g de carottes
10 petits oignons
2 échalotes
1 gros oignon
5 clous de girofle
*1/2 pied de veau (coupé en
     4 tranches par le boucher)*
noix de muscade
2 gousses d'ail
*1 bouquet garni (persil,
     thym, laurier)*
400 ml de vin blanc sec
1/2 l de bouillon de viande
1 bouquet de persil
sel, poivre du moulin

*Réalisation: 5 h
     (dont 4 h de cuisson
     + 2 h de marinade)
Par portion: 2 300 kJ/545 kcal*

1 Laver et sécher la viande. Couper le lard gras en fine julienne et en larder la viande. Mettre la viande dans un plat creux et l'arroser du cognac. Laisser mariner 2 h environ en la retournant plusieurs fois.

2 Tailler le lard maigre en petits dés, mettre la couenne de côté. Nettoyer, laver et couper les carottes en rondelles. Nettoyer, laver et laisser les petits oignons entiers. Eplucher et hacher fin les échalotes. Eplucher le gros oignon et le piquer avec les clous de girofle.

3 Faire revenir les petits lardons dans une cocotte à feu vif. Oter la viande de la marinade, éponger et l'ajouter aux lardons avec le demi-pied de veau. Faire dorer la viande en remuant. Retirer tout.

4 Hors du feu, garnir le fond de la cocotte avec la couenne, côté gras en dessous. Répartir les carottes par-dessus, remettre dans la cocotte viande de bœuf, lardons et pied de veau. Ajouter le bouquet garni, les oignons et les échalotes, puis la muscade. Eplucher et presser par-dessus les gousses d'ail. Saler et poivrer. Mouiller avec le vin et le bouillon.

5 Bien couvrir et laisser mijoter tout doucement pendant 4 h environ. Ne pas soulever le couvercle en cours de cuisson.

6 Au moment de servir, retirer le bouquet garni et l'oignon clouté.

7 Détacher la viande du pied de veau et l'ajouter au reste. Dégraisser le jus de cuisson.

8 Servir le bœuf dans la cocotte ou dans un plat de service avec sa garniture tout autour. Laver le persil, le hacher fin et en parsemer la viande. Napper avec le jus de cuisson ou le servir à part.

• Est délicieux avec de la baguette fraîche.

• Les connaisseurs apprécient surtout ce plat quand il est servi froid. Pour ce faire, mettez la viande entourée des légumes dans un plat creux et versez par-dessus le jus soigneusement dégraissé.

• Astuce: il est préférable de faire un bœuf à la mode en grande quantité. Doublez donc la quantité de viande – elle n'en sera que plus fondante -, mangez-en une partie chaude en plat de résistance et l'autre froide avec quelques amis.

Suprême de volaille

(Ile-de-France)

Ingrédients pour 4 portions:

1 kg de pointes d'asperges
1/2 cc de sucre
3-4 cs de jus de citron
4 filets de poulet (130 g pièce)
80 g de beurre
sel, poivre du moulin
cerfeuil pour garnir

Réalisation: 1 h
Par portion: 1 500 kJ/360 kcal

1 Préchauffer le four à 240° C. Peler et passer les asperges sous l'eau froide.

2 Dans une casserole, porter une bonne quantité d'eau à ébullition. Ajouter le sucre et le jus de citron. Y faire cuire les asperges de 15 à 20 minutes suivant leur grosseur.

3 Pendant ce temps, placer les filets de poulet dans une cocotte épaisse, saler et poivrer, faire fondre 50 g de beurre et le verser par-dessus.

Mettre ces filets au four préchauffé (thermostat 5) pendant 20-25 minutes.

4 Jeter l'eau de cuisson des asperges. Les égoutter et les remettre dans la casserole. Saler, poivrer. Réchauffer rapidement à feu vif pour faire évaporer l'eau résiduelle. Ajouter le reste du beurre en petits morceaux et laisser fondre.

5 Dresser les pointes d'asperges et les filets de poulet sur des assiettes préchauffées. Pour servir, garnir de cerfeuil.

• Vin conseillé: un vin blanc corsé tel un sancerre ou encore un meursault très élégant.

Poulet au champagne

(Champagne)

Ingrédients pour 4 portions:

Pour le bouillon de poule:
200 g d'abats de poule
1 carotte
1 oignon
1 gousse d'ail
1 bouquet garni (céleri blanc,
  thym, persil, laurier)
sel

Pour le poulet:
1 poulet à rôtir (1,2 kg)
1 truffe noire
50 g de beurre
1 cs de farine
1 cs d'huile
1 échalote
250 ml de champagne
150 g de crème fraîche
sel, poivre du moulin

Réalisation: 2 h
Par portion: 2 500 kJ/600 kcal

1 Pour le bouillon, faire bouillir les abats dans 1/2 l d'eau froide. Eplucher, couper en quatre et ajouter la carotte et

l'oignon au bouillon. Peler la gousse d'ail et la mettre entière. Ajouter le bouquet garni. Saler et laisser cuire 1 h environ en écumant de temps en temps.

2 Entre-temps, couper le poulet en quatre et mettre les morceaux de côté. Nettoyer la truffe le cas échéant, la couper en 4 lamelles, les mettre au frais.

3 Faire fondre la moitié du beurre dans une casserole, y jeter la farine et laisser quelque peu colorer pendant 2 minutes (roux). Retirer du feu.

4 Passer le bouillon de poule au tamis. En verser 1/4 l sur le roux et l'amalgamer au fouet. Faire bouillir et laisser frémir 5 minutes environ. Mettre dans un bol.

Poule en hochepot

(Ile-de-France)

5 Chauffer le reste du beurre et l'huile dans une casserole. Y faire revenir les morceaux de poulet. Saler, poivrer. Baisser le feu et faire sauter le poulet pendant 15 minutes sur chaque face. Dresser sur un plat, garder au chaud.

6 Eplucher et hacher très fin l'échalote. Verser la moitié de la graisse de cuisson dans une casserole, y faire suer l'échalote hachée et mouiller avec le champagne. Incorporer le roux en tournant et ajouter la crème fraîche. Travailler le tout au fouet pour obtenir une sauce onctueuse. La verser sur les morceaux de poulet à travers un tamis. Garnir chaque morceau d'une lamelle de truffe.

• Il est dommage de cuire le champagne, mais il a un goût inimitable qu'aucun vin blanc ne peut remplacer. Que boire avec cette recette? Du champagne naturellement.

Ingrédients pour 6-8 portions:

1 tranche de jarret de veau (500 g)
1 pied de veau (concassé par le boucher)
750 ml de vin blanc sec
2 carottes
1 oignon
6 clous de girofle
1 bouquet garni (persil, thym, laurier, céleri blanc)
1 jeune poule à cuire (1 kg)
250 g de saucisson de Lyon
200 g de champignons de Paris
60 g de beurre
1 cs de farine
4 cs de madère
100 g de crème fraîche
sel, poivre du moulin

Réalisation: 3 h 1/2
Pour 8 portions, par portion:
1800 kJ/430 kcal

1 Mettre le jarret et le pied de veau dans une casserole. Réserver 1 verre de vin, verser le reste dans la casserole avec 1/2 l d'eau et amener à ébullition.

2 Nettoyer les carottes et les couper en quatre dans le sens de la longueur. Eplucher l'oignon et le piquer avec les clous de girofle. Ajouter ces deux éléments dans la casserole avec le bouquet garni. Saler, poivrer. Laisser frémir à feu modéré pendant 2 h 1/2 environ.

3 En attendant, diviser la poule en 8 parts et les arroser avec le verre de vin blanc. Saler, poivrer. Retourner les morceaux de temps en temps.

4 Passer le bouillon une fois cuit au tamis, y mélanger la marinade de la poule et le reverser dans la casserole. Y plonger les morceaux de poule et le saucisson. Cuire à couvert pendant 40 minutes.

5 Pendant ce temps, détacher et hacher gros la viande du jarret et du pied de veau.

6 Nettoyer les champignons et les couper ou les laisser entiers. Les faire sauter 10 minutes au beurre.

7 Dresser les morceaux de poule cuits dans un plat creux. Couper le saucisson en rondelles et les disposer tout autour. Garder au chaud.

8 Faire fondre le reste du beurre. Saupoudrer la farine par-dessus pour faire un roux blond. Mouiller avec le madère. Incorporer la soupe de poule et la crème fraîche et faire cuire à petits bouillons pendant 5 minutes environ. Ajouter la viande et les champignons. Chauffer une dernière fois. Napper les morceaux de poule et les rondelles de saucisson avec cette soupe.

Gibelotte de lapin

(Ile-de-France)

Ingrédients pour 4 portions:

1 lapin (1,2 kg), nettoyé prêt à
    cuire
50 g de beurre
2 cs de farine
4 cl de marc de champagne
    (ou de cognac)
200 ml de vin blanc sec
200 ml de bouillon léger ou de
    fond de viande
1 gousse d'ail
1 bouquet garni (persil, thym,
    laurier)
12 oignons nouveaux
200 g de champignons de
    Paris
125 g de lard maigre fumé
sel, poivre du moulin

Réalisation: 1 h 1/2
Par portion: 2 600 kJ/620 kcal

1 Découper le lapin en
8 morceaux. Faire fondre le
beurre dans une cocotte épaisse et y saisir les morceaux de
lapin sur toutes leurs faces.
Saler, poivrer et saupoudrer

avec la farine. Retourner
constamment les morceaux à la
cuiller en bois jusqu'à ce que la
farine ait pris une teinte dorée.
Chauffer légèrement le marc
dans une louche, allumer et
flamber. Mouiller avec le vin et le
bouillon. Eplucher la gousse
d'ail et l'ajouter entière avec le
bouquet garni.

2 Couvrir et laisser mijoter à
feu modéré 45 minutes
environ.

3 Pendant ce temps, nettoyer
et laver les oignons
nouveaux et les laisser entiers.
Nettoyer, frotter et couper les
champignons en deux
éventuellement. Couper le lard
en petits lardons et les faire
sauter dans une petite poêle.

4 Ajouter à la viande les
oignons, les champignons
et les lardons sans la graisse et
prolonger la cuisson de
15 minutes.

Perdrix à la vigneronne

(Ile-de-France)

Ingrédients pour 4 portions:

2 jeunes perdrix (400 g pièce)
2 tranches de lard gras fumé
400 g de grains de raisin
50 g de beurre
4 tranches de pain toast
100 ml de vin blanc sec
100 ml de fond de gibier (en
    pot)
sel, poivre du moulin

Réalisation: 45 minutes
Par portion: 2 100 kJ/500 kcal

1 Passer les perdrix sous
l'eau froide et les brider
(ficeler les ailes et les cuisses
au corps). Couper les tranches
de lard en deux et en barder
les perdrix. Attacher les bardes
avec du fil de cuisine.

2 Peler, couper en deux et
épépiner les grains de
raisin.

3 Chauffer le beurre dans une
sauteuse. Y faire rôtir les

perdrix sur toutes leurs faces à
feu vif pendant 20 minutes
environ.

4 Entre-temps, passer les
tranches de pain au grille-
pain ou les griller à sec dans
une poêle. Les disposer sur un
plat de service.

5 Découper les perdrix en
deux et les dresser sur les
canapés. Garder au chaud.

6 Verser le beurre de la
sauteuse. Déglacer le fond
de cuisson au vin blanc. Faire
réduire. Ajouter le fond de
gibier. Faire un peu réduire à
nouveau. Saler modérément,
poivrer.

7 Réchauffer brièvement les
grains de raisin dans la
sauce, les ôter et les dresser
sur le plat. Débarrasser les
bardes du fil de cuisine et en
garnir les demi-perdrix.

Haricot de lièvre
(Ile-de-France)

8 Passer la sauce et la servir dans une saucière.

• On accompagnera ces perdrix de purée de pommes de terre à la crème.

• Vin conseillé: un vin rouge qui a du corps tel un saint-émilion ou une côte-rôtie.

Ingrédients pour 4 portions:

1 jeune lièvre (de 2 kg), nettoyé
    prêt à cuire
2 échalotes
1 gousse d'ail
50 g de beurre
1 bouquet garni (persil, thym,
    laurier, céleri blanc)
200 ml de vin blanc sec
200 ml de consommé ou fond
    de viande
750 g de petits navets
sel, poivre du moulin

Réalisation: 1 h 1/2
Par portion: 2 000 kJ/475 kcal

1 Découper le lièvre en 8 morceaux. Eplucher et couper les échalotes en deux. Eplucher la gousse d'ail.

2 Chauffer le beurre dans une cocotte. Y faire dorer les morceaux de lièvre. Ajouter le bouquet garni, les échalotes et l'ail. Verser le vin et le consommé. Saler, poivrer.

Couvrir et faire cuire 40 minutes environ à feu doux.

3 Dans l'intervalle, éplucher les navets et les blanchir un instant à l'eau bouillante. Les égoutter et les couper en huit, les mettre avec le lièvre et poursuivre la cuisson pendant 20 minutes.

4 Désosser la viande, la couper en morceaux et les dresser sur un plat avec les légumes, faire légèrement réduire la sauce et la passer au-dessus de la viande.

• Le terme haricot n'a rien à voir avec les haricots. C'est une déformation de halicot, qui désigne un plat de viande aux navets, aux pommes de terre, voire aux haricots.

Pommes soufflées

(Paris)

Ingrédients pour 4 portions:

*750 g de grosses pommes de
    terre de calibre égal si
    possible*
graisse ou huile de friture
sel

Réalisation: 40 minutes
Par portion: 2 000 kJ/480 kcal

1 Eplucher les pommes de terre et les couper en rondelles de 3 mm d'épaisseur environ. Les rafraîchir rapidement à l'eau et les essuyer avec du papier absorbant.

2 Faire chauffer la graisse dans la friteuse ou dans une casserole à hauts bords. Plonger les pommes de terre dans la graisse par petites quantités à la fois.

3 Les retirer après quelques secondes, les laisser refroidir quelques instants avant de les replonger une seconde fois dans la friture jusqu'à ce qu'elles soient jaune pâle. Egoutter et laisser refroidir. Procéder de même avec le reste des pommes de terre.

4 Augmenter la température de la friture. Quand elle est sur le point de fumer, replonger les pommes de terre jusqu'à ce qu'elles soient dorées et soufflées. Les sortir et les égoutter et les dégraisser sur du papier absorbant. Saler et servir immédiatement sur une assiette préchauffée.

• Les pommes soufflées accompagnent tout plat de viande.

• Si vous êtes dégoûté des frites, essayez cette variante originale. C'est bon et cela a l'air appétissant.

Purée Crécy

(Ile-de-France)

Ingrédients pour 4 portions:

500 g de jeunes carottes
1 oignon
50 g de beurre
*400 à 450 ml de bouillon ou de
    fond de viande*
*1 bouquet garni (persil, laurier,
    thym)*
1 pincée de sucre
50 g de riz à grains ronds
sel
poivre blanc du moulin
cerfeuil pour garnir

Réalisation: 1 h
Par portion: 960 kJ/230 kcal

1 Laver, gratter et couper les carottes en fines rondelles. Eplucher et hacher l'oignon.

2 Faire fondre la moitié du beurre dans une cocotte en fonte fermant hermétiquement. Ajouter l'oignon et les carottes, puis les faire suer à couvert et à feu moyen.

3 Faire bouillir le bouillon et le verser sur les légumes. Ajouter le bouquet garni. Sucrer un peu selon les goûts, saler, poivrer. Faire cuire à couvert pendant 15 minutes environ. Oter le bouquet garni.

4 Passer le tout au tamis. Vérifier l'assaisonnement et ajouter le reste du beurre en petits morceaux. Décorer de cerfeuil.

• Se sert avec des plats de viande et de gibier.

• Crécy-en-Brie, une petite localité de la Brie connue pour ses cultures maraîchères, a donné son nom à toutes les recettes françaises dans la composition desquelles entre la carotte, quelle que soit son origine.

Purée d'oignons

(Champagne)

Ingrédients pour 4 portions:

750 g d'oignons
50 g de beurre
1 cc de jus de viande
4 cl de marc de champagne
    (ou de cognac)
sel, poivre blanc du moulin

Réalisation: 2 h 1/4
Par portion: 740 kJ/180 kcal

1 Eplucher les oignons et les couper en morceaux. Faire fondre le beurre dans un sautoir. Y faire revenir les oignons. Diluer le jus de viande avec un peu d'eau, l'ajouter. Verser le marc.

2 Couvrir et laisser cuire très doucement pendant 2 h environ. Assaisonner d'un peu de sel et de poivre blanc.

• Accompagne bien toutes les viandes relevées.

• Pour cette purée d'oignons, employez absolument des oignons doux.

• Raffiné: faire rissoler un peu d'oignon haché dans le beurre et en parsemer la purée.

• Ce plat rappelle la célèbre purée Soubise, une mousse d'oignons au riz et à la sauce Béchamel. Cette variante champenoise «amusante» mérite qu'on l'essaie.

Endives à l'ardennaise

(Champagne)

Ingrédients pour 4 portions:

4 grosses endives
300 g de crème
150 g de gruyère fraîchement
    râpé
sel, poivre du moulin

Réalisation: 45 minutes
Par portion: 1 660 kJ/390 kcal

1 Bien laver les endives. Couper la base et retirer le cône central amer.

2 Couper les endives en deux en longueur et les ranger dans une casserole à fond épais. Verser de la crème de manière à les recouvrir exactement. Faire cuire les légumes à couvert et à feu assez doux pendant 20 minutes. Saler, poivrer. Préchauffer le four à 220° C.

3 Saupoudrer les endives de fromage râpé et les faire gratiner au four préchauffé (gaz: thermostat 4) pendant 10 minutes environ jusqu'à ce que le fromage soit doré.

• Les endives accompagnent tous les plats d'hiver substantiels à base de viande rouge ou de gibier.

Crème champenoise

(Champagne)

Ingrédients pour 4 portions:

4 œufs
250 ml de coteaux champenois ou d'un autre vin blanc sec
1 citron non traité.
10 morceaux de sucre
1 cs de kirsch

Réalisation: 50 minutes
Par portion: 790 kJ/190 kcal

1 Casser les œufs en séparant les blancs des jaunes. Battre les 4 jaunes au fouet avec le vin dans une casserole en inox ou en émail.

2 Bien laver le citron. En frotter la peau avec les morceaux de sucre, les ajouter au mélange vin-œufs. Fouetter pour le rendre mousseux. Parfumer au kirsch.

3 Mettre la casserole sur le feu et chauffer la crème à feu modéré en évitant à tout prix de la faire bouillir. Quand la crème a épaissi, retirer la casserole du feu.

4 Laisser refroidir la crème. Au moment de servir, battre les œufs en neige ferme. Les incorporer délicatement à la crème. Servir sans attendre.

• S'accompagne de biscuits à la cuiller.

• Les vins blancs de Champagne tranquilles, donc non mousseux, n'ont rien à voir avec les vins de coupage du fameux champagne. Ce sont de simples vins blancs acides qui, eu égard à leur âpreté, se prêtent bien à la confection d'entremets sucrés.

Sorbet au champagne

(Champagne)

Ingrédients pour 6 portions:

250 g de sucre
1 citron non traité
1 orange non traitée
1 l 1/8 de champagne
1 blanc d'œuf
50 g de sucre glace

Réalisation: 20 minutes
(+ environ 3 h de congélation)
Par portion: 1 700 kJ/400 kcal

1 Diluer le sucre dans quelque 300 ml d'eau et amener à ébullition pour obtenir un épais sirop.

2 Bien laver le citron et l'orange, lever les zestes et presser les jus. Ajouter les zestes au sirop et donner un rapide coup de bouillon. Ôter du feu, retirer les zestes. Ajouter les jus et environ 1/2 bouteille de champagne. Laisser refroidir.

3 Verser le mélange dans une sorbetière et la placer au congélateur. Après 1 h, battre le mélange au fouet et le remettre au congélateur.

4 Pendant ce temps, monter le blanc d'œuf en neige. Y tamiser peu à peu le sucre glace par-dessus.

5 Dès que le sorbet commence à prendre, incorporer le blanc d'œuf. Remettre au congélateur jusqu'à ce que le glaçage soit complet.

6 Au moment de servir, garnir des flûtes à champagne de boules de sorbet et les remplir avec le champagne restant.

• Vous pouvez accompagner ce sorbet de petits sablés.

Crème Bourdaloue

(Ile-de-France)

• Le sorbet au champagne est un merveilleux dessert estival. C'est également en toute saison un bon «trou normand» après un repas copieux de plusieurs services.

Ingrédients pour 4-6 portions:

2 poires à chair ferme
2 pommes à chair ferme
1/2 l de sirop
1 banane
3 cs de raisins de Corinthe
3 cs de raisins Sultana

Pour la crème:
250 ml de lait
75 g de sucre
6 œufs
30 g de farine
30 g de beurre
2 macarons

Réalisation: 1 h
(+ environ 1 h de refroidissement)
Pour 6 portions, par portion:
2030 kJ/480 kcal

1 Eplucher les poires et les pommes, les couper en quatre et les épépiner. Chauffer le sirop et y faire pocher les fruits 20 minutes. Egoutter et disposer les quartiers alternativement au bord d'un plat creux.

2 Peler la banane et la tailler en rondelles épaisses. Faire pocher ces rondelles 4 minutes environ dans le sirop avec les raisins secs. Egoutter, en décorer le centre du plat. Pendant que les fruits refroidissent, incliner le plat pour éliminer l'excès de sirop. Réchauffer le sirop et en napper les fruits.

3 Pour la crème, faire bouillir le lait et le sucre. Séparer les blancs des jaunes d'œufs. Mélanger ensemble les jaunes et la farine dans un bol, verser dessus le lait bouillant. Battre le mélange pour éviter la formation de grumeaux.

4 Verser la crème dans une casserole en inox et amener à ébullition à feu doux sans cesser de battre au fouet. Ajouter le beurre pour finir.

Donner deux à trois gros coups de bouillon. Garder au chaud.

5 Monter les blancs en neige ferme. Les incorporer à la crème. Piler les macarons au mortier et les mélanger en dernier lieu.

6 Napper les fruits avec cette crème et lisser la surface avec la lame d'un couteau large. Servir très frais.

• En saison, vous pouvez remplacer les fruits pochés par des fraises, des framboises ou des myrtilles fraîches, les saupoudrer de sucre glace et les servir nappés de crème. Ou bien décorez ce dessert de quelques fruits rouges.

Le fromage – un miracle de diversité

N'est-ce pas réellement miraculeux? A base d'un seul et unique produit naturel, le lait de vache, de chèvre ou de brebis, on fabrique en France plus de cinq cents sortes de fromages.

Le fromage, jadis aliment principal des régions pauvres de montagne comme les Alpes ou le Massif central, est une composante inaliénable de tout menu français. Quel autre que lui permet de finir son vin rouge avec délectation et de passer une dernière fois en revue les délices du repas passé, avant d'y mettre un point final avec le café, les fruits et le dessert?

Charles de Gaulle attribuait cette immense diversité de fromages à l'individualisme incorrigible de son peuple et expliquait de la sorte l'ingouvernabilité des Français.

Toutes les variétés de fromages relèvent de traditions anciennes qui n'ont subi aucun changement jusqu'à nos jours – en dépit de l'industrialisation et de leur exportation dans presque tous les pays du monde.

On faisait déjà du fromage il y a 2000 ans, et l'on cherche aujourd'hui encore sans relâche les nouvelles merveilles que l'on pourrait réaliser à base de lait.

J'ai déjà mentionné l'un ou l'autre fromage intéressant en rapport avec leur origine dans les chapitres consacrés aux contrées et à leurs produits. En France, l'aristocratie des

Etal de fromager. Un tel choix ne peut que faire rêver les gourmets. Ici, le client peut s'attendre à un degré optimal d'affinage et de stockage, complété par des conseils avisés et un amour du produit.

fromages bénéfice d'une protection de provenance légale, l'appellation contrôlée, qui en garantit l'origine et la qualité.

Les meilleurs fromages français, et les plus originaux, sont des fromages à base de lait cru dont la mention correspondante figure sur l'étiquette. Ils sont fabriqués à partir de lait entièrement naturel qui n'a subi ni pasteurisation ni homogénéisation, contenant des matières grasses naturelles. Le produit fini, le fromage au lait cru, n'est pas stabilisé. Il peut mûrir en fonction de son type et reste donc un produit vivant. Sa maturation fait l'objet d'une surveillance depuis la fabrication jusqu'à la vente, à savoir qu'il faut une certaine température et humidité ambiante afin d'obtenir un goût optimum.

Il incombe ensuite à l'acquéreur de ces produits naturels, c'est-à-dire vous, de prendre grand soin de ces fromages jusqu'au moment où ils seront sur votre table. Vous trouverez astuces et conseils aux pages suivantes. Si vous voulez profiter de l'incomparable saveur d'un fromage au lait cru affiné naturellement, vous devez aussi vous attendre à des écarts de goût. C'est la rançon d'un produit non standardisé.

Il me serait impossible ici d'aborder la palette complète des fromages, mais je souhaiterais vous donner quelques idées de composition d'un plateau de fromages en vous décrivant succinctement les principaux types existants.

Les pâtes molles
Les principaux fromages français à pâte molle sont originaires du nord et de l'est du pays. On distingue ceux à croûte blanche fleurie et ceux à croûte «lavée», orange à rougeâtre. Lavée, parce que durant l'affinage, elle est régulièrement frottée avec un

Fromagerie
En haut: pour enclencher le caillage du lait après adjonction de ferments lactiques ou de présure, il faut, selon les types de fromages, maintenir la température entre 26 et 40°. Le lait caillé est fragmenté à l'aide du «tranche-caillé».

Au centre: le tranchage est suivi d'un brassage des grains pour accélérer la séparation des grains et du petit-lait.

En bas: après le moulage, les meules de fromage sont mises à sécher sur des claies bien aérées d'abord en position couchée puis étagées les unes sur les autres.

liquide, une solution salée par exemple. Les plus connus des fromages à croûte fleurie blanche sont le *brie* et le *camembert*. Ceux qui ne connaissent que les spécimens extra-blancs ne savent pas ce qu'ils perdent. Un vrai brie à pleine maturité possède une croûte gris-blanc constellée de taches brun rougeâtre; on reconnaît un camembert fait à point à ses fines striures grises. Impossible de se méprendre sur son arôme subtil de noisette.

Le *chaource*, à la pâte et à la *croûte* blanche, vient de la région limitrophe entre la Bourgogne et la Champagne et a un goût légèrement acidulé. Le *neufchâtel* blanc et doux de Normandie est souvent proposé en forme de cœur.

Les fromages à croûte lavée sont généralement plus corsés. Le *livarot* orangé, issu du calvados, se reconnaît aux stries typiques qu'il présente sur les côtés.
Le *maroilles* est un très ancien fromage de la frontière belge. Les moines le produisent d'après une recette vieille de mille ans. Sa pâte est très piquante.

Le *munster*, fabriqué au lait de vaches qui ont pâturé dans les alpages des Hautes-Vosges, doit être doux, bien que très odorant. A l'achat, s'assurer qu'il s'agit bien d'un «munster fermier»!
Le *vacherin du Haut-Doubs* ou du *Mont-d'Or* est particulièrement exquis. Il est fabriqué uniquement en automne et en hiver, après que les vaches sont descendues des alpages. Il mûrit en caissettes de sapin dans lesquelles il est également mis en vente. Sa pâte fine et onctueuse se mange à la cuiller.

Achat et conservation
Achetez des fromages à pâte molle de préférence lorsqu'ils ont atteint un degré d'affinage optimal. Ils s'affineront mal chez vous. C'est pourquoi il vaut

De haut en bas: fabrication de fromage de chèvre. Le fromage blanc est délicatement déposé à la louche dans des moules ronds percés de trous. Après 10 heures d'égouttage, les fromages sont retournés et salés; 12 heures plus tard, ils sont démoulés et salés sur l'autre face.

La moitié de la production environ est vendue le lendemain sous forme de fromages frais. Le reste mûrit encore pendant 3 jours jusqu'à la formation d'une croûte fleurie faite de bactéries et de levure. Au cours des 10 jours à 4 mois qui suivent, le fromage parfait son affinage.

mieux les consommer au plus tard après trois jours environ. Conservez-les si possible en cave fraîche, ou à défaut dans le compartiment légumes du réfrigérateur, et laissez-les dans leur emballage d'origine.

Les pâtes dures
Elles sont originaires des Alpes, des Pyrénées ainsi que du Massif central.

Le fromage le plus ancien est le *cantal*, déjà cité par Pline. Selon le stade d'affinage, le cantal est doux à piquant et dégage un subtil arôme de noisettes. On peut le rapprocher du *laguiole* et du *salers* qui sont eux aussi préparés en Auvergne au lait de vache.

Le *gruyère de Comté* ou le *comté* tout simplement vient de Franche-Comté et il est fait avec du lait de races bovines bien spécifiques qui paissent dans les hauts alpages. Il a un goût frais, de noisettes, et ses «yeux» ont la grosseur d'un noyau de cerise. Le *beaufort* de Haute-Savoie ressemble au comté mais n'a pas de trous.

Dans les Pyrénées, on produit un fromage de brebis à pâte dure dénommé *brebis Pyrénées* ou *ossau-iraty*. Ce fromage doux corsé se reconnaît à sa croûte jaune foncé à gris-brun.

Le *reblochon* de Savoie à pâte mi-dure a, malgré une odeur très prononcée, une saveur moelleuse quand il est à point.

Le *saint-nectaire* est fabriqué deux fois par jour avec le lait des traites du matin et du soir et il est affiné sur de la paille en caves creusées dans le tuf. Ce fromage âpre et fort a un goût rappelant les champignons et les noisettes.

Achat et conservation
Les fromages à pâte ferme, achetés à la coupe, se conservent bien dans le compartiment à légumes du réfrigérateur. Protéger les surfaces de coupe d'une feuille fraîcheur et envelopper le fromage dans un papier sulfurisé.
Sortez-le du réfrigérateur une heure avant le repas, pour qu'il développe tout son arôme.

Les pâtes persillées
Les fromages persillés à la moisissure interne bleue ou verte se dégustent de cent et une manières, même en salade.

Le fromage de ce type le plus ancien et le plus connu est le *roquefort* du sud-ouest de la France. Il est préparé avec du lait de brebis et sa maturation se fait dans des grottes proches de la petite ville du même nom. Il n'y a que là qu'il développe son arôme piquant typique. Le *bleu d'Auvergne* est très proche. Préparé avec du lait de vache, il a un goût très prononcé. La *fourme d'Ambert*, qui existe depuis près de 1 000 ans, est piquante et fruitée et un peu moins forte. Le *bleu des Causses*, également au lait de vache, mature dans les grottes gréseuses des Causses dans le sud de la France. Il est plus piquant l'hiver que l'été.

Achat et conservation
Acheter les fromages à pâte persillée à la pièce. Ils se conservent une à deux semaines dans le casier à légumes du réfrigérateur. Les sortir une heure avant le repas pour qu'ils développent leur arôme. Mélanger les restes avec du beurre ou les utiliser pour relever salades et sauces.

Les chèvres
La saison du fromage de chèvre frais va de mars à septembre, puisque que les chèvres ne donnent pas de lait en hiver. Les meilleurs chèvres viennent de la Loire. On les marine dans du vin, de l'huile d'olive ou de l'eau-de-vie. Utiliser les chèvres frais dès après leur achat. Au besoin, les garder quelques jours au réfrigérateur enveloppés dans un linge humide.

*En haut à gauche:
la fabrication du fro-
mage se fait essen-
tiellement à base de
lait de chèvre ou de
brebis.*

*En haut à droite:
le fromage frais subit
un affinage sur un lit de
feuilles.*

*Au centre à gauche:
le pont-l'évêque est
renommé depuis le
XIIIe siècle.*

*En bas à gauche:
dans le hâloir, les piè-
ces sont retournées à
la main.*

*Au centre à droite:
le livarot se pare d'une
croûte rougeâtre.*

*En bas à droite:
le lait a donné toutes
sortes de fromages.
Devant à gauche un
fromage frais, à droite
un chèvre cendré.*

Alsace, Lorraine, Franche-Comté, Savoie

Dans la vieille ville de Strasbourg:
Le pont du Corbeau conduit au Musée alsacien.

Les produits du terroir

Toutes les régions de l'est de la France sont des régions frontalières. Les peuples, les cultures s'y mêlent avec les peuples et les cultures des voisins. Ici, siège actuel du Parlement européen au sens du rapprochement des peuples, le paysage est dominé par les cimetières militaires des deux guerres mondiales. L'Alsace et la Lorraine, pomme de discorde séculaire entre l'Allemagne et la France, ne sont redevenues françaises qu'en 1945.

La Lorraine et les Vosges sont aujourd'hui des régions tranquilles, encore peu touchées par le tourisme. Dans la nature sauvage des Hautes-Vosges poussent encore des chênes rouvres; des sentiers de randonnée et des lacs paisibles garantissent le repos et le délassement. La Lorraine est un gigantesque verger. Les meilleures variétés de fruits de France sont issues de cette région. En Moselle et à Toul, on cultive la vigne. Les carpes et les brochets de la Moselle, les eaux minérales telles que Contrex et Vittel sont des produits régionaux estimés.

La partie orientale des Vosges fait déjà partie de l'Alsace aux paysages pour le moins romantiques. Les ruisseaux et les sentiers sinueux, les petites villes aux ruelles tortueuses, aux pavés bombés et aux maisons à colombages le long des 100 km de la route du Vin alsacienne, et les tavernes conviviales attirent toute l'année, mais surtout à l'époque des vendanges, une foule de gens. Cette région est à l'image du pays de Bade dans la vallée du Rhin et de la Forêt-Noire. La vaste plaine d'Alsace est vouée à l'agriculture; la montagne, à la viticulture, à l'économie forestière et à l'élevage. C'est ici que l'on produit le fromage de Munster. Un tiers de toutes les bières consommées en France sont brassées en Alsace, des petites distilleries fabriquent d'excellents alcools de fruits.

La cuisine alsacienne est plus alémanique que française. Les charcuteries et la choucroute ainsi que le pâté de foie d'oie de Strasbourg, la tarte à l'oignon d'Alsace et bien d'autres spécialités du terroir ne sont pas l'apanage des grands cuisiniers; dans toute la région, les aubergistes mettent un point d'honneur à confectionner à la perfection des mets simples à base de produits frais. C'est aussi le cas des spécialités de poissons pêchés dans les affluents du Rhin.

La Franche-Comté appartient à la France depuis le XVIIe siècle. Grâce à son voisin, la Suisse, cette région a un passé moins mouvementé que les deux régions qui la flanquent au nord. Le paysage est caractérisé par le Jura français, une chaîne montagneuse pleine de charme qui s'enfonce dans la Suisse. L'élevage intensif est pratiqué dans les vallées et sur les plateaux. Des cours d'eau souterrains et de nombreuses grottes, plus de soixante-dix lacs et des forêts étendues ainsi que des stations de sports d'hiver attirent tout un essaim de personnes en quête de détente.

La Franche-Comté est le pays du beurre, de la crème et du fromage, qui sont les éléments de base de plats délicieux que ne désavouerait pas la Suisse. Dans la vallée, près d'Arbois, on trouve des vignes. On pêche la truite et l'écrevisse dans les ruisseaux de montagne. La morille est au nombre des spécialités régionales.

En haut:
vue des sommets enneigés du col d'Iseran (2 770 m) en Savoie.

A droite:
maisons jurassiennes typiques aux toits bas à Nods près d'Ornans dans la vallée de la Loue.

La Savoie, cédée par l'Italie à la France au siècle dernier, s'étend de la rive méridionale du lac Léman jusqu'au col de la Croix-de-Fer, de la vallée du Rhône au Piémont. Le paysage est modelé par les Alpes occidentales, un paradis pour les amateurs de sports d'hiver et les alpinistes. Les stations de ski et les stations thermales jouissent d'une renommée internationale.

Sur les reliefs, l'élevage bovin et l'économie laitière jouent un grand rôle; dans les vallées, la viticulture est omniprésente. Gibier et poissons de rivières et de lacs viennent enrichir la cuisine régionale. Lièvres, cailles et perdrix en sont des ingrédients de base. La Savoie est également réputée pour ses succulents fromages au lait de vache ou de chèvre. La chartreuse, une liqueur préparée avec cent trente plantes, est toujours fabriquée par des moines chartreux.

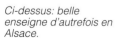

Ci-dessus: belle enseigne d'autrefois en Alsace.

En haut à droite: étal de fromager avec l'armada des fromages des alpages savoyards.

A droite au centre: vieille enseigne d'auberge vantant les vins et les foies gras, des spécialités alsaciennes. A côté, le kouglof.

A droite: portail d'un viticulteur à Eguisheim.

Les gens, les festivités, les curiosités

Leur situation frontalière fait que les habitants des régions de l'Est ont des origines diverses.

En Lorraine, la population a des ancêtres celtes et alémaniques. On y rencontre encore des vestiges de la langue et de la culture germaniques, mais le style de vie est français.

Nancy, la capitale, doit son superbe ensemble architectural rococo à Stanislas Leszcynski, roi détrôné de Pologne et beau-fils de Louis XV. Sur la place qui porte son nom ont lieu chaque année des spectacles «son et lumière» prisés dans toute la France. Les festivals de musique sont légion en Lorraine: de la musique baroque à Fénétrange au jazz à Nancy en passant par les musiques nouvelles à Metz. Metz fête d'ailleurs au printemps l'un des principaux produits régionaux: la mirabelle.

En Alsace, les origines alémaniques sont plus apparentes. La population parle l'alsacien en plus du français. C'est une race à la fois rustique et épicurienne.

Outre Strasbourg et sa cathédrale à la construction de laquelle ont collaboré Français et Allemands pendant 600 ans, il faut visiter les cités médiévales et leurs maisons à colombages. La plus vieille église d'Alsace se dresse près de Molsheim au milieu des champs. Haguenau, ancienne résidence impériale, Obernai,

ville Renaissance, Boersch et sa «maison des Gentils», la plus vieille maison en pierre de la région, Riquewihr, pittoresque bourgade viticole... ne sont que quelques-uns des nombreux buts d'excursion qui méritent le détour. Le thème du vin est incontournable en Alsace. A Barr se tient tous les 14 juillet une foire aux vins, d'autres manifestations similaires à Guebwiller, à Ribeauvillé et à Colmar drainent les amis du vin de tous les coins d'Europe. La bière est au centre de la fête du houblon, fin août, à Haguenau.

L'année à Arbois, ravissante petite ville viticole du Jura français, est entièrement axée sur le vin. Une importante foire aux vins y est organisée à l'automne et l'on peut y déguster toutes les spécialités locales. C'est à Arbois que le chimiste et biologiste Louis Pasteur a passé sa jeunesse. On peut toujours y visiter sa maison paternelle et le vi-

gnoble dont il se servit pour ses expériences de fermentation alcoolique existe encore. Le musée de la vigne et du vin est intéressant. Non loin de là se trouve une curiosité architecturale – la Saline royale, une fabrique de sel de style classique érigée sous Louis XV, qui même mutilée reste impressionnante.

Les églises de Ronchamps et d'Audincourt sont des chefs-d'œuvre de l'architecture moderne: la première est signée du Suisse Le Corbusier, la seconde est connue dans le monde entier pour ses vitraux de Fernand Léger.

Patrie de l'ancienne Maison royale italienne, la Savoie retient surtout l'attention par ses fabuleux sites alpins. Située au pied de l'imposant massif du Mont-Blanc, Chamonix est une station climatique et de sports d'hiver tout comme Megève et Val-d'Isère. Aix-les-Bains, au pied

du mont Revard, est sise au bord du plus grand lac intérieur français, le lac du Bourget. Des bains romains et un temple de Diane témoignent de la longue histoire de la ville. Annecy, au bord du lac du même nom, est parcourue par d'innombrables canaux. La fameuse cloche du Sacré-Cœur, appelée «Savoyarde», provient de la fonderie de cloches d'Annecy. A Chambéry, l'ancienne capitale du duché de Savoie du XIVe au XVIe siècle, on peut admirer le prestigieux château des ducs de Savoie. Evian, ravissante station balnéaire au bord du lac Léman, est le théâtre annuel d'un important festival de musique.

Une fête originale a lieu aux Andrieux. Le 10 février de chaque année, les habitants fêtent le retour du soleil qui s'était caché pendant cent jours derrière les montagnes. A cette occasion, on cuit des omelettes que l'on déguste en musique et en danses.

A droite: rue de Chamonix, au pied du puissant mont Blanc, station climatique, point de départ pour alpinistes du monde entier et station de sports d'hiver de réputation internationale. C'est ici qu'eurent lieu en 1924 les premiers Jeux olympiques d'hiver.

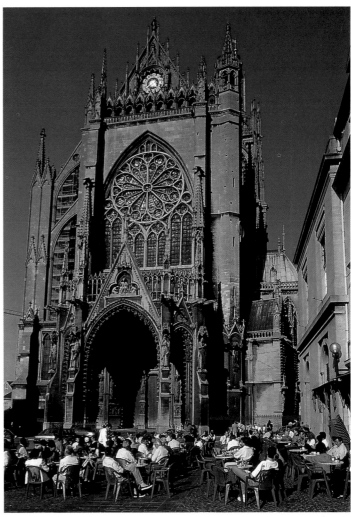

En haut à gauche: les merveilleuses grilles dorées de la place Stanislas au centre de Nancy entourent deux splendides fontaines.

Au centre à gauche: romantique auberge alsacienne à Ribeauvillé, où l'on peut déguster les saveurs du terroir avec un vin généreux.

En haut à droite: le portail Notre-Dame de la cathédrale Saint-Etienne sur la place d'Armes à Metz, grand centre industriel et commercial lorrain.

A gauche: déjà au temps des Romains, Salins-les-Bains dans le Jura français était connu pour ses sources thermales salines.

Les vendanges

Tous les ans à l'automne, l'année viticole culmine avec les vendanges, la récompense d'un dur labeur et de l'entretien rigoureux des vignes. Le vigneron ne décide pas lui-même de la date. Trois semaines avant le moment probable des vendanges, le degré de maturité des raisins est déterminé officiellement. Si la teneur acide est encore assez élevée et que le taux de sucre n'est pas encore trop haut, on vendange. Cela concerne essentiellement la récolte allant des futurs vins de table secs aux crus les plus fins. Seuls les raisins destinés aux vendanges tardives, pratiquées notamment en Alsace et dans le Bordelais, sont laissés en attente. Il n'est pas simple de définir le moment exact, si l'on songe que le raisin gagne 10-20 g de sucre par litre de jus dans les derniers jours qui précèdent la récolte.

Les vendanges mécanisées ne se sont pas généralisées dans les pays d'Europe producteurs de vin. Dans les régions où le vin est de qualité, on mise toujours sur une récolte manuelle effectuée par de nombreux vendangeurs, généralement des travailleurs saisonniers, qui viennent des environs immédiats ou de plus loin.

Les raisins commencent déjà leur fermentation sur le chemin des pressoirs, grâce aux levures présentes sur les pellicules de raisin. Il ne faut donc pas perdre de temps si l'on veut éviter une fermentation sauvage du moût. C'est surtout valable pour les régions méridionales chaudes.

C'est dans le pressoir, soit à la coopérative vinicole, soit chez le viticulteur, que se décide l'avenir du nouveau vin. En fonction de multiples données locales et suivant les traditions anciennes visées par la législation française, stricte en la matière, soit on mélangera ensemble plusieurs cépages soit on ralentira la vinification par refroidissement, ou bien encore on fera du rouge, du blanc ou du rosé.

Tout en haut: des raisins mûrs peu avant les vendanges en Alsace.

En haut: les grappes sont cueillies délicatement une à une au sécateur.

A gauche: déjeuner à l'occasion des vendanges. Au terme d'une matinée exténuante, un solide repas et naturellement un bon vin attendent les vendangeurs.

En haut: comme au bon vieux temps, les grappes fraîchement récoltées sont recueillies dans des hottes et apportées aux bennes qui seront remorquées jusqu'au pressoir.

En haut à droite: arrivée des raisins au pressoir. A ce stade, il faut travailler vite pour éviter l'éclatement et la fermentation précoce des grains de raisin.

En bas à droite: foudres dans une cave alsacienne, où les vins mûrissent. Des verres de dégustation sont là pour permettre au maître caviste de vérifier à tout moment l'état du vin.

Les vins

La Lorraine, autrefois région viti-vinicole d'importance, ne possède plus aujourd'hui que deux îlots de production. Les attaques du phylloxéra et les guerres successives ont laissé des traces. Les vins de Moselle et les côtes de Toul existent en blancs, en rosés et en rouges. Les rosés surtout, appelés vins gris, jouissent d'une grande popularité.

En Alsace, c'est tout différent. Les vignobles dévalent les pentes des Vosges jusque dans la vallée du Rhin. La région s'étend sur à peu près 100 km de long et rarement plus de 5 km de large. En Alsace comme en Allemagne, ce sont les raisins qui donnent leurs noms aux vins. Il n'y a qu'ici que l'on peut planter le noble riesling. Les principaux cépages sont, outre le tokay pinot gris, le sylvaner, le pinot blanc, le gewürztraminer, le muscat d'Alsace et le pinot noir. L'edelzwicker, essentiellement un coupage de pinot blanc et de chasselas, est une spécialité connue. Il peut être sec et vigoureux, mais il est parfois aussi très léger. C'est le producteur qui décide de la qualité. Les meilleurs vins portent la mention «grand cru». Sur l'étiquette figurent souvent l'origine, voire même le nom du vignoble. L'Alsace imite aussi son voisin allemand en produisant des vendanges tardives ou «sélections de grains nobles». Une nouvelle appellation porte sur le «crémant d'Alsace», un excellent mousseux réalisé suivant la méthode champenoise avec les raisins nobles de la région.

Les vins alsaciens sont plus secs, plus fermes et de goût plus tranché que leurs pendants allemands. C'est pourquoi ils s'harmonisent bien avec une cuisine régionale de saveur forte.

Le Jura vinicole, parallèle a l'est à l'illustre Côte-d'Or en bordure de la Bresse, est une modeste enclave de vignes dont les vins sont rarement exportés. La gamme des cépages est moins variée qu'en Alsace. Les rouges sont faits avec du trousseau et du poulsard ainsi que du pinot noir; les blancs avec du chardonnay et du savagnin. Les vins de pays simples et frais s'appellent vins

de pays de Franche-Comté. Ils conviennent bien à une cuisine rustique et campagnarde.

Les vins de qualité à appellation d'origine contrôlée sont: côtes-du-jura, arbois, l'étoile et château-châlon. Ces appellations cachent une série de spécialités de valeur. A côté de

Tout en haut: les vignobles de Poligny sont situés en contrebas de Château-Chalon, où le vin jaune, qui se garde presque indéfiniment, est élaboré avec du savagnin selon un procédé spécial.

Le cellier des caves des Jacobins à Poligny près d'Arbois, dans le Jura, est une église «désacralisée». Les vins de la coopérative sont commercialisés sous l'appellation côtes-du-jura.

vins blancs secs et fleuris, de vins rouges vigoureux et de rosés soyeux, on trouve des vins de paille à base de raisins séchés sur paillis et auxquels on attribue depuis toujours des vertus revigorantes. Les mousseux existent pour plaire à tous les goûts. Le vin jaune est une curiosité locale. Fait avec des raisins surmaturés de savagnin (ou traminer), une variété peu répandue que l'on trouve aussi dans la Suisse voisine, ce vin aromatique à l'arrière-goût de noisette est le compagnon idéal des fromages corsés du cru. C'est après six ans au moins passés en fût et avoir subi une métamorphose identique à celle du xérès qu'il obtient sa couleur jaune caractéristique. Il se garde un temps quasiment illimité.

Le vignoble savoyard remonte aux Romains. Les blancs ressemblent dans leur effervescence à ceux de la Suisse voisine. Chardonnay, roussette, aligoté et chasselas en sont les principaux cépages. Le crépy du lac Léman est aussi commercialisé hors de sa région de production. Il rappelle le fendant et le cépage utilisé est le chasselas. Les rouges faits avec du gamay, de la mondeuse et du pinot noir sont légers et fruités, les meilleurs sont aussi expressifs, sans lourdeur ou tanin en excès. Les vins légèrement pétillants et les mousseux obtenus par champagnisation proviennent des environs d'Ayse ou de Seyssel. Crépy et Seyssel sont les seules communes mentionnées sur les étiquettes.

Recettes régionales

Entrées et soupes

54   Croûte aux morilles
     (Franche-Comté)
54   Soufflé au fromage
     (Franche-Comté)
55   Champignons aux
     tomates
     (Savoie)
55   Soupe à la choucroute
     (Alsace)
56   Tarte aux oignons
     (Alsace)
56   Pâté lorrain
     (Lorraine)
57   Quiche lorraine
     (Lorraine)

Poissons

58   Truite au vin de Pupillin
     (Franche-Comté)
58   Tanche à la lorraine
     (Lorraine)
59   Matelote de brochet
     (Lorraine)

Viandes

60   Baeckeofe
     (Alsace)
62   Côtes de veau
     (Franche-Comté)
62   Choucroute garnie
     (Alsace)

Volailles

63   Oie en choucroute
     (Alsace)
64   Poularde aux chanterelles
     (Savoie)
64   Coq à la comtoise
     (Franche-Comté)
65   Poule à la mode de Gray
     (Franche-Comté)
66   Cailles aux myrtilles
     (Lorraine)
66   Faisan à l'alsacienne
     (Alsace)
67   Canard sauvage à la
     sauce infernale
     (Franche-Comté)

Desserts

68   Gâteau au chocolat
     (Lorraine)
68   Tarte aux mirabelles
     (Lorraine)
69   Tarte aux pommes
     (Alsace)
70   Baba au rhum
     (Lorraine)

Croûte aux morilles
(Franche-Comté)

Ingrédients pour 6-8 portions:

Pour les champignons:
500 g de morilles fraîches ou
*   50 g de morilles séchées*
250 ml de lait (uniquement
*   pour les morilles séchées)*
100 g de beurre
100 ml de bouillon ou de fond
*   de viande*
12 tranches de pain toast
sel

Pour la béchamel:
1 cs de beurre
2 cs de farine
100 g de crème
100 ml de lait
1 pointe de muscade râpée
sel, poivre du moulin

Réalisation: 1 h 1/4
*   (+ 2-3 h de trempage)*
Pour 8 portions, par portion:
*   1 300 kJ/310 kcal*

1 Faire tremper 2-3 h les morilles séchées dans l'eau et le lait. Egoutter. Laver très

soigneusement les morilles fraîches à l'eau froide courante.

2 Faire fondre le beurre pour la béchamel. Y faire blondir la farine. Ajouter la crème et le lait. Saler, poivrer et laisser frémir 10 minutes.

3 Faire chauffer 70 g de beurre et y faire revenir les morilles à feu modéré, verser le bouillon. Laisser mijoter 20 minutes.

4 Ajouter les morilles au bouillon à la sauce béchamel. Rectifier éventuellement l'assaisonnement.

5 Faire rôtir les toasts dans le reste du beurre. Dresser les morilles à la crème dans un légumier. Disposer les toasts tout autour. Ou bien mettre les champignons dans un plat et servir les toasts à part.

Soufflé au fromage
(Franche-Comté)

Ingrédients pour 4 portions:

250 ml de lait
50 g de beurre + beurre pour
*   le moule*
50 g de farine
noix de muscade fraîchement
*   râpée*
4 jaunes d'œufs
100 g de comté
*   (ou de gruyère) fraîchement*
*   râpé*
5 blancs d'œufs
sel, poivre du moulin

Réalisation: 1 h 1/4
Par portion: 1 700 kJ/400 kcal

1 Faire bouillir le lait. Faire fondre le beurre dans une casserole. Ajouter la farine, mouiller avec le lait en remuant avec le fouet. Assaisonner de sel, de poivre et de muscade hors du feu. Remettre la casserole sur le feu et faire cuire à feu doux pendant 2 minutes environ.

2 Retirer cette béchamel du feu. Ajouter les jaunes d'œufs et le fromage. Mélanger. Préchauffer le four à 180° C.

3 Battre les blancs en neige ferme et les amalgamer à cet appareil.

4 Beurrer un moule à soufflé d'une contenance de 2 l. Y verser l'appareil à soufflé.

5 Mettre ce soufflé au fromage (gaz: thermostat 2) à dorer 45 minutes au four. Servir aussitôt avant qu'il retombe.

• Le soufflé au fromage est cuit quand il a plus ou moins doublé de volume. Ne jamais ouvrir la porte du four pendant les 20 premières minutes.

Champignons aux tomates

(Savoie)

Ingrédients pour 6 portions:

500 g de champignons
2-3 cs de jus de citron
2 oignons
1 gousse d'ail
300 g de petites tomates bien mûres
5 cs d'huile d'olive
100 ml de vinaigre de vin
1 bouquet garni (persil, laurier, thym)
1/2 bouquet de persil
sel, poivre du moulin

Réalisation: 45 minutes
    (+ environ 1 h de refroidissement)
Par portion: 450 kJ/110 kcal

1 Nettoyer les champignons et les essuyer à sec. Diluer le jus de citron avec environ 250 ml d'eau. Plonger les champignons quelques instants dans l'eau citronnée. Eponger et couper les gros champignons en deux ou en quatre.

2 Eplucher et hacher fin les oignons et l'ail. Ebouillanter rapidement les tomates, ôter la peau et les graines et les couper en petits dés.

3 Chauffer 2 cs d'huile dans une poêle. Y faire sauter les champignons à feu vif. Une fois l'eau évaporée, retirer du feu.

4 Chauffer le reste de l'huile dans un poêlon. Y faire suer les oignons, ajouter l'ail. Verser le vinaigre, faire réduire de moitié à feu vif. Ajouter les tomates et le bouquet garni, diminuer la chaleur. Saler et poivrer les tomates et faire mijoter à découvert 25 minutes environ. Oter du feu. Enlever le bouquet garni. Mélanger les champignons à la sauce tomate et réserver au frais. Parsemer de persil haché.

• Préparée la veille, cette entrée froide est encore meilleure.

Soupe à la choucroute

(Alsace)

Ingrédients pour 4 portions:

500 g de choucroute crue
1 gros oignon
50 g de lard maigre fumé
1 l de bouillon ou de fond de viande
1 grosse pomme douce
1/2 cc de cumin
sel

Réalisation: 1 h
Par portion: 590 kJ/140 kcal

1 Démêler et, si besoin est, hacher grossièrement la choucroute. Eplucher et hacher finement l'oignon. Tailler le lard en petits dés.

2 Faire rissoler les lardons dans un faitout, y faire étuver l'oignon sans colorer. Ajouter la choucroute et laisser cuire un instant en remuant.

3 Mouiller avec le bouillon. Couvrir et laisser mijoter la soupe 40 minutes environ à feu doux.

4 Peu avant la fin de la cuisson, peler et couper la pomme en quartiers, ôter les pépins et râper les quartiers de pomme dans la soupe.

5 Verser la soupe dans une terrine. Saler et épicer de cumin.

• Servez avec du pain de campagne blanc.

• Pour servir en collation, ajoutez à la soupe 10 minutes avant la fin de la cuisson deux saucisses viennoises coupées en rondelles par personne.

• Pour un goût plus relevé, ajoutez à la soupe quelques grains de poivre et/ou baies de genévrier.

Tarte aux oignons

(Alsace)

Ingrédients pour 6 portions:

Pour la pâte:
250 g de farine
125 g de beurre
1 œuf, sel

Pour la garniture:
1 kg d'oignons doux
2 cs de graisse d'oie ou de
beurre
1 pointe de noix de muscade
râpée
1 cs de farine
100 g de crème fraîche
2 œufs
sel, poivre du moulin

Réalisation: 2 h 1/2
Par portion: 2 200 kJ/520 kcal

1 Tamiser la farine dans une terrine. Faire un trou au milieu et y placer le beurre et l'œuf. Malaxer le mélange en ajoutant 1 cs 1/2 d'eau froide. Saler. Ne pas trop travailler la pâte. La laisser reposer 1 h environ.

2 Eplucher et hacher finement les oignons. Les faire mijoter à feu doux dans une casserole avec un peu d'eau. Ajouter la graisse d'oie ou le beurre. Assaisonner de sel, de poivre et de muscade. Saupoudrer de farine et bien mélanger. Lier avec la crème fraîche et laisser frémir quelques minutes avant de retirer du feu. Battre les œufs dans un grand bol et les incorporer aux oignons. Préchauffer le four à 220° C.

3 Foncer une tourtière de 28 cm avec la pâte et piquer ce fond de pâte à la fourchette. Recouvrir la pâte avec les oignons. Faire dorer 30 minutes environ au four (gaz: thermostat 4). Servir tiède.

• Vin conseillé: un sylvaner ou un edelzwicker.

Pâté lorrain

(Lorraine)

Ingrédients pour 6-8 portions:

Pour la terrine:
250 g de veau maigre
250 g de porc maigre
500 g de ragoût de gibier
(sanglier, cerf ou lièvre)
noix de muscade fraîchement
râpée
1 pointe de clous de girofle
moulus
3 oignons
6 échalotes
1 bouquet de persil
200 g de chair à saucisse
100 g de lard gras
50 g de beurre
200 ml de vin blanc sec
sel, poivre du moulin

Pour le fumet:
os et déchets de gibier
2-3 couennes de lard fraîches
1 pied de veau (haché par le
boucher)
1 gros bouquet garni (persil,
thym, laurier)
750 ml de vin blanc
sel, grains de poivre noir

Réalisation: 3 h
(+ 24 h de repos)
Pour 8 portions, par portion:
1 700 kJ/400 kcal

1 Détailler le veau et le porc en petits cubes. Désosser le gibier et couper la viande aussi en petits dés (garder les os pour le fumet). Mélanger ces viandes. Saupoudrer de muscade et de girofle en poudre, saler et poivrer généreusement.

2 Eplucher les oignons et les échalotes et les hacher fin. Laver, éponger et hacher fin le persil. Les mélanger avec la chair à saucisse dans un saladier. Couper le lard en tout petits dés et les incorporer.

3 Préchauffer le four à 200° C. Beurrer largement une terrine à pâté. L'emplir en alternant les couches de dés de viandes et de mélange d'oignons-chair à saucisse.

Quiche lorraine

(Lorraine)

Verser le vin. Faire cuire la terrine découverte au four préchauffé (gaz: thermostat 3) pendant 1 h 1/2 environ.

4 Pendant ce temps, mettre dans une casserole les déchets et les os de gibier, les couennes de lard, le pied de veau et le bouquet garni. Mouiller avec le vin. Ajouter le sel et les grains de poivre. Faire réduire le fumet des deux tiers. Dégraisser.

5 Sortir la terrine du four. Passer le fumet par-dessus. Presser la terrine avec un poids léger et la laisser refroidir.

6 Avant de servir, placer le pâté au moins 24 h au réfrigérateur. Le présenter en terrine ou démoulé.

Ingrédients pour 6-8 portions:

Pour la pâte:
125 g de beurre
200 g de farine
1 cs de gruyère fraîchement râpé
1 gousse d'ail
sel, poivre du moulin

Pour la garniture:
250 g de jambon blanc en tranches de 1/2 cm d'épaisseur
100 g de jambon cru doux en tranches fines
3-4 oignons
1 gros bouquet d'herbes fraîches de saison
3 gousses d'ail
4 œufs
200 g de gruyère râpé
200 g de crème fraîche
sel, poivre du moulin

Réalisation: 2 h 1/2
Pour 8 portions, par portion:
2 300 kJ/545 kcal

1 Dans un saladier, mélanger la farine et le beurre en pommade. Ajouter peu à peu 3 cs d'eau environ, puis le fromage. Saler, poivrer. Presser l'ail épluché par-dessus. Travailler une dernière fois la pâte et la laisser reposer 1 h dans un endroit frais.

2 Entre-temps, couper le jambon en petits dés. Éplucher et hacher fin les oignons. Laver, éponger et hacher finement les herbes. Mélanger le tout dans un saladier. Éplucher l'ail et le passer par-dessus au presse-ail.

3 Dans un autre saladier, battre les œufs et y amalgamer le fromage et la crème. Saler, poivrer. Préchauffer le four à 200° C.

4 Après le repos, aplatir le pâton avec les doigts et en garnir un moule à tarte de 28 cm aux bords de 3 cm environ. Cuire ce fond 10 minutes à blanc au milieu du four préchauffé (gaz: thermostat 3).

5 Répartir la préparation jambon-herbes sur la pâte et verser dessus le mélange œufs-crème.

6 Terminer la cuisson de la quiche au four (gradin du milieu) à 250° C (gaz: thermostat 5) pendant 1 h environ. Servir tiède.

• Astuce: si la pâte vous paraît trop molle, ajoutez-y un peu de farine. Sa consistance dépend de la capacité de gonflement de la farine.

• Vin conseillé: un rosé tendre de Lorraine tel un vin gris de Toul.

Truite au vin de Pupillin
(Franche-Comté)

Ingrédients pour 2 portions:

1 truite saumonée nettoyée,
  prête à cuire (1,2-1,5 kg)
750 ml de rosé de Pupillin (ou
  d'un autre rosé)
1 bouquet garni (laurier, persil,
  fenouil)
9 feuilles de gélatine
sel, poivre du moulin
2 citrons

Réalisation: 45 minutes
  (+ 3 h de refroidissement)
Par portion: 1 100 kJ/260 kcal

1 Passer l'intérieur et l'extérieur du poisson sous l'eau froide en faisant attention à ne pas endommager le mucus de la peau.

2 Mettre dans une turbotière le vin et le bouquet garni, saler et poivrer légèrement. Porter à ébullition. Ajouter le poisson dès les premiers bouillons et baisser le feu aussitôt. Faire pocher la truite 25 minu-

tes environ. Elle est cuite quand ses yeux sont blancs.

3 Retirer délicatement la truite du court-bouillon, ôter la peau d'un seul côté. Dresser la truite sur un plat, côté dépouillé au-dessus. Faire ramollir la gélatine.

4 Faire réduire le court-bouillon d'une bonne moitié et y incorporer la gélatine après en avoir fait sortir l'eau. Oter la casserole du feu. Enlever le bouquet garni. Laisser refroidir le court-bouillon.

5 Verser le court-bouillon sur la truite et faire refroidir 3 h au réfrigérateur. Couper les citrons en minces rondelles et en décorer le pourtour du plat. Servir frais, mais non glacé.

• Ce plat s'accompagne d'une mayonnaise maison, de pain et du même rosé que celui qui a servi à faire le court-bouillon.

Tanche à la lorraine
(Lorraine)

Ingrédients pour 2 portions:

2 tanches nettoyées, prêtes à
  cuire (de 500 g pièce)
2 bouquets de persil
2 oignons
3 échalotes
2-3 branchettes de thym
2 feuilles de laurier
375 ml de rosé (de Lorraine de
  préférence)
2 jaunes d'œufs
100 g de crème double
sel, poivre du moulin

Réalisation: 1 h
Par portion: 1 800 kJ/430 kcal

1 Passer les poissons sous l'eau froide. Laver, éponger et hacher fin le persil. Réserver environ 2 cs de persil pour la garniture. Eplucher et émincer les oignons et les échalotes.

2 Etaler le persil, les échalotes, les oignons et le reste des herbes dans une sorbetière. Saler, poivrer. Poser les

poissons sur le lit d'herbes. Verser le rosé par-dessus et ajouter assez d'eau froide pour recouvrir à peine les poissons. Faire bouillir, réduire le feu et faire cuire les poissons pendant 30 minutes, en fonction de leur taille. Ils ne doivent pas bouillir, mais pocher.

3 Dresser les poissons sur un plat allant au four. Préchauffer le four à température maximale.

4 Passer le court-bouillon au tamis et faire réduire d'un tiers environ. Battre ensemble les jaunes d'œufs et la crème double pour lier la sauce. Ne plus faire bouillir. Rectifier l'assaisonnement. Verser la sauce sur les tanches et faire gratiner au four préchauffé (ci-dessus) pendant 3 minutes environ.

Matelote de brochet

(Lorraine)

5 Parsemer les poissons avec le persil haché. Servir dans le plat de cuisson.

• Pour les petites faims, accompagnez simplement ce plat de pain blanc, sinon, comme plat de résistance, servez-le avec des pommes de terre nouvelles.

• Assurez-vous en les achetant que les tanches soient claires; cela veut dire qu'elles vivaient en eau claire. Si vous achetez des tanches foncées, vivantes de préférence, laissez-les 4-5 jours dans de l'eau claire (dans la baignoire), elles perdront ainsi leur goût de vase.

• Vin conseillé: c'est le vin qui a parfumé le court-bouillon. Les vins lorrains ne sont pas courants dans le commerce. Choisissez un rosé clair, sec et fin.

Ingrédients pour 4 portions:

1 brochet (1 kg)
nettoyé prêt à cuire
2 échalotes
80 g de beurre
40 ml d'eau-de-vie de mirabelle
1 bouquet garni (laurier,
persil, fenouil)
1/2 l de rosé
1 cs de farine
1 jaune d'œuf
200 g de crème fraîche
sel, poivre du moulin

Réalisation: 50 minutes
Par portion: 2 855 kJ/685 kcal

1 Passer le brochet sous l'eau froide. Le couper en darnes. Eplucher et hacher finement les échalotes.

2 Faire fondre 50 g de beurre dans une casserole et faire revenir les darnes de brochet sur les deux faces. Faire flamber la mirabelle dans une louche et la verser dessus.

3 Ajouter les échalotes et le bouquet garni dans la casserole, saler et poivrer. Mouiller avec le vin. Laisser frémir le poisson à couvert et feu doux pendant 10 minutes. Passer le court-bouillon et le mettre de côté. Tenir le poisson au chaud dans la casserole.

4 Faire fondre 30 g de beurre dans une casserole. Faire un roux blanc avec la farine et mouiller avec le court-bouillon. Verser cette sauce sur les darnes de brochet et achever la cuisson à couvert pendant 15 minutes environ. Tourner doucement le poisson une fois.

5 Dresser les darnes sur un plat. Battre ensemble le jaune d'œuf et la crème fraîche. L'amalgamer à la sauce, réchauffer un court instant, sans faire bouillir. Servir avec le poisson.

• On peut accompagner ce plat de croûtons de pain frits au beurre. Ou, mieux encore, faites frire 150 g de champignons de Paris et servez-les sur les croûtons.

• Vin conseillé: un vin gris de Bruley, un rosé de Lorraine, est conseillé à la fois pour le court-bouillon et pour boire. Le terme «vin gris» ne sonne pas très bien à l'oreille, car le gris n'a rien d'appétissant. Ne vous effrayez pas: en France, la dénomination de vin gris ne désigne qu'un rosé très pâle dont la teinte est parfois très attrayante. Il est vinifié en abrégeant fortement la durée de fermentation avec les pellicules de raisins noirs afin d'obtenir un vin léger et subtil peu tannique. Ce vin gris se marie dès lors très bien aux recettes de poisson qui se dégustent habituellement avec du vin blanc.

Baeckeofe

(Alsace)

Ingrédients pour 6-8 portions:

Pour le ragoût:
750 g de bœuf (dans la
    tranche ou le flanchet)
750 g d'épaule d'agneau ou de
    mouton
750 g d'échine de porc
1 pied de porc (haché menu
    par le boucher)
1 queue de porc (hachée menu
    par le boucher)
2 kg de pommes de terre
    (fermes)
4 poireaux
5 oignons
sel, poivre du moulin

Pour la marinade:
2 branches de céleri
2 oignons
1 l de riesling d'Alsace
1 bouquet garni (persil, laurier,
    thym)
sel, poivre du moulin

Autres ingrédients:
beurre pour la terrine
bouillon de viande (facultatif)
2 cs de farine

Réalisation: 3 h 3/4
    (+ 12-24 h de marinade)
Pour 8 portions, par portion:
    3 000 kJ/710 kcal

Le nom de cette recette n'a
rien de français. Il vient de
l'alémanique et signifie «four».
Autrefois, ce plat cuisait tout
doucement dans le four du
boulanger, une fois qu'on y
avait cuit le pain et qu'il était
encore suffisamment chaud
pour y mitonner un gros ragoût.
C'est de là que vient la cuisson
lente et à basse température.

• Indispensable au succès de
la recette, une grande terrine
avec couvercle, de préférence
en céramique ou à défaut en
verre ou en porcelaine.

• Vin conseillé: un riesling
alsacien riche et moelleux.

1 Pour la marinade, nettoyer
le céleri et le couper en
morceaux. Eplucher et hacher
gros les oignons. Les mettre
avec le vin dans un grand
saladier. Ajouter le bouquet
garni. Saler et poivrer. Placer le
bœuf, l'agneau et le porc dans
la marinade et laisser macérer
pendant 12-24 h.

2 Le lendemain, faire blanchir
le pied et la queue de porc
5 minutes à l'eau bouillante.
Retirer et faire égoutter.

3 Eplucher les pommes de
terre, les laver à l'eau
chaude, les égoutter et les
émincer finement. Nettoyer,
laver et émincer les poireaux.
Eplucher et hacher gros les
oignons. Préchauffer le four à
170° C.

4 Beurrer une grande terrine allant au four avec couvercle. Y mettre la moitié des pommes de terre au fond. Poser par-dessus la viande, la queue et le pied de porc ainsi que les poireaux.

5 Terminer par une couche de pommes de terre et parsemer avec les oignons hachés. Verser assez de marinade (à travers un chinois) par-dessus pour couvrir les pommes de terre et la viande au trois quarts environ. Rajouter éventuellement un peu d'eau ou de bouillon de viande.

6 Faire une pâte avec la farine et l'eau, en former une saucisse allongée en la roulant entre les paumes des mains et en luter le bord de la terrine. Fermer hermétiquement avec le couvercle. Faire cuire ce ragoût au four (gaz: thermostat 2) pendant 3 h environ.

7 Pour servir, enlever la viande et la découper en portions, disposer les pommes de terre et les légumes tout autour dans un plat creux. Verser le jus de cuisson par-dessus. Variante: découper la viande et la placer sur les pommes de terre dans la terrine et servir tel quel.

Côtes de veau

(Franche-Comté)

Ingrédients pour 4 portions:

150 g de comté
   (ou de gruyère)
   fraîchement râpé
1 œuf
2 cs de crème fraîche
noix de muscade fraîchement
   râpée
30 g de beurre
4 côtes de veau
sel, poivre du moulin

Réalisation: 30 minutes
Par portion: 1 620 kJ/395 kcal

1 Préchauffer le four à 250° C. Dans un grand bol, mélanger le fromage avec l'œuf et la crème fraîche. Epicer avec la muscade, le sel et le poivre.

2 Faire chauffer le beurre dans une poêle. Y faire cuire les côtes de veau à moitié, 3 minutes environ de chaque côté.

3 Disposer les côtes dans une terrine allant au four. Les enduire chacune avec 1/4 de la préparation au fromage. Arroser avec la graisse de cuisson. Achever la cuisson à four très chaud (gaz: thermostat 5) pendant 15 minutes.

• On peut aussi apprêter les filets de poitrine de poulet de la même façon.

• En France, ce plat se mange uniquement avec du pain, mais on peut le servir avec des pâtes au beurre ou du riz – ou bien une salade mêlée si vous n'en avez pas déjà servi en entrée.

• Vin conseillé: un jeune beaujolais ou un vin blanc sec du Jura comme un arbois.

Choucroute garnie

(Alsace)

Ingrédients pour 3-6 portions:

1 oignon
2 cs de graisse d'oie
1 kg de choucroute crue, jeune
   si possible
200 ml de vin blanc d'Alsace
1 pomme acide
12 baies de genévrier
1 l de bouillon ou de fond
   de viande
250 g de lard maigre fumé
2 cl de kirsch
500 g de pommes de terre
3 côtes de porc cuites
3 saucisses de Colmar (de
   Strasbourg ou du cervelas
   fumé, etc.)
sel, poivre du moulin

Réalisation: 2 h 1/2
Pour 6 portions, par portion:
   2 800 kJ/665 kcal

1 Eplucher et hacher l'oignon. Faire fondre la graisse d'oie dans une cocotte ou mieux encore dans une terrine allant au four. Y faire revenir l'oignon. Ajouter la choucroute. La faire revenir 5 minutes en la retournant à la fourchette.

2 Verser le vin. Couper la pomme en quatre et retirer les pépins. L'émincer par-dessus avec ou sans la peau. Ensacher les baies de genévrier dans une mousseline et l'ajouter dans la cocotte. Mouiller à peine à hauteur avec le bouillon. Laisser cuire à couvert et à feu doux pendant 1 h environ.

3 Ajouter alors le lard et le kirsch. Achever la cuisson pendant 1 h encore.

4 Une demi-heure avant la fin de la cuisson, laver les pommes de terre et les cuire en robe des champs à la vapeur ou en papillote afin qu'elles restent sèches.

Oie en choucroute

(Alsace)

5 Un quart d'heure avant de servir, ajouter les côtelettes et les saucisses pour les réchauffer.

6 Couper le lard en lanières. Retirer la mousseline avec les baies de genévrier. Saler et poivrer la choucroute. La dresser sur un plat et ranger le lard et la viande tout autour. Servir les pommes de terre à part.

• La recette traditionnelle de la choucroute est transmise de génération en génération. Aussi y en a-t-il presque autant qu'il y a de familles. Sans compter les variantes que la gastronomie et les grands chefs ont inventées. Cette recette-ci correspond à la mode en honneur dans les familles de Colmar et aux alentours.

Ingrédients pour 8 portions:

Pour la choucroute:
2,5 kg de choucroute crue
2 oignons
2 cs de graisse d'oie
300 g de lard maigre fumé
2 clous de girofle
15 baies de genévrier
1 l 1/2 de riesling d'Alsace
sel, poivre du moulin

Pour l'oie:
1 jeune oie (oison), prête à cuire (3 kg)
3 tranches de pain toast écroûté
125 ml de lait
2 échalotes
100 g de jambon cru
300 g de foies de volaille
1 cs de beurre
1 œuf
sel, poivre du moulin

Réalisation: 3 h 1/2
Par portion: 5 200 kJ/1200 kcal

1 Faire blanchir la choucroute 3-4 minutes à l'eau bouillante, bien l'exprimer.

2 Eplucher et hacher fin les oignons. Dans une grande cocotte, les faire fondre dans la graisse d'oie. Ajouter la choucroute, le lard, les clous de girofle et les baies de genévrier. Saler, poivrer et verser le vin. Faire cuire la choucroute à couvert et à feu doux pendant 2 h 1/2 environ.

3 Pendant ce temps, laver l'intérieur et l'extérieur de l'oie à l'eau froide et la sécher. Préchauffer le four à 200° C.

4 Pour la farce, faire ramollir le pain dans le lait. Exprimer l'excès de liquide. Eplucher et hacher menu les échalotes. Détailler le jambon et les foies de volaille en petits dés. Faire fondre le beurre dans une casserole, y mettre les échalotes, le jambon et les foies, les faire légèrement revenir. Retirer la casserole du feu.

5 Mélanger cette préparation avec le pain et l'œuf. Saler et poivrer. Garnir l'oie avec cette farce et la brider.

6 Placer l'oie dans une braisière et la faire rôtir au four (gaz: thermostat 3) pendant 45 minutes en l'arrosant fréquemment. Récupérer le fond de cuisson et le verser sur la choucroute. Le remplacer par 1-2 verres d'eau. Poursuivre la cuisson de l'oie pendant 45 minutes.

7 Dresser la choucroute sur un plat. Découper l'oie en morceaux, couper la farce en tranches (facultatif). En garnir la choucroute avec le lard en morceaux.

• La choucroute préparée la veille et réchauffée est encore meilleure.

Poularde aux chanterelles

(Savoie)

Ingrédients pour 4 portions:

1 poularde (1,5 kg)
100 g de jambon cru
1 kg de chanterelles fraîches
1 gros oignon
120 g de beurre
1 bouquet de persil
sel, poivre du moulin

Réalisation: 3 h 1/2
Par portion: 2 600 kJ/620 kcal

1 Découper la poularde en 8 morceaux. Détailler le jambon en petits dés. Nettoyer et essuyer les champignons dans un linge sec. Couper les plus gros en longueur. Eplucher et hacher fin l'oignon.

2 Faire fondre 50 g de beurre dans une casserole. Y faire dorer les morceaux de poularde. Ajouter le jambon et l'oignon, saler, poivrer. Faire étuver à feu modéré 10 minutes.

3 Recouvrir entièrement la poularde avec les champignons. Répartir dessus 50 g de beurre en menus morceaux. Couvrir et faire cuire 1 h 1/2 à tout petit feu. Ajouter le reste du beurre et le persil entier, poursuivre la cuisson pendant 1 h 1/2 sans soulever le couvercle. Servir dans la casserole fermée.

• La durée de la cuisson exige une volaille de fête, comme une poularde ou un chapon. Un poulet tomberait en morceaux. Mieux vaut trop de champignons que trop peu. Plus la couche sera épaisse, plus la poularde sera juteuse.

• Vin conseillé: un vin blanc sec de Savoie, tel un crépy ou un seyssel. Etant donné leur rareté, vous pouvez également choisir un vin de l'ouest de la Suisse, frais et fruité.

Coq à la comtoise

(Franche-Comté)

Ingrédients pour 4 portions:

1 gros poulet à rôtir (1,5 kg)
50 g de beurre
2 carottes
2 poireaux
1 branche de céleri
1 l de bouillon de poule
noix de muscade râpée
200 g de champignons de
    Paris
4 cs de jus de citron
100 g de crème fraîche
100 g de comté râpé (ou de
    gruyère)
sel, poivre du moulin

Réalisation: 2 h
Par portion: 2 335 kJ/560 kcal

1 Passer le poulet sous l'eau froide. Saler et poivrer généreusement l'intérieur.

2 Faire chauffer 30 g de beurre dans une cocotte. Y faire colorer le poulet sur toutes ses faces.

3 Dans l'intervalle, nettoyer, laver et hacher les carottes, les poireaux et le céleri. Mettre les légumes avec le poulet. Chauffer le bouillon de poule dans une autre casserole.

4 Arroser avec le bouillon. Epicer avec la muscade. Couvrir et laisser cuire à petits bouillons à feu doux pendant 40 minutes environ.

5 Nettoyer et essuyer les champignons dans un linge sec. Verser la moitié du jus de citron sur les champignons.

6 Faire fondre le reste du beurre dans une poêle. Y faire revenir les champignons à feu vif jusqu'à évaporation de toute l'eau qu'ils contiennent. Préchauffer le four à 220° C.

7 Oter le poulet du bouillon et le découper en quatre morceaux. Les mettre dans un

Poule à la mode de Gray

(Franche-Comté)

plat allant au four. Ranger les champignons tout autour.

8 Passer le bouillon de cuisson au chinois ou le réduire en purée au hachoir électrique. En reverser 1/2 l dans la cocotte et le faire réduire à feu vif. Mélanger la crème avec le reste du jus de citron et l'ajouter. Battre au fouet. Ajouter la moitié du fromage. Le laisser fondre sans cesser de remuer. Assaisonner la sauce et en napper les morceaux de poulet. Parsemer avec le reste du fromage. Faire gratiner le poulet au four (gaz: thermostat 4) pendant 20 minutes environ. Servir très chaud.

Ingrédients pour 4 portions:

1 poule à cuire non vidée
*   (1,5 kg)*
1 œuf
1 petite boîte de foie gras (50 g)
noix de muscade fraîchement
*   râpée*
4 poireaux
4-6 jeunes carottes
4-6 petits navets
1 céleri-rave moyen
1 os de bœuf
sel, poivre du moulin

Réalisation: 3 h
Par portion: 1 600 kJ/380 kcal

1 Hacher finement le foie, le gésier et les poumons. Ajouter le foie gras et lier avec l'œuf. Saler, poivrer, assaisonner avec la muscade.

2 Laver la poule à l'eau froide à l'intérieur et à l'extérieur, l'essuyer et la garnir de la farce. Recoudre l'ouverture avec du fil de cuisine.

3 Nettoyer les poireaux et les carottes, éplucher les navets et le céleri. Passer les légumes sous l'eau froide et les couper en petits morceaux.

4 Remplir d'eau une grande casserole. Y jeter les légumes avec l'os de bœuf et amener à ébullition. Y placer la poule et laisser cuire à couvert pendant 2 h 1/2. Ecumer de temps à autre.

5 Dresser les légumes et la poule sur un plat et servir. Garder le bouillon ou le servir en potage.

• En même temps que la poule, servez du riz à la créole, une façon de préparer le riz appréciée dans toute la France: faire bouillir 3 l d'eau salée additionnée de jus de citron. Y jeter 250 g de riz long grain et faire cuire 15 minutes, puis passer le riz sous l'eau très chaude dans un chinois. Faire gonfler le riz 5 minutes de plus au four à température minimum.

• Vin conseillé: un jeune beaujolais ou, pour ceux qui préfèrent le vin blanc, un blanc sec du Jura ou de Savoie.

Cailles aux myrtilles

(Lorraine)

Ingrédients pour 4 portions:

8 cailles prêtes à cuire
8 fines bardes de lard gras
  frais
2 cs de beurre
2 cs d'huile
1 feuille de sauge
250 g de myrtilles fraîches
sel, poivre du moulin

Réalisation: 1 h
Par portion: 1 800 kJ/430 kcal

1 Laver l'intérieur et l'extérieur des cailles à l'eau froide. Les essuyer; les entourer des bardes de lard et les ficeler.

2 Dans un sautoir, chauffer le beurre et l'huile. Y faire revenir les cailles de tous côtés. Emietter finement la feuille de sauge par-dessus. Saler, poivrer. Faire mijoter les cailles à couvert et à feu doux pendant 30 minutes environ.

3 Pendant ce temps, laver et égoutter les myrtilles. Les ajouter aux cailles. Refermer le couvercle et achever la cuisson en 10 minutes.

• Que les défenseurs des animaux se rassurent: les cailles ne sont pas des oiseaux chanteurs que l'on abat sournoisement pendant leur migration vers le sud. Les cailles appartiennent à la famille des perdrix. Autrefois, elles grandissaient dans les champs, hivernaient dans le Sud et étaient effectivement chassées. C'est interdit de nos jours. Dans le commerce, on trouve exclusivement des cailles d'élevage à l'état frais ou surgelé. Comme les volailles domestiques, on les utilise fraîches et non faisandées comme le gibier à plume.

• Vin conseillé: un vin gris tendre de Lorraine.

Faisan à l'alsacienne

(Alsace)

Ingrédients pour 2-4 portions:

1 kg de choucroute crue
3 cc de cumin
2 pommes acides
2 oignons
2 cs de saindoux ou de beurre
250 ml de vin blanc d'Alsace
500 ml de bouillon blanc ou de
  fond de veau
24 baies de genévrier
12 grains de poivre
1 faisan (1 kg)
1 grosse barde de lard gras
  frais
125 g de lard maigre fumé
1 saucisson à cuire
sel

Réalisation: 2 h 1/2
Pour 4 portions, par portion:
  4 100 kJ/980 kcal

1 Laver soigneusement la choucroute et bien la presser. La saupoudrer de cumin.

Eplucher les pommes, les couper en quartiers et les épépiner.

2 Eplucher et hacher les oignons. Faire chauffer le saindoux dans une cocotte. Y faire revenir les oignons sans colorer. Ajouter les pommes et la choucroute. Mouiller avec le vin blanc et le bouillon. Parsemer avec les grains de genièvre et de poivre. Couvrir et faire mijoter la choucroute à petit feu pendant 1 h environ.

3 Barder le faisan avec le lard frais et ficeler le tout.

4 Retirer la moitié de la choucroute de la cocotte et y mettre le faisan. Ajouter le lard et le saucisson entiers. Recouvrir le tout de la choucroute.

Canard sauvage à la sauce infernale

(Franche-Comté)

5 Couvrir la cocotte et laisser cuire 1 h de plus environ. Goûter et rectifier l'assaisonnement. Présenter le faisan dressé sur son lit de choucroute.

• Vin conseillé: un beaujolais jeune ou un rouge d'Alsace (très rare).

Ingrédients pour 2 portions:

1 canard sauvage et son foie (900 g) prêt à cuire
4 fines bardes de lard gras frais
1 citron non traité (jus et zeste)
1 bouquet de persil
3 échalotes
65 ml de vin rouge vigoureux (un arbois ou un pupillin)
1/2 cc de moutarde de Dijon
sel, poivre du moulin

Réalisation: 1 h 1/2
Par portion: 2 840 kJ/680 kcal

1 Préchauffer le four à 210° C. Réserver le foie. Passer le canard à l'intérieur et à l'extérieur rapidement sous l'eau froide et bien l'essuyer. L'enduire de sel et de poivre. Entourer les cuisses, la poitrine et le dos avec la barde et ficeler le tout.

2 Poser le canard sur la grille du gril et l'enfourner avec la lèchefrite au four préchauffé (gaz: thermostat 3). Verser un peu d'eau dans la lèchefrite. Faire rôtir le canard 70 minutes environ. Le retourner plusieurs fois et l'arroser fréquemment d'eau.

3 Pour la sauce, lever le zeste du citron. Le hacher très fin. Laver, essuyer et hacher menu le persil. Eplucher et hacher fin les échalotes. Ecraser le foie du canard à la fourchette ou le réduire en purée au hachoir électrique. Mélanger le tout.

4 Mettre tous ces éléments dans une casserole. Arroser avec un peu du fond de cuisson de la lèchefrite et le vin. Chauffer la sauce à feu doux. Incorporer la moutarde en tournant. Presser le jus du citron. Epicer délicatement la sauce avec le jus de citron. Saler et poivrer.

5 Sortir le canard du four, le débrider, couper les bardes en lanières et les dresser sur un plat avec le canard. Servir la sauce à part.

• Ce plat se déguste avec du pain de campagne blanc.

• Pour cette recette, n'employez que de jeunes canards sauvages. On les reconnaît à la peau tendre des palmes qui se déchirent facilement. Si les pattes ont été coupées, préférez un petit canard à un gros.

• Vin conseillé: un arbois ou un pupillin rouge du Jura français. Si vous n'en trouvez pas, utilisez pour la sauce comme pour accompagner le plat un côtes-du-rhône du nord de la région de production, tel un hermitage ou un crozes-hermitage.

Gâteau au chocolat

(Lorraine)

Ingrédients pour 6-8 portions:

*125 g de beurre + beurre pour
le moule
125 g de chocolat amer
100 g d'amandes mondées
4 œufs
125 g de sucre
1 cs de fécule
sucre glace*

*Réalisation: 1 h 1/2
Pour 8 portions, par portion:
1 600 kJ/380 kcal*

1 Faire fondre les 125 g de
beurre au bain-marie sans
qu'il devienne tout à fait liquide.

2 Râper finement le chocolat
ou le faire fondre sur un
chauffe-plat. Râper les amandes. Casser les œufs en séparant les blancs des jaunes.
Mélanger ensemble les jaunes
et le sucre pour obtenir une
crème mousseuse. Ajouter les
amandes.

3 Préchauffer le four à 200° C.
Amalgamer le beurre ramolli
et le chocolat à la crème.
Monter les blancs en neige
ferme et les incorporer délicatement à la crème. Tamiser la
fécule par-dessus. Mélanger
doucement la crème encore
une fois.

4 Beurrer un moule à manqué
(26 cm). Y verser la préparation. Mettre à cuire 40 minutes environ au four (gaz: thermostat 3).

5 Pour voir s'il est cuit,
enfoncer une lame de
couteau dans la pâte; elle doit
ressortir nette. Il faut que le
gâteau soit moelleux et non
trop sec au centre. Le démouler, le laisser refroidir et le
saupoudrer de sucre glace.

• Le chocolat à cuire convient
parfaitement à cette pâte,
puisqu'il fond aisément.

Tarte aux mirabelles

(Lorraine)

Ingrédients pour 6-8 portions:

*250 g de farine + farine pour le
plan de travail
125 g de beurre ramolli +
beurre pour le moule
1 jaune d'œuf
1 cc de sucre
sel
500 g de mirabelles
75 g de sucre glace*

*Réalisation: 50 minutes
(+ 2 h de repos)
Pour 8 portions, par portion:
1 300 kJ/310 kcal*

1 Tamiser la farine sur un plan
de travail. Creuser une fontaine au milieu. Y mettre le
beurre, le jaune d'œuf, le sucre
et 1 pincée de sel. Ajouter 2 cs
d'eau. Travailler le tout du bout
des doigts. Au besoin, rajouter
un peu d'eau afin d'obtenir une
pâte souple mais consistante.
Cesser de pétrir dès que toute
la farine est absorbée. Former
une boule avec la pâte et la

laisser reposer 2 h dans un
endroit frais.

2 Pendant ce temps, laver,
essuyer et dénoyauter les
mirabelles. Préchauffer le four
à 230° C.

3 Fariner très légèrement le
plan de travail. Abaisser la
pâte au rouleau.

4 Beurrer un moule (26 cm).
Le garnir de la pâte et
piquer ce fond à la fourchette.
Répartir les fruits sur le fond de
pâte et les saupoudrer de
sucre glace.

5 Faire cuire cette tarte au
four (gaz: thermostat 4)
pendant 15 minutes. Diminuer
la température à 200° C (thermostat 3) et laisser cuire
15 minutes de plus.

Tarte aux pommes

(Alsace)

• Si les fruits sont très juteux, saupoudrez le fond de tarte avec 1 cs de semoule de blé avant de disposer les fruits. Elle absorbera le jus des fruits.

• **Tôt-fait**
Le tôt-fait est un dessert tout simple mais délicieux à la liqueur de mirabelle.
Délayer 4 œufs avec 125 g de sucre glace jusqu'à ce que le mélange blanchisse. Ajouter 6 cs de farine tamisée et 1 l de lait; mélanger bien le tout. Parfumer avec 3 cl de liqueur de mirabelle. Verser la préparation dans un moule à savarin beurré et laisser cuire 30 minutes à four chaud (230° C; thermostat 4).

• Les mirabelles sont une spécialité lorraine. On les accommode de nombreuses manières: depuis la confiture jusqu'à la succulente eau-de-vie de mirabelle.

Ingrédients pour 6-8 portions:

Pour la pâte:
125 g de beurre ramolli + beurre pour le moule
125 g de sucre glacé
2 œufs
250 g de farine + farine pour le plan de travail

Pour la garniture:
1 kg de pommes acides
2 cs de sucre

Pour la crème:
400 ml + 2 cs de lait
125 g de sucre
4 jaunes d'œufs

Réalisation: 1 h 1/4
(+ 1 h de repos)
Pour 8 portions, par portion:
2 200 kJ/520 kcal

1 Mélanger le beurre ramolli et le sucre en poudre pour obtenir une crème mousseuse. Ajouter les œufs un à un et les incorporer légèrement au fouet.

Tamiser la farine par-dessus et travailler le tout. Ne plus battre. Laisser reposer la pâte 1 h environ dans un endroit frais.

2 Pendant ce temps, pour la garniture, éplucher les pommes, les couper en quartiers, retirer les pépins et émincer les quartiers. Faire dissoudre le sucre dans une casserole remplie de 1 l 1/2 d'eau et porter à ébullition. Faire rapidement pocher les lamelles de pommes dans ce sirop. Egoutter et mettre de côté.

3 Préchauffer le four à 200° C. Beurrer un moule à tarte (de 26 cm). Abaisser la pâte en rond sur un plan de travail légèrement fariné et en garnir le moule.

4 Enfourner le moule (gaz: thermostat 3) au milieu du four et cuire la pâte 10-15 minutes à blanc.

5 Dans l'intervalle, pour la crème, faire bouillir 400 ml de lait avec 125 g de sucre. Dans une grande terrine, battre les 4 jaunes d'œufs avec 2 cs de lait jusqu'à consistance mousseuse, verser le lait bouillant et réchauffer le tout sans faire bouillir en remuant constamment.

6 Disposer les tranches de pommes égouttées sur le fond de tarte. Verser la crème par-dessus.

7 Remettre au four (milieu) à 220° C (gaz: thermostat 4) pour 25 minutes environ. Servir la tarte tiède ou froide.

Baba au rhum

(Lorraine)

Ingrédients pour 6-8 portions:

Pour la pâte:

150 g de farine + farine pour le
   moule
100 ml de lait
10 g de levure
2 œufs
75 g de beurre ramolli + beurre
   pour le moule
1 pincée de sel
1 cs de sucre
1/2 paquet de sucre vanillé
50 g de raisins de Corinthe
50 de raisins de Smyrne

Pour le sirop:

250 g de sucre
150 ml de rhum

Réalisation: 2 h
   (+ 4 h environ de
   refroidissement)
Pour 8 portions, par portion:
   1 600 kJ/380 kcal

L'«invention» de ce succulent
dessert est attribuée au roi de
Pologne Stanislas Leczynski.
Après avoir fui la Pologne, il a
régné par la grâce de son
beau-père, Louis XV, sur les
duchés de Lorraine et de Bar
et s'est rendu très populaire

auprès du peuple, surtout à
Nancy, par son sens artistique
et sa charité. En réalité,
Stanislas n'a pas inventé ce
dessert, bien qu'il eût l'idée
d'arroser de malaga le kouglof
un peu sec qui était déjà connu
à la cour de Lvov. Lecteur
enthousiaste des Mille et Une
Nuits, le roi Stanislas baptisa
son dessert favori ali baba. Au
début du XIXe siècle, ce
dessert, devenu baba, fut très
à la mode à Paris. On remplaça
le malaga par un sirop au
rhum. Au milieu du XIXe siècle,
un maître pâtissier parisien
transforma encore une fois la
recette. Il laissa les raisins secs
de côté et donna au gâteau la
forme d'une couronne au
centre de laquelle il mit de la
crème fouettée décorée de
fruits confits. Il baptisa ce
nouvel entremets brillat-savarin
qui devint bien vite savarin.
Cette variante est excellente
garnie de crème fouettée et de
fruits rouges.

1 Réchauffer une terrine avec
de l'eau chaude, l'essuyer.
Y tamiser la farine. Creuser une
fontaine au centre et y émietter
la levure. Faire tiédir le lait,
l'ajouter pour dissoudre la
levure.

2 Battre les œufs au fouet
dans un plat creux. Les
mélanger à la pâte.

3 Travailler la pâte au fouet
ou au crochet à pétrir du
robot ménager jusqu'à la
formation de bulles. Laisser
reposer la pâte recouverte d'un
linge dans un endroit tiède
jusqu'à ce qu'elle ait doublé
de volume, ce qui demande
environ 20 minutes.

4 Travailler le beurre avec le
sel et le sucre jusqu'à
consistance mousseuse. Le
mélanger à la pâte avec les
raisins secs. Pétrir encore
cette pâte pendant 5 minutes
environ. Beurrer un moule à
baba ou tout autre moule haut
et cylindrique et le saupoudrer
de farine.

5 Préchauffer le four à 210° C. Placer la pâte dans le moule et laisser encore reposer 20 minutes. Faire cuire au four préchauffé (gaz: thermostat 3) pendant 35 minutes environ. Quand la surface commence à brunir, ramener la température à 200° C (thermostat 3).

6 Entre-temps préparer le sirop: verser 1/4 l d'eau dans une petite casserole. Y faire fondre le sucre. Placer la casserole sur le feu et faire bouillir 3-4 minutes à chaleur modérée, sans cesser de tourner. Laisser un peu refroidir le sirop avant d'ajouter le rhum.

7 Sortir le baba du four et le démouler aussitôt. Le dresser sur une assiette et le piquer à la fourchette. L'arroser de sirop à la cuiller. Laisser refroidir avant de servir.

La choucroute et la charcuterie – des plaisirs simples

La choucroute et la cuisine française? Difficile de croire qu'elles font bon ménage. Et pourtant, l'Alsace est le premier producteur de choucroute en France et ici on l'accommode de mille et une manières. Les Alsaciens sont un peuple alémanique dont la terre fut une pomme de discorde au fil des siècles entre les deux voisins jusqu'en 1945,

Ce panneau qualifie Riedwihr de "capitale de la choucroute".

année où l'Alsace revint définitivement dans le giron de la France. Les Français ont toujours su apprécier la cuisine du terroir, honnête et tout à fait subtile des Alsaciens. Brillat-Savarin, le grand gourmet, a dit une fois: «C'est l'une des régions d'Europe qui me met le plus l'eau à la bouche.» Qui des Allemands ou des Français consomme le plus de

choucroute? Gagné, ce sont les Français! Même les Américains devancent les Allemands pour ce qui est de manger de la choucroute. Le poète allemand Ludwig Uhland a bien prétendu: «C'est une invention allemande, donc c'est un plat allemand», mais les poètes ont aussi le droit à l'erreur. En fait, ce furent des moines alsaciens qui, dès le XVe siècle, produisirent la première choucroute sous le nom de chou gumbos comme mets de carême. De plat frugal, il accéda bientôt au rang de repas de fête ou de dimanche et, dans certaines régions, il fait maintenant partie intégrante de tous les repas de mariage.

Ceci dit, ce ne sont pas non plus les Alsaciens qui ont «inventé» la choucroute. Hippocrate, le grand médecin grec, et quelques écrivains romains la citent déjà dans leurs dissertations sur l'agriculture et la médecine par les plantes. Les légionnaires

romains furent d'ailleurs les premiers à introduire le chou d'abord en Alsace, puis plus tard en Germanie.

Qu'est-ce que la choucroute? Il y a 40 ans, on avait l'habitude de fabriquer soi-même la choucroute. Aujourd'hui, on l'achète toute faite – ce qui appelle une courte explication: la choucroute n'est rien d'autre que du chou blanc qui a subi une fermentation en présence de sel – d'où son acidité.

La meilleure variété de chou à choucroute provient des environs de Krautergersheim près d'Obernai. C'est également le centre de la production de choucroute. Une fois récoltés, les choux sont soigneusement nettoyés et débarrassés de leur trognon. Puis on les râpe finement et on met les «copeaux» à fermenter dans des récipients prévus à cet effet. On saupoudre les choux de sel; 0,8 à

1,8 % du poids des choux suffit à faire démarrer la fermentation lactique. Dans l'industrie, on met les récipients sous pression de manière à faire s'échapper l'air entre les couches de copeaux de choux. Chez les particuliers, on tasse bien les choux à l'aide d'un poids.

Contrairement à ce qui se faisait dans l'Antiquité et à ce qui se fait dans les ménages, le chou est pasteurisé en vue d'une meilleure conservation après une à trois semaines, à savoir qu'il est chauffé à 80° C pour tuer les bactéries lactiques.

Dans le commerce, la choucroute crue non pasteurisée venant directement du tonneau côtoie la choucroute conservée en boîte, en bocal ou en emballage sous vide. Une bonne choucroute est acidulée, a une couleur gris clair à brunâtre, une consistance ferme et un aspect mat.

A droite: la choucroute garnie; le lard de poitrine, les côtes fumées et les saucisses accompagnent la choucroute et les pommes de terre. Et pour faire descendre tout cela, un bon vin d'Alsace bien sûr.

En haut: la chou-
croute polyvalente
entre dans de nom-
breuses autres pré-
parations. Ici, une
tarte à la choucroute
et aux lardons.

Au centre: diverses
charcuteries qui se
marient bien avec
la choucroute. En

dehors des boudins
(derrière), on con-
seille les andouillettes
(devant) et les jarrets
de porc fumés.

En bas: devanture
d'une charcuterie
alsacienne offrant
un grand choix de
saucissons, pâtés et
jambons.

En Alsace, l'art de préparer la choucroute est transmis de génération en génération. La «choucroute garnie» y est le plat national et il se décline sur tous les modes dans les familles comme dans les restaurants. Cela débute avec les épices comme le poivre, le paprika, le cumin, la coriandre et les baies de genévrier; avec les herbes comme l'aneth, la sarriette, l'estragon, le laurier, l'origan, le persil, la ciboulette; avec toutes sortes de légumes et de fruits comme les pommes, les ananas, les raisins secs, les oignons et les noix; et cela ne finit pas avec les matières grasses et les huiles, les vins et les mousseux.

La garniture de viande ou de poisson fait de la choucroute un plat à la choucroute. Des poissons fins comme le saumon et la lotte, des volailles de choix comme le faisan, l'oie, la perdrix, la caille et la pintade ou des cochonnailles en font un plat de fête ou de tous les jours.

La choucroute n'est pas qu'un plat de résistance. Une soupe à la choucroute pour commencer ou une salade de choucroute crue aux coquillages, aux foies de volaille ou même au fromage en entrée jouissent d'une popularité croissante, et pas seulement en Alsace.

La Confrérie de la Choucroute, fondée en 1987, se consacre à la tradition de la choucroute et à ses multiples utilisations. Les membres de la confrérie qui possèdent leur restaurant s'engagent à proposer à la carte au moins une spécialité de choucroute d'un bout de l'année à l'autre.

La charcuterie occupe une place particulière dans le menu français. En France, la charcuterie et le pain en guise de dîner sont inconnus. A la rigueur, les cafés proposent des sandwiches au jambon ou au saucisson, c'est-à-dire une baguette coupée en deux dans le sens de la longueur et garnie de jambon ou de saucisson, avec une feuille de salade ou des cornichons.

La place privilégiée des charcuteries est en entrée, à moins qu'elles ne soient servies chaudes dans des ragoûts de viandes ou de légumes et donc aussi dans la choucroute alsacienne.

Citons d'abord les *saucissons*, en faveur dans toute la France. Ils sont généralement à base de pur porc et séchés à l'air plusieurs semaines dans un boyau, mais rarement fumés. Ils se conservent trois à quatre mois à 10-15° C. Les salamis au poivre et aux herbes sont roulés dans du poivre concassé ou des herbes séchées après la phase de séchage. Ce sont tous des éléments d'une assiette de charcuteries classique.

Les saucissons comprennent aussi, à part le salami, le saucisson de Lyon ou *rosette*, un superbe saucisson sec et cru du Beaujolais, le saucisson de montagne et, le plus grand d'entre eux, un saucisson de Franche-Comté du nom de *jésus*, connu également dans le Jura suisse. Le *saucisson d'Arles*, sec lui aussi, est fabriqué avec du bœuf et du porc.

Les *andouilles* et les *andouillettes* sont réputées et populaires partout en France. La différence ne réside que dans la grosseur, les secondes étant plus petites. Les andouilles sont de gros boyaux garnis de tripes de porc. Elles sont pour la plupart vendues cuites, prêtes à la consommation, et servies froides en hors-d'œuvre. Les andouilles crues sont pochées à l'eau salée ou grillées avec divers accompagnements, le plus fréquemment avec de la purée de pommes de terre.

Les *chipolatas*, petites saucisses fraîches, agrémentent habituellement le petit gibier à

73

plume comme les cailles ou les pigeons.

Le *boudin blanc* et le *boudin noir* sont ordinairement de la viande de porc enfermée dans un boyau naturel. Dans certaines régions de France, le boudin fait partie du traditionnel réveillon de Noël et est servi poché ou grillé.

Et enfin les petites *saucisses de Strasbourg*, complément indispensable de la choucroute, correspondent aux saucisses de Francfort ou aux saucisses viennoises.

Enumérer toutes les charcuteries régionales ne rendrait pas justice à tout ce qui dans les étals des charcuteries françaises est présenté de manière appétissante et fait venir l'eau à la bouche. En effet, les Français ont l'art de mettre leurs viandes en valeur. La charcuterie n'est pas un exemple unique, loin s'en faut.

Passons maintenant aux délicieux pâtés, terrines et autres galantines. Quiconque s'est vu présenté fièrement par le patron d'un bistrot ou d'un restaurant un pâté ou une terrine du chef sait de quoi je parle.

Par pâté au sens strict on entend une farce, généralement de viande mais aussi de champignons, de légumes ou de pommes de terre, entourée dans une enveloppe de pâtisserie (une croûte). Le fameux et succulent pâté de foie gras de Strasbourg est donc un pâté dans ce sens.

Les terrines sont des farces cuites dans un récipient en terre ou en verre à feu sans enveloppe de pâte. Toutefois, là aussi le langage courant a quelque peu évolué. Dans le commerce, on désigne souvent des préparations de viandes sans croûte sous le nom de pâté. En tout cas, la farce se compose de viande finement ou grossièrement hachée,

parfois additionnée de lard, d'épices, de champignons et, pour les plus fines d'entre elles, de truffes. Le pâté de jambon est une préparation à base de chair de pur porc et de dés de jambon maigre. Le pâté de campagne est composé de viande maigre de lapin, par exemple, de lard et de tripes comme le foie. Il existe en outre

de nombreuses variantes de pâtés de gibier et de volaille.

Le pâté de foie peut être confectionné à partir de viande grossièrement hachée et de dés de foie. Les pâtés les plus délicats sont commercialisés sous les noms de crème, de mousse ou de purée de foie. Les galantines ou les ballotines

sont extrêmement attrayantes, notamment dans un buffet froid. Des poules, des canards, des lapins, mais aussi des cochons de lait entiers sont désossés délicatement par l'intérieur, farcis avec une préparation de viande correspondante, d'œufs, de foie et d'épices et servis coupés en tranches.

Tout en haut:
Le jambon surtout,
mais aussi les saucissons sont renommés dans tout le pays pour leur niveau de qualité.

Ci-dessus: la rosette, dans la corbeille de gauche se déguste froide en entrée. Le saucisson dans la corbeille de droite a été roulé dans la cendre.

Les *rillettes* sont une spécialité française. On les mange en entrée avec du pain. C'est une charcuterie préparée avec de la viande maigre de porc, d'oie, de canard, de lapin ou gibier, qui a mijoté dans sa propre graisse ou son sain-doux jusqu'à ce que la viande s'effiloche.

Les jambons
Pour conclure, un dernier mot sur les jambons. En France, ils font l'objet d'une salaison, c'est-à-dire qu'ils sont enduits de sel avant d'être mis à mûrir et à sécher à l'air pendant une période pouvant atteindre dix mois.

Le plus connu est sans doute le *jambon de Bayonne* doux et délicatement parfumé. Le *jambon des Ardennes* se caractérise par sa jolie couleur rouge et son fumet typique. Les gourmets affectionnent aussi les jambons de montagne venant d'Auvergne ou de Savoie ainsi que le *jambon d'Armorique* breton.

Le jambon de Paris est un nom générique recouvrant toutes les variétés de jambons blancs ou cuits, même si ceux-ci ne viennent pas de la capitale.
Dans tous les restaurants de la Bourgogne, le choix de hors-d'œuvre serait incomplet sans le jambon persillé, du jambon en gelée au persil.

A gauche: étalage de saucissons. Du lard et des charcuteries fumées coudoient des vins rouges.

En haut à gauche: étal de charcutier au marché.

En haut: jambons dans un fumoir. La plupart des jambons français ne sont pas fumés, mais séchés.

Dauphiné, Bourgogne, Bresse, Lyonnais

Paysage grandiose:
Meursault et ses vignobles, lieu de production d'un des vins blancs français les plus prestigieux.

Les produits du terroir

Dans son passé glorieux, la Bourgogne, duché autonome, s'étendait de la mer du Nord au Jura. Ses richesses étaient le vin et le bois dont elle approvisionnait la cour de France. Elle fait partie de la France depuis le XVe siècle et s'étend de nos jours du Bassin parisien à la vallée du Rhône et de la Haute-Loire au Haut-Rhin.

La Basse-Bourgogne est située au nord sur un plateau calcaire du Jura traversé par l'Yonne. Ici, on cultive la vigne à Chablis et les cerises y sont particulièrement savoureuses. La partie la plus intéressante géographiquement et historiquement parlant est la Haute-Bourgogne qui se prolonge au sud, dans la plaine de la Saône. A l'ouest de la Saône s'étend l'ancien duché de Bresse, couvert de forêts et de lacs, qui s'est taillé une réputation internationale grâce à l'élevage de volailles. Le poulet de Bresse a d'ailleurs été élevé en 1986 au rang de quatrième meilleur produit du monde – après le foie gras, le homard et la truffe. Sur la rive opposée de la Saône, ce sont les vins de la Côte-d'Or, une formation jurassique culminant à 600 m, qui font battre plus fort le cœur des gourmets du monde entier. Les escargots de Bourgogne dont se régalent les Français en entrée sont élevés ici. La renommée de Dijon, capitale de l'ancien duché et haut-lieu vinicole, a dépassé les frontières grâce à sa moutarde forte mais délicieuse.

Les monts du Morvan, contre-forts septentrionaux du Massif central, ont un charme tout particulier avec leurs bocages et leurs paysages boisés. Le jambon sec du Morvan est très apprécié dans l'ensemble de la France.

Plus au sud, on découvre un autre produit prestigieux: dans l'ancien duché du Charolais on élève la plus vieille race bovine française. La viande délicate à la saveur inégalée des bœufs à la robe blanc-crème est exportée dans maints pays.

Dans le Mâconnais et le Beaujolais, à l'est, la vigne est omniprésente et, dans la Bourgogne méridionale, 1 200 km de canaux invitent à visiter la région au fil de l'eau.

Entre la vallée du Rhône et la frontière italienne, au sud de la Savoie et au nord des cols menant à la Haute-Provence se trouve le Dauphiné. Il doit son nom aux ducs d'Albon qui furent les premiers à adopter le titre de dauphin. Plus tard, la région fut garantie par contrat à l'héritier de la couronne.

Le Dauphiné est dominé par le massif du Pelvoux culminant à 4 100 m avec un vaste parc national et des glaciers impressionnants. C'est ici que sont concentrés la plupart des cols alpins. Une des spécialités connues au-delà des frontières est le gratin dauphinois. Les vins du Dauphiné fleurissent sur la rive gauche du Rhône. Hermitage et Crozes-Hermitage sont les plus anciens vignobles rhodaniens.

C'est de Grenoble, la capitale régionale, que proviennent les meilleures noix, qui bénéficient même d'une appellation contrôlée. Les confiseries grenobloises leur doivent leur qualité exceptionnelle. Deux autres centres producteurs de bonbons et autres friandises sont Montélimar, la capitale du nougat, et Voiron.

Lyon fait les délices des gourmands et des gourmets. Ici, l'art du «bien manger» atteint un degré de simplicité qui est la marque de fabrique de la perfection. Il se célèbre aussi bien dans le cadre des grandes tables que dans celui des familles, qui se transmettent leur savoir de génération en génération. Parmi les innombrables spécialités lyonnaises, citons le cervelas truffé en brioche, la poularde demi-deuil aux truffes, l'omelette lyonnaise aux oignons, la sauce à l'oignon et la purée d'oignons surnommée Soubise, réalisée avec les oignons doux de Lyon.

En haut: les poulets fermiers blancs de Bresse sont réputés être les meilleures volailles de France. Ils sont soumis à des exigences de qualité très strictes.

Page 79, tout en haut à gauche: vignes près de Beaune.

Pages 78/79 au centre à droite: amandiers en fleur dans le Dauphiné.

A droite: panorama des Hautes-Alpes du Dauphiné près de Briançon, la ville la plus haute d'Europe près de la frontière italienne.

Page 79, tout en haut à droite: marchand de fruits à Dijon.

Au centre: la chair tendre des bœufs charolais tout blancs ravit le palais du gourmet.

Au centre à droite: un dimanche en Bourgogne. Pêche à la ligne au bord de l'Ouche.

Ci-dessus: un marché à Dijon. Ici on vend du miel des environs.

Les gens, les festivités, les curiosités

La Bourgogne est un festin à la fois pour les palais les plus exigeants et pour les yeux les plus avertis. Il n'y a pas que les fans d'Astérix à être conquis par les fouilles d'Alésia, là où César contraignit le puissant Vercingétorix à capituler après un long siège.

Les nombreuses abbayes et églises romanes sont autant d'attraits touristiques. Au haut Moyen Age, Cluny inspira une certaine forme de style roman dont la formule fut reprise en dehors des frontières du duché. C'est là que fut élevée la plus grande église de la chrétienté jusqu'à la construction de la cathédrale Saint-Pierre.

Erigé dans le style gothique flamand et l'un des plus beaux exemples de l'art de la fin du Moyen Age, l'Hôtel-Dieu, les fameux Hospices de Beaune, fut fondé par Nicolas Rolin et sa femme pour soigner les pauvres. Beaune possède aussi un intéressant musée du vin.

Les localités viticoles aux noms prestigieux de la Côte-d'Or ne paient pas de mine. Le spectacle est dans le verre. Cependant, on peut admirer partout églises et prieurés, grandioses ou modestes, vieilles demeures à colombages et jolies places. Le château de Vougeot où se réunissent tous les ans les chevaliers du Tastevin, la plus ancienne confrérie de tastevins française, vaut le détour.

En haut: le pont et la cita-delle de Semur-en-Auxois, une petite ville médiévale du nord de la Bourgogne.

Au centre: chaleureux bar-café de Dijon.

Ci-contre: scène de rue à Dijon pendant les folkloria-des et les fêtes de la vigne au mois d'août.

L'abbaye de Fontenay est l'une des plus vieilles églises cisterciennes de France. Les églises de Sens, Tournus et Vézelay doivent également leur beauté aux moines.

Dijon, la ville de la moutarde dans la Bourgogne septen-trionale, fut jadis sauvée par le vin. Quand en 1513 la ville était assiégée par des Suisses, des Allemands et des soldats de la Franche-Comté, on leur pro-posa des charrettes entières de délicieux bourgogne et ces valeureux guerriers eurent tôt fait d'abandonner leur attitude menaçante et de lever le siège. En Bourgogne, les fêtes sont en majeure partie dédiées au vin. Ces manifestations vineuses trouvent leur apogée en novembre avec les Trois Glorieuses à Vougeot, à Beaune et à Meursault. Ces jours-là a lieu la vente des vins des Hospices et la confrérie du Tastevin tient ses assises. Le Festival des grands crus est organisé de juillet à octobre dans de nombreuses localités

avec manifestations musicales. La fête du vin bourru, le jus de raisin fraîchement pressé, se tient à Nuits-Saint-Georges et à Chenove.

A Bourg-en-Bresse, Pont-de-Vaux, Montrevel-en-Bresse et à Louhans, on fête les Trois Glorieuses, qui devraient en fait s'appeler les Quatre Glorieuses. Il s'agit en l'occurrence de rendre hommage à la meilleure volaille de France qui fait l'objet d'un concours.

Si les attraits majeurs de la Bourgogne sont l'art et le vin, le Dauphiné vaut par ses imposants monuments naturels. Grenoble, qui a autrefois accueilli les Jeux olympiques d'hiver, est une ville de jardins et de musées. La plus belle église du Dauphiné est à Embrun, la région la plus sauvage est le Queyras près de la frontière italienne. Tous les ans à Lyon se tient une grande fête des potiers et à Condrieu, sur le Rhône, on fête le vin et la rigotte.

En haut: l'ancienne abbaye cistercienne de Fontenay datant du XIIe siècle donne une bonne idée de la vie monacale au début du Moyen Age.

Ci-contre: spectacle culinaire dans un des restaurants du centre de Dijon.

En bas à gauche: l'Hôtel-Dieu à Beaune, les anciens hospices construits au XVe siècle.

En bas à droite: terrasse de café sur la grand-place de Dijon.

Les vins

Bourgogne est aussi synonyme d'un type de vin comme le bordeaux. Souvent imité dans le monde entier mais jamais égalé, le bourgogne désigne un vin rouge moelleux, velouté, au nez et à la bouche incomparables du pinot. On oublie souvent qu'en Bourgogne on produit également les vins blancs les

Vente de vins de Bourgogne.

plus chers et les meilleurs du monde.

Le régime des appellations bourguignonnes est assez complexe, chaque sous-région possède ses propres hiérarchies; les grands crus proviennent fréquemment de vignes dont les voisines ne donnent qu'un vin de qualité tout juste moyenne. En Bourgogne, les vignobles sont souvent partagés entre plusieurs propriétaires, ce qui explique les grands écarts de qualité entre les vins.

Par contre, on a vite passé en revue les cépages. Le pinot noir est l'un des cépages les plus nobles du monde. Il est originaire de Bourgogne et c'est à lui que nous devons tous les vins rouges de rêve qui

sont produits dans la région. Le pinot blanc est une mutation du rouge, mais il ne donne pas de vins exceptionnels. Le chardonnay, qui s'est adapté aujourd'hui dans le monde entier, participe à l'élaboration des superbes vins blancs de Chablis et des grands vins blancs de la Côte-d'Or.

Le gamay, enfin, n'est pas un cépage de Bourgogne, mais est probablement originaire d'un petit village près de Puligny-Montrachet. C'est le cépage qui donne le beaujolais si populaire.

Parmi les anciens cépages, d'importance plus locale, l'aligoté blanc est le plus connu. Les vins aligotés ont droit à l'appellation générale bourgogne aligoté, un vin savoureux de consommation quotidienne.

Tout aussi abordables sont tous les vins d'appellation bourgogne passe-tout-grains, bourgogne clairet, bourgogne ordinaire ou crémant de Bourgogne.

La région viticole de Bourgogne commence au nord par la ville de Chablis, qui a donné son nom aux vins de 16 villages environnants. Autrefois, un tiers de tous les bourgognes étaient produits ici, mais le phylloxéra ravagea une grande partie des vignobles au siècle dernier. Il ne reste plus aujourd'hui que les climats (vignobles ou crus) favorables, encore qu'ici aussi les menaces de gel printanier expliquent les grands écarts entre les années. Tous les chablis sont blancs et sont vinifiés avec des raisins chardonnay.

Au sud de Dijon, ville liée au commerce vinicole, commence la région légèrement vallonnée d'où proviennent les vins qui font battre plus fort le cœur des connaisseurs du monde entier – la Côte-d'Or, dont la partie septentrionale s'appelle côtes

de Nuits et la partie méridionale côtes de Beaune. Les villages et les petites villes ont partiellement lié leur nom à ceux des grands vignobles à leurs portes. C'est une particularité de la Bourgogne qui risque de créer une certaine confusion, si l'on ne connaît pas le langage des étiquettes. Ainsi, un vin à l'appellation d'origine gevrey-

chambertin ne vient en aucun cas du grand cru de Chambertin. Si c'était le cas, le nom du climat (cru) figurerait sur l'étiquette. Comment expliquer ce mystère? L'appellation d'origine contrôlée bourgogne est d'abord précédée par les subdivisions d'appellations régionales, telles que côte-de-nuits ou vin fin de la côte de

Ci-dessus: dégustation dans une cave bourguignonne.

Tout en haut: portail d'entrée du château de Sully près d'Autun, où est né celui qui devait devenir le maréchal et le président Mac-Mahon.

Au centre: vendanges en Côte-d'Or, le cœur du vignoble bourguignon.

En bas: le bourgogne plein de finesse vieillit dans ces fûts sous la surveillance attentive du chef caviste.

Nuits. Suivent les noms des différentes communes, si le vin provient exclusivement d'une seule commune.

C'est ici que surgit parfois le nom d'un climat classé comme grand cru, tout simplement parce que le nom de la localité lui est intimement lié. Un climat classé premier cru (l'échelon inférieur en qualité) est suivi ou non du finage (nom de la commune ou de la localité), c'est selon... Le grand cru reste alors royalement seul. Donc, «le chambertin» est un vin supérieur toutes catégories.

La côte de Nuits est le berceau des grands crus rouges. A certains endroits, on fait aussi un peu de vin blanc, mais le rouge prédomine largement. Elle réunit 23 grands crus sur une superficie assez restreinte, dont des noms aussi célèbres que chambertin ou romanée.

Plus au sud, dans la côte de Beaune attenante qui commence à Beaune et qui finit à Santenay, la situation est différente. Là, les cépages blancs côtoient les rouges dans presque chaque commune et les bourgognes blancs comme le corton, le corton-charlemagne et le montrachet sont ici chez eux. Le corton est le seul cru à donner un vin d'excellence tant en rouge qu'en blanc.

Au sud, la côte de Beaune se prolonge par une étroite bande, la côte Chalonnaise. Comme en Côte-d'Or, les superbes vins rouges et blancs sont produits à partir de pinot noir et de chardonnay. Tous ou presque portent le nom de leur commune. Rully, l'une de ces communes, est un centre de production de bourgogne mousseux.

Ce n'est qu'à Tournus que la viticulture reprend ses droits. Dans le Mâconnais, les crus de qualité supérieure portant le nom de la commune appropriée sont exclusivement des blancs issus de raisins chardonnay. Ils sont secs, ont du caractère et peuvent vieillir sans dommage. Les rouges et les rosés sont, comme le beaujolais, issus du gamay. Ils sont un peu plus âpres que les premiers et doivent être bus jeunes.

Sans transition, on trouve à l'extrême sud de la Bourgogne vinicole la région de production du beaujolais tant vanté et tant décrié à la fois.

Redressons d'abord une ou deux erreurs très répandues: le beaujolais n'est pas invariablement rouge. Il existe aussi quelques vins blancs et rosés sous cette appellation régionale. En outre, le beaujolais ne se déguste pas seulement à l'état jeune. Au contraire: les meilleurs crus de dix communes, figurant également sur l'étiquette, comme le fleurie, le morgon ou le chénas, sont aussi des vins de garde qui se bonifient avec l'âge.

Passons à présent à ce qui a rendu la région et la petite ville de Beaujeu si illustres et si populaires auprès des amateurs de vins: le beaujolais primeur. C'est à peine âgé de deux mois et d'une fraîcheur saisissante qu'il fait son apparition sur le marché, balayant la tristesse de novembre. Malgré la production dans le sud de la France et l'Italie de vins rouges jeunes – le beaujolais reste le beaujolais, il était le premier.

Contrastant avec les vins fins du nord de la Bourgogne, le beaujolais est une boisson «démocratique» accessible à tout un chacun. Pourtant, la mode lui a fait grand tort. Le profit rapide a certes incité quelques producteurs à faire des vins qui ne valent plus leur prix. Goûtez d'abord ou fiez-vous à un nom connu, négociant ou producteur.

Comment se fait-il qu'un rouge aussi jeune soit buvable et ne vous arrache pas la langue et le palais? Tout connaisseur sait bien qu'un vin rouge nécessite un certain vieillissement afin d'éliminer les tanins des pellicules et des pépins et développer tout son bouquet. Le phénomène beaujolais a deux causes: le cépage et le processus particulier de fermentation.

Comme il est dit plus haut, le gamay est un raisin du Beaujolais qui donne des vins médiocres dans d'autres régions. Les sols pauvres de granit, en particulier ceux du Beaujolais septentrional, poussent cependant le gamay dans ses derniers retranchements. A cela s'ajoute le procédé de fermentation: les raisins ne sont pas écrasés, comme il est d'usage dans la vinification en rouge, mais transvasés entiers dans un fût métallique fermé hermétiquement. Une

fermentation naturelle, sans adjonction de levures, s'amorce. Les grains du dessous sont écrasés par ceux du dessus, donnant du jus et déclenchant de surcroît une fermentation normale. La matière colorante de la pellicule se libère et, après quelques jours, on procède au pressurage et à la fermentation du moût. Peu de temps après, le vin est mis en bouteilles pour lui conserver fruité et fraîcheur.

A l'origine, le beaujolais primeur n'était connu que dans la ville gastronomique de Lyon. Au XVIIIe siècle, il emprunta les canaux de la Bourgogne pour gagner Paris, où il fut vite adopté avec enthousiasme. Il fallut toutefois attendre les années soixante de notre ère pour qu'il devienne une sorte de coqueluche.

Au sud de Vienne, après une courte interruption, la vigne se déploie à nouveau. Ici, la région s'appelle côtes du

Rhône, du nom du fleuve qui l'arrose. Elle n'a rien de commun avec la Bourgogne, on y cultive d'autres cépages, les sols sont différents, à l'image du caractère des vins. En soi, les côtes du Rhône ne sont pas une région fermée. La zone nord va du sud de Lyon jusqu'à Valence, la zone sud, la plus étendue, appartient à la Provence. Des terrasses étroites et escarpées le long du Rhône distinguent la région nord du Rhône. Les parcelles sont nettement plus petites qu'au sud, mais, en compensation, on peut y découvrir maintes spécialités de tradition ancestrale.

Le vignoble d'Hermitage est sur la rive gauche du Rhône, en face de Saint-Joseph. Lui aussi jouit d'une longue renommée. Le vin rouge fait avec la syrah développe au terme de quelques années une merveilleuse amplitude aromatique, les vins blancs de marsanne et de roussanne,

secs et moelleux, sont à leur apogée dès leur jeunesse. Le nom de ce vignoble serait dû à un croisé qui y planta les premiers ceps. Un peu moins connus que leur illustre voisin, les crozes-hermitage rouges et blancs sont originaires de quelques communes un peu plus au nord.

Cornas, sur la rive droite du Rhône, offre un vin rouge puissant qui était déjà apprécié du temps de Charlemagne. Au sud de Cornas, Saint-Péray est renommé pour son mousseux «méthode champenoise». Il est plus corsé et plus foncé que le champagne.

Au sud-ouest de Valence, un peu à l'écart des vignobles des côtes du Rhône, se trouve la petite ville de Die où l'on produit un mousseux selon la méthode dioise avec 50 % de clairette et 50 % de muscat. Cette méthode diffère radicalement de la champagnisation. Pour la fermentation en bouteille, on n'ajoute pas de sucre, les sucres résiduels après fermentation suffisent largement. Il est interdit de pratiquer un dosage et le vin est filtré sous pression de bouteille à bouteille, ou dégorgé. Le résultat est un mousseux léger à aromatique (muscade). Ce mousseux est élaboré selon une méthode traditionnelle, comme l'indique l'étiquette. La clairette de Die, qui contient 75 % de clairette et 25 % seulement de muscat, est produite selon la méthode champenoise.

Grand choix chez ce marchand de vins de Dijon, centre important du négoce des bourgognes depuis des siècles.

Recettes régionales

Entrées et collations

86   Jambon persillé
(Bourgogne)
88   Rigodon
(Bourgogne)
88   Flan à la bourguignonne
(Bourgogne)
89   Caillettes de Valence
(Dauphiné)
90   Œufs en meurette
(Lyonnais)
91   Fromage fort et poireaux
à la vinaigrette
(Bourgogne)

Poissons

92   Quenelles de brochet
(Bourgogne)

Viandes et volailles

94   Filets de porc à la
moutarde
(Bourgogne)
94   Bœuf bourguignon
(Bourgogne)
95   Queues de bœuf à la
vigneronne
(Bresse)
96   Tripes frites
(Bourgogne)
96   Coq au vin
(Bourgogne)
97   Poularde demi-deuil
(Lyonnais)

Lapin et gibier

98   Lapin à la bressane
(Bourgogne)
98   Perdrix aux champignons
(Bourgogne)
99   Râble de lièvre
(Bourgogne)

Accompagnements

100   Gratin dauphinois
(Dauphiné)
100   Galette lyonnaise
(Lyonnais)
101   Truffade
(Dauphiné)
101   Gratin de potiron
(Bourgogne)

Desserts

102   Poires au vin rouge
(Bourgogne)
102   Flamusse
(Bourgogne)
103   Pain d'épice
(Bourgogne)
103   Poires Belle Dijonnaise
(Bourgogne)

Jambon persillé

(Bourgogne)

Ingrédients pour 8 portions:

1 kg 1/2 de porc salé (noix, jambon)
2 carottes
2 oignons
2 poireaux
10 grains de poivre noir
1 bouquet d'estragon
1 grosse tranche de jarret de veau (350 g)
2 pieds de veau
1 bouquet garni (persil, thym, feuille de laurier)
750 ml de bourgogne blanc (chablis ou aligoté)
2 gousses d'ail
4 échalotes
1-2 bouquets de persil
quelques branchettes de cer-feuil
1 cs de beurre
4 cs de vinaigre de vin

Réalisation: 4 h
(+ 12 h de dessalement)
(+ 12 h de repos)
Par portion: 2 800 kJ/670 kcal

En Bourgogne, cette entrée figure sur toutes les cartes – au bistrot du coin comme dans l'hôtel de première catégorie. Plat traditionnel de Pâques à l'origine, ce jambon en gelée se déguste actuellement toute l'année.

Si la recette vous semble longue à réaliser, songez que vous ne devez passer qu'un minimum de temps effectif en cuisine. Il faut du temps pour les bonnes choses et cela en vaut vraiment la peine, surtout si vous faites carrément le double de la quantité pour ajouter ce jambon persillé à un buffet estival.

• Astuce: faites hacher les pieds de veau dans le sens de la longueur par votre boucher.

• Soyez généreux avec le vin et employez un très bon vinaigre de vin. Toute la saveur en dépend.

• S'il reste du jus de cuisson gélifié, coupez-le en dés et garnissez-en le plat de service.

1 Dessaler la viande de porc sinon une nuit, au moins 3-4 h, à grands renforts d'eau. Le lendemain, mettre la viande dans une marmite, la couvrir d'eau froide, la faire blanchir et jeter l'eau.

2 Laver les carottes, les gratter éventuellement. Eplucher et couper en quatre les oignons. Oter le vert des poireaux, les couper en deux en longueur et bien les laver. Piler les grains de poivre dans un mortier. Mettre le tout dans une braisière avec 2 branches d'estragon.

3 Ajouter la viande, le jarret de veau, les pieds de veau et le bouquet garni dans la braisière. Couvrir complète-ment avec le vin et une quantité d'eau suffisante. Faire cuire à couvert pendant 2 h 1/2 environ à tout petit feu. Laisser refroidir.

4 Eplucher l'ail et les échalotes et les hacher très fin. Laver et hacher menu le reste de l'estragon, le persil et le cerfeuil. Garder le persil à part. Mélanger ensemble l'ail, l'échalote, le cerfeuil et l'estragon.

5 Passer le mélange d'herbes dans le beurre. Oter du feu et ajouter le persil. Bien mélanger. Retirer le jambon et le couper en morceaux. Détacher la viande de veau, la débarrasser de sa graisse et la couper en petits dés, bien mélanger le gras et le maigre.

6 Dégraisser le jus de cuisson à la cuiller et le passer au chinois. Rectifier l'assaisonnement. Clarifier le jus de cuisson et, quand il commence à prendre en gelée, ajouter le vinaigre.

7 Verser un peu de jus dans un saladier, en tapisser les parois avec le jus en train de durcir. Saupoudrer une fine couche d'herbes. Remplir le saladier en alternant les couches de viande, d'herbes et de gelée. Bien tasser.

8 Verser le reste du fond de cuisson dans le saladier pour recouvrir exactement le mélange. Poser une assiette avec un poids par-dessus. Réserver 12 heures au réfrigérateur. Puis démouler, couper en tranches et servir avec du pain frais.

Rigodon

(Bourgogne)

Ingrédients pour 4 portions:

1/2 l de lait
6 œufs
50 g de farine
beurre pour le moule + beurre
pour garnir
200 g de jambon blanc ou de
lard maigre fumé cuit
1 bouquet de ciboulette
sel

Réalisation: 1 h
Par portion: 1 600 kJ/380 kcal

1 Saler légèrement le lait, le faire bouillir et le laisser refroidir.

2 Casser les œufs dans une terrine. Tamiser la farine par-dessus. Fouetter pour obtenir un mélange homogène. Ajouter le lait tiède. Bien remuer le tout. Préchauffer le four à 200° C.

3 Beurrer un moule à tarte rond allant au four. Tailler le jambon ou le lard en dés. Les disposer sur le fond du moule. Verser la pâte dessus. Répartir quelques noisettes de beurre sur le dessus.

4 Faire cuire ce rigodon quelque 30 minutes au four (gaz: thermostat 3). Laver et hacher la ciboulette.

5 Quand le flan est légèrement doré, le sortir du four et le laisser refroidir un peu. Servir tiède ou froid parsemé de ciboulette.

• Vin conseillé: un rouge léger, de la côte Chalonnaise par exemple.

Flan à la bourguignonne

(Bourgogne)

Ingrédients pour 6-8 portions:

Pour la pâte:
250 g de farine + farine pour le
plan de travail
125 g de beurre ramolli
1 œuf
sel

Pour la garniture:
1 kg de poireaux
60 g de gruyère
50 g de beurre
1 cc de farine
150 g de crème fraîche
sel, poivre du moulin

Réalisation: 1 h 1/4
(+ 1 h de repos)
Pour 8 portions, par portion:
1 700 kJ/400 kcal

1 Mettre la farine tamisée dans une terrine. La travailler avec le beurre ramolli du bout des doigts, saler. Ajouter l'œuf et 1 cs 1/2 environ d'eau. Travailler rapidement la pâte, la rouler en boule et la laisser reposer au frais pendant 1 h au moins. Préchauffer le four à 200° C.

2 Aplatir la pâte en abaisse fine. En garnir un moule de quelque 28 cm. Piquer le fond à la fourchette. La glisser 20 minutes au four préchauffé (gaz: thermostat 3).

3 Pendant ce temps, nettoyer et laver les poireaux. Couper les blancs en rondelles très fines. Râper le fromage.

4 Faire fondre 2 cs de beurre dans une casserole. Y jeter les poireaux et les laisser revenir. Saupoudrer avec la farine, remuer. Verser la crème fraîche. Faire réduire quelques instants. Ajouter les 2/3 du fromage. Bien mélanger à la cuiller de bois et ôter du feu.

5 Disposer la garniture sur le fond de pâte. Saupoudrer avec le reste du gruyère râpé

Caillettes de Valence
(Dauphiné)

et répartir dessus des noisettes de beurre.

6 Augmenter la température du four à 250° C (gaz: thermostat 5). Mettre le flan 15 minutes au four environ pour qu'il dore légèrement.

• C'est une quantité suffisante pour une entrée. Mais si voulez servir ce plat comme léger repas du soir avec un verre de vin, il faut doubler les quantités.

• Vin conseillé: un rully blanc ou un autre bourgogne blanc léger.

Ingrédients pour 6 portions:

1 crépine de porc
   (à commander!)
300 g d'épinards
500 g de foie de porc
125 g de lard gras frais
4 cl d'eau-de-vie de fruit
beurre pour le moule
sel, poivre du moulin

Réalisation: 1 h 1/2
Par portion: 1 200 kJ/290 kcal

1 Faire tremper la crépine de porc dans l'eau froide.

2 Trier, nettoyer et bien laver les épinards. Donner quelques coups de couteau sur les épinards, mais sans les hacher. Les blanchir, les passer sous l'eau froide et les égoutter. Nettoyer le foie, bien le laver à l'eau froide et le couper en dés ainsi que le lard. Mettre quelques lardons de côté. Mélanger le reste avec le foie et les épinards dans une

terrine et arroser avec l'eau-de-vie. Saler, poivrer. Préchauffer le four à 220° C.

3 Couper la crépine en carrés de 10 cm de côté. Mettre sur chaque carré la valeur d'un œuf en farce. Refermer la crépine sur la farce de manière à former une boule.

4 Beurrer un moule allant au four. Y ranger ces boules et les recouvrir avec le reste des lardons. Faire cuire 30 minutes au four (gaz: thermostat 4).

5 Sortir du four et laisser refroidir. Servir en entrée.

• Vin conseillé: un crozes-hermitage chantalouette blanc, par exemple, au nom romantique à souhait.

• Astuce: présentez ces caillettes sur un lit d'épinards blanchis.

• En France, on appelle caillettes une farce de viande enveloppée dans une crépine de porc. Elles sont très appréciées en Provence, mais sous le nom de gayettes. Grâce à l'adjonction des épinards, les caillettes du Dauphiné sont plus légères et savoureuses que leurs pendants provençaux.

Œufs en meurette

(Lyonnais)

Ingrédients pour 4 portions:

1 oignon
1 gousse d'ail
100 g de lard maigre fumé
50 g de beurre
1 cs de farine
300 ml de beaujolais
50 ml de bouillon ou de fond
    de viande
1 bouquet garni (feuille de
    laurier, persil)
4 tranches de pain toast
4 œufs
sel, poivre du moulin

Réalisation: 45 minutes
Par portion: 1 900 kJ/450 kcal

1 Peler et hacher menu l'oignon. Eplucher la gousse d'ail. Couper le lard en petits lardons.

2 Faire fondre le beurre dans une casserole. Y faire revenir les lardons, les enlever et les réserver. Faire revenir l'oignon haché dans la graisse de cuisson du lard. Ajouter une petite partie de l'ail. Saupoudrer avec la farine. Mouiller avec le vin rouge et le bouillon. Poivrer et ajouter le bouquet garni.

3 Laisser cuire la sauce à découvert 25 minutes environ à petit feu et à frémissements. Remuer de temps en temps. Au terme de la cuisson, passer la sauce à travers une passoire dans une sauteuse.

4 Faire rissoler les tranches de pain dans le reste du beurre. Les dresser sur quatre assiettes préchauffées.

5 Faire bouillir la sauce. Casser les œufs l'un après l'autre dans une louche, les faire glisser dans la sauce légèrement frémissante et laisser pocher 3 minutes. Les retirer avec l'écumoire et les dresser sur les tranches de pain. Réchauffer les lardons dans la sauce. Saler modérément et arroser chaque œuf de sauce. Servir sans attendre.

• Dans le Lyonnais, on accommode aussi volontiers les poissons pochés de cette manière.

• Si le pochage des œufs vous semble trop difficile, cuisez-les mollets ou durs, coupez-les en deux, placez-les sur les tranches de pain, section en dessous, et versez la sauce par-dessus.

• Autre version de la sauce bourguignonne: porter à ébullition 3/4 l de bourgogne rouge avec du sel, 8 grains de poivre, 3 gousses d'ail et un bouquet garni, faire réduire de moitié. Manier 1 cs de farine avec la même quantité de beurre, former une boulette. Pocher les œufs dans la sauce, tenir au chaud. Passer la sauce, la refaire bouillir. Ajouter le beurre manié. Secouer légèrement la casserole pour qu'il fonde lentement. Dresser les œufs sur des tranches de pain, les napper de la sauce.

• Pour varier, relevez cette sauce avec 2 échalotes et 1 petit oignon, de la noix de muscade et des champignons. Procédez comme pour la variante ci-dessus.

• Vin conseillé: dans tous les cas, le vin qui a servi à confectionner la sauce.

Fromage fort et poireaux à la vinaigrette
(Bourgogne)

Ingrédients pour 6 portions:

3 poireaux
50 g de chèvre à pâte dure
    affiné de Bourgogne si
    possible
50 g de gruyère
100 g de bleu d'Auvergne
200 ml de bourgogne blanc sec
1 cs de marc de Bourgogne
25 g de beurre
sel, poivre du moulin

Pour la vinaigrette:

2 œufs durs
1 jaune d'œuf cru, très frais
7 cs d'huile d'olive
3 cs de vinaigre de vin
1 cc de moutarde de Dijon
1 cc de câpres
2 cs de vin rouge
5-6 branches de persil
5-6 branches de cerfeuil
poivre blanc du moulin

*Réalisation: 45 minutes
    (+ 10-12 jours de repos
    pour la crème de fromage)
Par portion: 1 560 kJ/370 kcal*

1 Porter à ébullition 1/2 l d'eau salée. Nettoyer les poireaux, les couper en deux en longueur et bien les passer sous l'eau froide. Faire cuire 15 minutes à l'eau salée. Ils doivent encore être croquants. Egoutter et laisser refroidir les poireaux. Faire réduire de moitié l'eau de cuisson.

2 Râper ou écraser à la fourchette les trois fromages et bien les amalgamer. Mélanger l'eau de cuisson des poireaux avec le vin et le marc puis l'incorporer. Saler et poivrer cette crème de fromage. La mettre dans un récipient fermant hermétiquement, en terre ou en verre de préférence.

3 Bien fermer le récipient et laisser reposer le fromage pendant 10-12 jours.

4 Vous pouvez servir les poireaux froids avec une vinaigrette. Ecaler et couper en deux les œufs durs. Prélever les jaunes et les écraser à la fourchette. Les mélanger au jaune cru. Incorporer l'huile, le vinaigre, la moutarde, les câpres et le vin rouge. Poivrer. Passer les herbes sous l'eau froide, les éponger et hacher fin. Hacher menu les blancs. Les incorporer tous deux à la sauce.

5 Après 10-12 jours, la crème de fromage est à point. Y mélanger le beurre et en tartiner des tranches de baguette.

• Le «fromage fort» est traditionnel. C'est une entrée ou une collation courante en Bourgogne, mais – adapté au fromage, à l'alcool et au vin local – c'est aussi un mets très apprécié en Corse.

• Si vous n'avez pas de marc de bourgogne, remplacez-le par un autre marc français, à la rigueur par du cognac.

• Variante: incorporez au fromage une quantité égale de crème double en lieu et place du beurre ramolli.

• Vin conseillé: un beaujolais jeune et frais se marie bien avec le fromage fort.

Quenelles de brochet
(Bourgogne)

Ingrédients pour 4-6 portions:

1 oignon
1,5 kg de brochet (demander
    au poissonnier de lever les
    filets et d'ôter la peau;
    emporter les parures)
250 ml de vin blanc sec
1 feuille de laurier
2 cubes de glace
4 œufs
noix de muscade fraîchement
    râpée
150 g de beurre
125 ml de lait
100 g de farine
sel, poivre blanc du moulin

Réalisation: 2 h 1/2
    (+ 1 h de repos)
Pour 6 portions, par portion:
    1865 kJ/445 kcal

• Des «quenelles» désignent
des boulettes de viande ou de
poisson liées à l'œuf. Selon
certains auteurs, ce mot aurait
une étymologie anglo-saxonne
et serait dérivé de knyll, qui
signifie broyer, piler. Et il est
vrai que, dans la recette
traditionnelle, les éléments sont
pilés au mortier. Néanmoins, la
parenté avec le mot
allemand/alsacien knödel reste
valable.

• Faites lever les filets par votre
poissonnier. Prenez les arêtes,
la peau et la tête. Elles
serviront pour le fumet.

• Ce sera du meilleur effet si
vous dressez ces quenelles sur
un lit de feuilles d'épinards à la
vapeur et si vous les décorez
de fleurs d'aneth.

• Les quenelles de brochet se
suffisent à elles-mêmes. Mais si
vous voulez choyer vos invités,
servez-les avec une sauce
nantua: décortiquer 5-6 queues
d'écrevisses cuites, passer les
carapaces au mixer. Les
mélanger avec 4 cs de beurre,
réserver au frais. Faire bouillir
250 ml de lait, faire fondre 2 cs
de beurre, ajouter 1 cs de
farine et verser le lait chaud.
Nettoyer et émincer
6 champignons de Paris et
1 truffe noire. Laisser cuire le
beurre d'écrevisses, les
champignons et la chair des
queues 15 minutes dans la
sauce.

1 Eplucher l'oignon. Dans une
casserole, mettre les
parures du poisson, l'oignon, le
vin et la feuille de laurier et
laisser cuire à faibles bouillons
40 minutes environ. Il doit
réduire de moitié. Passer le
fumet au tamis fin.

2 Piler les filets de brochet
crus dans un mortier ou les
passer au hachoir électrique.
Pour éviter que la chair du
poisson ne chauffe pendant
l'opération, ajouter 2 cubes de
glace.

3 Casser les œufs en
séparant les blancs des
jaunes. Mettre les jaunes de
côté. Monter les blancs en
neige et les incorporer à la
pâte de poisson. Bien la
travailler. Saler, poivrer et
ajouter la muscade. Mettre
cette pâte 30 minutes environ
au réfrigérateur.

4 Faire fondre la moitié du
beurre dans une casserole.
Verser le lait, porter à ébullition.
Ajouter la farine à travers un
tamis. Travailler ce roux à tout
petit feu à la cuiller de bois
pour obtenir une boule
épaisse.

5 Retirer ce roux blanc de la casserole et laisser refroidir. Le mélanger avec le poisson et les jaunes d'œufs, en vous aidant de préférence d'un batteur électrique. Faire fondre le reste du beurre, l'ajouter et le travailler avec la pâte.

6 Diluer le fumet avec 3-4 tasses d'eau et le réchauffer dans une marmite, mais sans le faire bouillir. Préparer un récipient rempli d'eau froide. Prélever des cuillers de pâte en trempant chaque fois la cuiller dans l'eau.

7 Faire pocher les quenelles pendant 15 minutes environ. Le fumet doit être «frémissant» mais ne doit jamais bouillir. Verser un peu d'eau froide au besoin. Enlever les quenelles à l'écumoire et les dresser sur un plat préchauffé.

Filets de porc à la moutarde

(Bourgogne)

Ingrédients pour 4 portions:

4 filets de porc (150 g pièce)
40 g de beurre
2 cs d'huile
2 échalotes
4 cornichons
250 g de crème fraîche
2 cs de moutarde de Dijon
1 cs de vinaigre de vin
sel, poivre du moulin

Réalisation: 25 minutes
Par portion: 2 500 kJ/600 kcal

1 Passer les filets de porc
sous l'eau froide, les
éponger et les émincer en
tranches de 3 cm d'épaisseur
perpendiculairement aux
fibres. Dans une poêle,
chauffer le beurre et l'huile et y
faire sauter les filets 4 minutes
environ sur chaque face.

2 Entre-temps, éplucher et
hacher très finement les
échalotes. Couper les
cornichons en petits dés. Dans

un saladier, mélanger
ensemble la crème fraîche, la
moutarde et le vinaigre. Ajouter
les cornichons.

3 Faire légèrement revenir les
échalotes dans la graisse.
Ajouter le mélange à la crème
et laisser cuire 4 minutes
environ sans cesser de tourner.

4 Dresser les filets sur un plat
et les servir nappés avec la
sauce. Accompagner d'une
purée de pommes de terre
gratinée.

• Variante: au lieu de
cornichons, hachez fin
1 bouquet d'herbes fraîches
mixtes et ajoutez-les à la sauce
tout à la fin.

• Astuce: si vous pouvez vous
procurer des herbes en fleurs,
décorez le plat avec les fleurs.

Bœuf bourguignon

(Bourgogne)

Ingrédients pour 4 portions:

100 g de lard maigre fumé
400 g de carottes
250 g d'oignons
250 g de champignons
750 g de bœuf (dans la
    tranche)
2 gousses d'ail
2 cl de fine champagne ou de
    cognac
1/2 l de bourgogne rouge
sel, poivre du moulin

Réalisation: 5 h
    (dont 4 h de cuisson)
Par portion: 2 400 kJ/570 kcal

1 Découper le lard en bardes
minces. Nettoyer et couper
les carottes en fines rondelles,
peler et hacher les oignons.
Nettoyer et les émincer.
Découper le bœuf dans le sens
des fibres en tranches de
l'épaisseur d'un doigt.

2 Barder une cocotte en fonte
de lard tout autour. Foncer
la cocotte avec la moitié des
carottes et des oignons. Placer
dessus la moitié des tranches
de bœuf. Saler, poivrer. Ajouter
l'ail pressé. Parsemer dessus le
reste des carottes émincées,
des oignons hachés et le reste
de la viande; poivrer, saler et
assaisonner avec la seconde
gousse d'ail. Recouvrir avec
les champignons. Terminer par
une couche de bardes de lard.
Mouiller avec le cognac et le
vin rouge.

3 Bien couvrir la cocotte.
Employer une braisière de
préférence et mettre des
glaçons dans le creux du
couvercle. Faire cuire le
bourguignon à feu très doux
pendant 4-5 h. Servir dans la
cocotte et la découvrir à table.

Queues de bœuf à la vigneronne

(Bresse)

• Vin conseillé: un bourgogne, si possible un givry ou un rully ou bien un autre rouge très moelleux.

Ingrédients pour 6 portions:

2 kg de queue de bœuf en tranches de 5 cm d'épaisseur
2 oignons
3 carottes
1 branche de céleri blanc
75 g de beurre
5 cs d'huile
1 bouquet garni (laurier, persil, thym)
2 cs de farine
2 cs de cognac
750 ml de mâcon blanc ou de bourgogne aligoté
750 ml de bouillon ou de fond de viande
600 g de raisins blancs
1 bouquet de ciboulette
sel, poivre du moulin

Réalisation: 3 h 1/2
Par portion: 2 900 kJ/690 kcal

1 Dans une grande marmite, faire bouillir une bonne quantité d'eau salée. Rincer la queue de bœuf, la blanchir 5 minutes environ dans l'eau bouillante et l'égoutter.

2 Eplucher et hacher les oignons. Nettoyer, laver et couper les carottes en deux en longueur. Laver le céleri et le couper en morceaux de la longueur d'un doigt.

3 Dans une cocotte, chauffer la moitié du beurre et l'huile. Y saisir les morceaux de queue de bœuf et les faire cuire 10 minutes. Secouer un peu la cocotte pour qu'ils n'attachent pas. Ajouter les oignons, les carottes, le céleri et le bouquet garni. Bien mélanger le tout et faire cuire 5 minutes en remuant. Saler, poivrer. Saupoudrer avec la farine, mouiller avec le cognac, le vin et le bouillon pour couvrir à peine la viande.

4 Mettre le couvercle et faire cuire le tout à feu doux pendant 3 h environ.

5 Egrener les raisins, les laver, les couper en deux et les épépiner. Faire fondre le beurre dans une poêle. Y faire revenir les raisins 4-5 minutes.

6 Mettre les raisins avec la viande. Laisser cuire le tout encore 15 minutes.

7 Dresser la viande en sauce sur un plat. Laver et hacher la ciboulette. En parsemer le plat. Servir avec du pain.

Tripes frites

(Bourgogne)

Ingrédients pour 6-8 portions:

1 kg de tripes précuites
  (bonnet ou panse)
150 g de beurre
150 g de chapelure
1 l d'huile (de friture)

Pour la sauce:
3 échalotes
200 g de beurre
4 gousses d'ail
1 cs de marc de Bourgogne
1 bouquet de persil
sel, poivre du moulin

Réalisation: 1 h
Pour 8 portions, par portion:
  3050 kJ/750 kcal

1 Laver, essuyèr et couper les tripes en bâtonnets de 1 cm 1/2 d'épaisseur. Faire fondre le beurre dans une casserole. Mettre la chapelure dans une assiette creuse. Chauffer l'huile dans une friteuse ou une casserole.

2 Passer d'abord les tripes dans le beurre fondu, puis les rouler dans la chapelure. Les faire frire 3 minutes environ dans la friteuse ou la casserole. Les poser sur du papier absorbant pour éliminer l'excès de graisse. Mettre les tripes au chaud dans un plat creux.

3 Pour la sauce, éplucher et hacher menu les échalotes. Faire fondre le beurre dans une casserole. Y jeter les échalotes et les faire revenir sans colorer à feu doux 2-3 minutes. Passer l'ail au presse-ail par-dessus. Saler, poivrer. Pour finir, incorporer le marc. Laver, éponger le persil et en parsemer la sauce. La servir très chaude avec les tripes frites.

• Variante: remplacez le marc de Bourgogne par un autre marc ou du cognac.

Coq au vin

(Bourgogne)

Ingrédients pour 4 portions:

1 coq (d'environ 1,2 kg)
8 oignons nouveaux
100 g de lard maigre fumé
2 échalotes
50 g de beurre
1 cs de farine
1/2 l de bourgogne rouge
4 cl de cognac
1 bouquet garni (laurier, thym,
  persil)
noix de muscade fraîchement
  râpée
150 g de champignons de Paris
sel, poivre du moulin

Réalisation: 1 h 1/2
Par portion: 2 500 kJ/600 kcal

1 Passer le coq sous le jet d'eau froide, le couper en quatre. Nettoyer, laver et couper les oignons en quatre. Détailler le lard en petits dés. Eplucher et hacher fin les échalotes.

2 Dans une cocotte en fonte, faire fondre la moitié du beurre. Y faire revenir les lardons et les oignons, les retirer et les réserver. Faire dorer les morceaux de poulet dans la graisse. Saupoudrer avec la farine. Ajouter les échalotes et faire étuver le tout pendant 5 minutes environ. Verser le vin et le cognac. Mettre le bouquet garni. Assaisonner avec la muscade, saler, poivrer. Faire cuire à couvert et à feu doux pendant 40 minutes.

3 Nettoyer les champignons, couper les gros en quatre. Faire fondre le reste du beurre dans une casserole et y verser les champignons. Laisser cuire 10 minutes.

4 Tenir les morceaux de coq au chaud. Passer la sauce au tamis au-dessus des champignons. Ajouter les oignons et les dés de lard et chauffer. Dresser le coq sur un plat et le napper de la sauce.

Poularde demi-deuil

(Lyonnais)

• Vin conseillé: le même bourgogne rouge qui a servi à confectionner la sauce. Avec ce plat, ne choisissez ni un bourgogne trop banal, ni un trop grand vin.

• Variante: Poulet Célestine Toutes les régions de France ont leur coq au vin et aux champignons. Cette variante issue de Lyon, ville gastronomique, fut créée – tel le veut la légende – par un maître cuisinier amoureux pour sa bien-aimée, Célestine. Découper un poulet en quatre et le faire légèrement dorer dans une cocotte. Ajouter 200 g de champignons émincés et 1 grosse tomate pelée coupée en quatre. Mouiller avec 1 dl de vin blanc sec et 1 dl de bouillon de poule. Ajouter 2 cl de cognac. Saler, poivrer et relever avec du cayenne. Faire cuire 40 minutes environ à couvert. Parfaire la sauce avec du persil haché et 1 gousse d'ail écrasée.

Ingrédients pour 4 portions:

3 carottes
3 navets
2 branches de céleri
4 poireaux
1 oignon
4 clous de girofle
150 g de lard maigre fumé
noix de muscade fraîchement
   râpée
1 bouquet garni (feuille de
   laurier, thym, persil)
2 os de veau
1 poularde prête à cuire avec
   les abats (1,5 kg)
1 truffe noire
le jus de 1 citron
sel, poivre du moulin

Réalisation: 1 h 1/2
Par portion: 2 200 kJ/520 kcal

1 Nettoyer les carottes, éplucher les navets, les émincer tous deux très finement. Couper la partie supérieure du céleri, couper le vert du poireau. Les passer à l'eau froide et les couper en fines rondelles. Peler l'oignon et le clouter. Tailler le lard en petits lardons.

2 Remplir à moitié une marmite avec de l'eau. Y jeter les légumes, saler et poivrer. Ajouter la muscade et le bouquet garni. Bien laver les os de veau à l'eau froide et les mettre dans la marmite avec les lardons. Passer les abats de la poularde sous le robinet, les ajouter au bouillon. Fermer la marmite et faire cuire à petits bouillons à feu modéré pendant 30 minutes environ.

3 Passer la poularde à l'eau froide et l'essuyer. Couper la truffe en tranches ultrafines. Inciser la peau de la poularde en plusieurs endroits des cuisses et des filets et glisser les lames de truffe entre la peau et la chair. Brider la volaille. Frotter la peau avec le jus de citron pour qu'elle reste blanche.

4 Plonger la poularde dans le bouillon et la laisser cuire 45 minutes environ à couvert et à feu modéré.

5 Chauffer un plat de service et dresser dessus la poularde. Enlever le bouquet garni du bouillon. Retirer les légumes à l'écumoire et les disposer autour de la volaille.

• Vin conseillé: un bon beaujolais, comme un fleurie ou un morgon. Si vous préférez le vin blanc, prenez un hermitage ou un châteauneuf-du-pape blanc.

Lapin à la bressane

(Bourgogne)

Ingrédients pour 4 portions:

1 lapin (1,3 kg) prêt à cuire
200 g de lard maigre fumé
1 oignon
1 gousse d'ail
50 g de beurre
1 cs de farine
200 ml de bourgogne blanc très sec
3 cs de bon vinaigre de vin
noix de muscade fraîchement râpée
2 jaunes d'œufs
100 g de crème fraîche
sel, poivre du moulin

Réalisation: 1 h 1/2
Par portion: 3 500 kJ/830 kcal

1 Passer le lapin sous l'eau froide et le découper en 8 morceaux. Détailler le lard en gros dés. Éplucher l'oignon et l'ail. Hacher finement l'oignon.

2 Faire fondre le beurre dans une grande cocotte et y saisir les morceaux de lapin sur toutes les faces. Ajouter le lard et le faire rissoler quelques minutes. Saupoudrer avec la farine. Mouiller avec le vin et le vinaigre. Ajouter l'oignon et la muscade. Presser l'ail par-dessus, saler et poivrer. Mettre le couvercle et laisser mijoter pendant 1 h environ. Dresser la viande sur un plat de service préchauffé et réserver au chaud.

3 Battre ensemble les jaunes d'œufs et la crème et lier la sauce avec ce mélange. La verser sur la viande. Servir avec du pain.

• Vous pouvez relever la sauce en y mettant 4-5 gousses d'ail supplémentaires.

• Vin conseillé: un puilly-fuissé ou un autre bourgogne blanc sec.

Perdrix aux champignons

(Bourgogne)

Ingrédients pour 4 portions:

4 jeunes perdrix (350 g pièce) prêtes à cuire
4 grandes fines bardes de lard maigre fumé
100 g de beurre
24 oignons nouveaux
250 g de petits champignons de Paris
1 cc de farine
200 ml de marc de bourgogne (ou de cognac)
120 ml de bourgogne rouge
10 branchettes de cerfeuil
sel, poivre du moulin

Réalisation: 1 h
Par portion: 3 600 kJ/860 kcal

1 Passer les perdrix sous le robinet d'eau froide et en essuyer l'intérieur avec du papier absorbant. Les saler et les poivrer. Les barder et fixer la barde avec du fil de cuisine.

2 Dans une cocotte, faire fondre 50 g de beurre. Y saisir les perdrix sur toutes leurs faces. Couvrir et faire cuire les perdrix 15-20 minutes à feu doux.

3 Pendant ce temps, faire bouillir 1 l d'eau dans une autre casserole. Nettoyer les oignons nouveaux et les champignons. Faire d'abord blanchir les oignons, puis les champignons 2-3 minutes à l'eau bouillante et les retirer.

4 Faire fondre 30 g de beurre dans une poêle. Y faire revenir les oignons et les champignons 5 minutes environ. Saler, poivrer et tenir au chaud.

5 Mélanger le reste du beurre avec la farine. Garder en attente.

6 Dresser les perdrix sur un plat et réserver au chaud. Déglacer le fond de cuisson avec le marc. Mouiller avec le

Râble de lièvre

(Bourgogne)

vin rouge et faire bouillir
5-6 minutes. Retirer du feu.

7 Mettre le beurre manié dans
la sauce. Tourner jusqu'à ce
qu'il soit complètement fondu.
Rectifier l'assaisonnement et
faire bouillir 3-4 minutes de
plus sans cesser de tourner.
Ajouter les oignons et les
champignons et prolonger la
cuisson de 2 minutes.

8 Débrider les perdrix. Les
couper en deux dans le
sens de la longueur, les napper
de la sauce et les parsemer de
cerfeuil haché.

• Pour cette recette, il faut des
jeunes perdrix (perdreaux);
sinon, il faut les faire mariner
avant de les cuire. On
reconnaît les perdreaux à leurs
pattes jaunes à brun clair et à
leurs ailes pointues. Le bréchet
doit encore pouvoir se plier.

Ingrédients pour 2 portions:

Pour la marinade:
375 ml de bourgogne rouge
1 cs d'huile d'olive
1 cs de bon vinaigre de vin
1 cc de poivre mignonnette
2 branchettes de thym
2 feuilles de laurier
2 branchettes de romarin
2 échalotes
4 cl de marc de Bourgogne
sel

Pour le râble:
*1 râble de lièvre entrelardé
   (400 g; à commander chez
   votre boucher)*
*1 crépine de porc (aussi à
   commander)*
2-3 cs de moutarde de Dijon
150 g de raisins noirs et blancs
2 cs de crème double
sel, poivre du moulin

*Réalisation: 1 h 1/2
   (+ 24-48 h de marinade)
Par portion: 2 000 kJ/480 kcal*

1 Pour la marinade, verser le
vin dans une terrine.
Incorporer l'huile et le vinaigre
de vin. Ajouter le poivre
mignonnette, le thym, le laurier
et le romarin. Eplucher et
couper les échalotes en deux.
Les ajouter à la marinade.
Verser le marc. Saler. Bien
mélanger tous les éléments.
Mettre le râble à mariner 24 h
minimum, 48 h de préférence.
Le retourner régulièrement.

2 Détendre la crépine dans
de l'eau chaude. La retirer
et la tordre. Retirer le râble de
la marinade et l'éponger.
L'enduire de moutarde de Dijon
et l'envelopper dans la crépine.
Préchauffer le four à 220° C.

3 Passer la marinade au
chinois au-dessus d'une
casserole. La faire réduire de
moitié à feu vif. Disposer le
râble dans une sauteuse,
l'arroser d'un peu de marinade.

Faire cuire 30-35 minutes au
four préchauffé (gaz: thermostat 4). L'arroser régulièrement
avec la marinade. Pendant ce
temps, ôter la peau des raisins,
les couper en deux et les
épépiner.

4 Débarrasser le râble de sa
crépine et le dresser sur un
plat. Décorer avec les raisins.
Déglacer les sucs de cuisson
avec la crème double. Saler la
sauce et poivrer généreusement. Napper le râble. Servir
aussitôt avec du pain.

• Vin conseillé: un bon
bourgogne rouge, tel un volnay
ou un richebourg.

Gratin dauphinois

(Dauphiné)

Ingrédients pour 4 portions:

1 gousse d'ail
50 g de beurre
1 kg de pommes de terre
    (à chair ferme)
2 œufs
1/2 l de lait
1 cs de crème double
sel, poivre du moulin

Réalisation: 1 h
Par portion: 1 800 kJ/430 kcal

1 Eplucher l'ail et le couper en deux. En frotter l'intérieur d'un plat allant au four. Le beurrer légèrement.

2 Eplucher les pommes de terre et les essuyer sans les laver. Les émincer ou les couper en rondelles très fines. Les disposer en éventail dans le plat. Saler, poivrer. Préchauffer le four à 180° C.

3 Casser les œufs dans un saladier et les mélanger avec le lait et la crème double en les battant légèrement à la fourchette. Arroser les pommes de terre avec ce mélange. Répartir le reste du beurre coupé en petits morceaux à la surface du gratin.

4 Glisser au four (gaz: thermostat 2). Servir très chaud avec un plat de viande ou en entremets.

• Variante: saupoudrer le gratin avec du fromage râpé (du gruyère par exemple) et servir en plat principal avec une salade.

Galette lyonnaise

(Lyonnais)

Ingrédients pour 4 portions:

1 kg de pommes de terre (fari-
    neuses)
500 g d'oignons
100 g de beurre
noix de muscade fraîchement
    râpée
2 cs de chapelure
sel, poivre du moulin

Réalisation: 1 h
Par portion: 1 800 kJ/430 kcal

1 Laver les pommes de terre et les faire cuire à l'eau 20 minutes environ avec la peau.

2 Eplucher et hacher menu les oignons. Dans une poêle, les faire cuire 20 minutes dans 1-2 cs de beurre sans qu'ils brunissent.

3 Egoutter les pommes de terre, les passer sous l'eau froide et les peler. Les passer au presse-purée. Réduire les oignons en purée et mélanger les deux. Ajouter 1 cs de beurre, du sel et du poivre.

4 Préchauffer le four à 200° C. Beurrer un plat à gratin. Y mettre la purée en la tassant un peu. Saupoudrer la chapelure par-dessus. Et répartir à la surface des petits morceaux de beurre.

5 Faire dorer cette purée 15 minutes environ au four préchauffé (gaz: thermostat 3). Servir avec de la viande sautée ou étuvée.

Truffade
(Dauphiné)

Ingrédients pour 4 portions:

*1 kg de pommes de terre
    (farineuses)
100 g de lard maigre fumé
2 cs d'huile
4 petites tomates fermes
sel, poivre du moulin*

*Réalisation: 1 h
Par portion: 1 600 kJ/380 kcal*

1 Eplucher et émincer ou couper les pommes de terre en rondelles très fines. Tailler le lard en petits dés.

2 Faire sauter les lardons dans une poêle en fonte. Les enlever avant qu'ils ne commencent à brunir. Verser l'huile dans la poêle. Ajouter les rondelles de pommes de terre. Saler, poivrer. Couvrir la poêle et laisser cuire les pommes de terre 25 minutes environ à feu modéré. Le temps de cuisson est fonction de la variété de pommes de terre et de

l'épaisseur des rondelles. Pendant la cuisson, retourner de temps en temps les rondelles de pommes de terre en les coupant un peu, le cas échéant.

3 Dans l'intervalle, ébouillanter et éplucher les tomates. Les couper en deux et ôter les graines. Emincer finement la pulpe. Mélanger les lamelles de tomates avec les pommes de terre.

4 Laisser s'achever la cuisson dans la poêle à découvert pendant 3-4 minutes sans plus y toucher. Retourner la poêle dans un plat de service, côté doré au-dessus.

• La truffade est l'accompagnement idéal du veau ou de l'agneau, mais aussi du poulet grillé.

Gratin de potiron
(Bourgogne)

Ingrédients pour 4 portions:

*1 morceau de potiron (1,2 kg)
4 pommes de terre moyennes
    (farineuses)
2 oignons
50 g de lard maigre fumé
75 g de beurre
3 œufs
150 g de gruyère
2 cs de chapelure
sel, poivre du moulin*

*Réalisation: 1 h 1/4
Par portion: 2 400 kJ/570 kcal*

1 Eplucher, épépiner et couper le potiron en cubes. Eplucher les pommes de terre et les détailler également en cubes. Peler et couper les oignons en quatre. Faire cuire le tout à l'eau salée 25 minutes à feu modéré.

2 Pendant ce temps, couper le lard en lardons et les faire rissoler dans 1 cs de beurre dans un plat à gratin.

3 Réduire le potiron, les pommes de terre et les oignons en purée au presse-purée électrique. Préchauffer le four à 220° C.

4 Casser les œufs dans un grand saladier. Râper le fromage et l'ajouter. Faire fondre le reste du beurre et l'ajouter. Incorporer la purée de potiron. Saler, poivrer.

5 Verser la préparation sur les lardons au fond du plat et faire gratiner 10 minutes au four préchauffé (gaz: thermostat 4). Saupoudrer avec la chapelure et remettre 3-4 minutes au four. Servir très chaud.

Poires au vin rouge

(Bourgogne)

Ingrédients pour 4 portions:

750 ml de bourgogne rouge
30 morceaux de sucre
1 cs de sucre vanillé
8 petites poires à chair ferme
   (1 kg)
1 cs de fécule
1 cs de crème fraîche

Réalisation: 30 minutes
   (+ 2-3 h de refroidissement)
Par portion: 1 600 kJ/380 kcal

1 Mettre le vin, le sucre et le sucre vanillé dans une casserole en acier inoxydable ou en émail et laisser frémir 10 minutes environ à petit feu.

2 Entre-temps, éplucher délicatement les poires. Les laisser entières sans retirer les pédoncules. Les plonger dans le vin et les laisser pocher 15 minutes environ à découvert et à feu doux. Vérifier si les poires sont cuites en les piquant avec une pointe de couteau.

3 Les sortir de leur sirop de cuisson à l'écumoire et les dresser, le pédoncule au-dessus, dans un compotier plat.

4 Dans un bol, diluer la fécule avec 1 cs de sirop. L'ajouter dans la casserole ainsi que la crème fraîche. Tourner et faire bouillir pendant 2 minutes environ. Napper les poires avec cette sauce.

5 Bien laisser refroidir 2-3 h au moins au réfrigérateur.

Flamusse

(Bourgogne)

Ingrédients pour 4 portions:

4 pommes parfumées à chair
   ferme (des reinettes, par
   exemple)
90 g de beurre
4 cs de farine
4 œufs
6 cs de sucre glace
250 ml de lait

Réalisation: 1 h
Par portion: 1 900 kJ/450 kcal

1 Eplucher les pommes, les couper en quartiers, retirer le cœur et les tailler en dés.

2 Dans une casserole, faire fondre 75 g de beurre. Y faire dorer les dés de pommes 10 minutes à feu doux en remuant à la cuiller de bois.

3 Tamiser la farine dans une terrine. Casser les œufs l'un après l'autre et les ajouter. Les mélanger à la farine. Ajouter 4 cs de sucre glace. Verser le lait petit à petit. Travailler le tout pour obtenir une préparation homogène. Ajouter les pommes en dernier lieu.

4 Préchauffer le four à 180° C. Beurrer un plat allant au four avec le reste du beurre. Y verser la préparation. Faire dorer au four (gaz: thermostat 2) pendant 30 minutes environ.

5 Sortir le plat du four. Saupoudrer avec le reste du sucre glace. Servir ce dessert chaud ou tiède.

Pain d'épice
(Bourgogne)

Ingrédients pour 6-8 portions:

100 ml de lait
1 cc de sucre vanillé
300 g de miel
375 g de farine complète de blé (+ farine pour le plan de travail)
2 cc de levure sèche
1 cc d'anis en poudre
2 cc de cannelle en poudre
huile pour le moule
sel

Réalisation: 1 h 1/2
(+ 1-2 h de repos)
Pour 8 portions, par portion:
1 300 kJ/310 kcal

1 Verser le lait dans une casserole et le faire tiédir. Y dissoudre le sucre vanillé. Chauffer légèrement le miel dans une autre casserole pour le liquéfier.

2 Tamiser la farine dans une terrine. Saler légèrement et y mélanger la levure sèche et les épices. Creuser une fontaine au centre. Battre le miel et le lait l'un après l'autre avec la farine. Couvrir et laisser reposer 1-2 h au réfrigérateur. Préchauffer le four à 180° C.

3 Garnir un moule carré de 20 cm de côté ou rectangulaire avec du papier sulfurisé préalablement huilé. Y verser la pâte. Recouvrir la surface de papier sulfurisé. Glisser le moule au four préchauffé (gaz: thermostat 2) pour 40 minutes environ.

4 Sortir le pain d'épice du four, laisser refroidir. Oter délicatement le papier sulfurisé. Servir tiède ou froid.

Poires Belle Dijonnaise
(Bourgogne)

Ingrédients pour 6 portions:

6 petites poires
1 l de sorbet au cassis (acheté tout fait)
250 g de sucre
1 gousse de vanille
250 g de crème fraîche
2 sachets de sucre vanillé
250 g de groseilles rouges
3 cs d'éclats d'amandes
2 cc de liqueur de cassis

Réalisation: 40 minutes
(+ 1 h de refroidissement environ)
Par portion: 2 400 kJ/570 kcal

1 Peler les poires, les laisser entières sans enlever les queues. Sortir le sorbet au cassis du réfrigérateur.

2 Chauffer et faire fondre le sucre dans 1/2 l d'eau. Inciser la gousse de vanille en longueur et l'ajouter. Plonger les poires dans le sirop et les faire infuser 15 minutes à petit feu. Vérifier le degré de cuisson avec la pointe d'un couteau. Retirer la casserole du feu. Laisser refroidir les poires dans le sirop pendant 1 h environ.

3 Pendant ce temps, fouetter la crème avec le sucre vanillé. La mélanger avec le sorbet au cassis.

4 Retirer les poires du sirop à l'écumoire. Les égoutter un peu. Inciser les poires de manière à former un éventail. Les dresser individuellement sur des assiettes avec du sorbet et des groseilles. Les parsemer d'éclats d'amandes. Pour finir, les arroser de quelques gouttes de liqueur de cassis. Servir aussitôt.

Les volailles déclinées à l'infini

Pourquoi toujours des poulets? Pour quelle raison, chaque région de France a-t-elle tant de recettes de poulet? Pour répondre à cette question, il suffit d'avoir assisté une fois dans sa vie à des transactions entre acheteurs et vendeurs, dès lors qu'il s'agit d'acheter cette volaille. La nourriture est importante. Un poulet élevé au maïs n'a pas le même gout qu'un autre élevé avec d'autres céréales – quant au poulet de Bresse... un régal. Les poulets français n'ont strictement rien de commun avec la «viande caoutchouteuse» qui, partout en Europe, est servie dans les snack-bars et les fast-foods. Le Français achète son poulet frais, rarement surgelé, et fait attention à la date d'abattage qui figure sur l'étiquette.

Les poulets ou les coqs français sont en grande majorité destinés à la consommation nationale, de sorte que les éleveurs s'adaptent à un public critique. La qualité inférieure, le poulet standard, est constituée par des volailles abattues vers 7-8 semaines et plus elles sont âgées et grosses, meilleure et plus ferme est la chair. Les poulets français ont un poids moyen de 1,1 à 2,2 kg.

Les poulets de marque (labellisés), la deuxième catégorie de qualité, ont entre 8 et 10 semaines, leur chair est bien mûre. Les poulets label rouge sont des poulets de première qualité. Ils doivent avoir été nourris à 70 % au moins avec des céréales et ne peuvent être abattus avant l'âge de 81 jours.

Les poulets fermiers ont un statut à part. Ils doivent bénéficier d'un espace vital de 2 km² minimum, qui va jusqu'à 10 km² pour la volaille de Bresse, le roi des poulets. La race de Bresse donne des produits de toute première qualité. Les animaux ne

peuvent être abattus avant 16 semaines et ils sont nourris de manière particulière. Leur prix au kilo est à peine inférieur à celui du filet de bœuf. Les meilleures poulardes sont elles aussi originaires de Bresse.

Avec ce produit de choix, la ménagère française confectionne un nombre de plats si différents les uns des autres que l'on pourrait aisément préparer une recette de volaille tous les jours de l'année sans se répéter une seule fois. D'où vient cette variété? En premier lieu, les poulets ou les coqs se prêtent bien à des préparations à base de vin, et quand on connaît le nombre des vins français, on a déjà un premier élément de réponse. D'autre part, les poulets s'accommodent avec les légumes qui les accompagnent. Voilà une deuxième source de recettes non négligeable. Et, enfin, on peut aussi gratiner les poulets ou les préparer découpés en morceaux.

Les pintades sont des volailles très spéciales. Elles ont gardé un caractère semi-sauvage, leur chair est plus foncée et leur goût est plus prononcé.

Les canards de Barbarie représentent aujourd'hui 80 % de la production française de canards. Ils sont surtout appréciés pour leur chair maigre et parfumée, qui correspond davantage aux habitudes alimentaires modernes que celle des canards domestiques plus gras. Les canards de Barbarie sont excellents rôtis. Les canards domestiques sont élevés pour leur foie ou bien pour en faire des confits.

Comme un peu partout en Europe, la dinde jouit d'une popularité grandissante en France. Si autrefois les familles se partageaient une dinde entière une fois par an à Noël, on voit à présent se généraliser la vente d'un bout de l'année à

Tout en haut: canards domestiques dans une ferme française. Mais la tendance récente est à l'élevage de canards de Barbarie aux fins de consommation.

Ci-dessus: conditions de vie idéales pour la volaille. En France, les poulets fermiers sont soumis à des conditions très strictes.

l'autre de dindes en morceaux: tendres escalopes blanches et cuisses plus foncées.

Les pigeons ou plutôt les pigeonneaux étuvés sont très aimés en France. Ces animaux pèsent entre 350 et 450 g.

Par le passé, l'élevage de cailles était un monopole

japonais. A l'heure actuelle, la France compte d'importants élevages. On y consomme approximativement 15 000 cailles. Au fait, il ne s'agit pas d'oiseaux chanteurs, mais de descendants des perdrix.

Les recettes d'oie sont plus rares dans les livres de cuisine français. A l'exception de l'Alsace et des régions du Nord. Par contre, le foie d'oie est très recherché dans l'ensemble du pays. Les préparations les plus fines de foie gras, surtout en provenance d'Alsace, sont exportées partout dans le monde où l'on apprécie ce mets délicat à sa juste valeur.

Dans les volailles, les Français englobent aussi le lapin à la chair blanche et à la consistance proche de celle du poulet. C'est sans doute pourquoi on les accommode fréquemment de manière identique. D'ailleurs, les lapins sont vendus chez les volaillers.

Tout en haut: en gastronomie française, l'oie rôtie est moins fréquente que les préparations à base de foie gras et les confits, de la viande d'oie mise en conserve dans sa propre graisse.

Ci-dessus: en France comme dans d'autres pays, on élève de plus en plus la dinde – autrefois rôti de fête – pour la consommation quotidienne. Ici aussi sa chair blanche et maigre trouve un nombre croissant d'amateurs.

La volaille de Bresse est appréciée dans le monde entier. Le prix élevé de cette fine spécialité française de l'est de la France est justifié par sa qualité.

Provence, Languedoc-Roussillon, Corse

Un souffle méridional:
Champ de lavande en Provence

Les produits du terroir

La Provence, dérivée du romain Provincia Gallia Narbonensis, englobe actuellement la région côtière entre le Rhône inférieur et le Var avec les Alpes derrière. La région Provence-Alpes-Côte d'Azur compte aussi la région de Nice. Grâce à la protection des hautes montagnes au nord, le climat de la mince bande littorale est agréable, même en hiver. Les Anglais furent les premiers, et les seuls dans un premier temps, à découvrir la Riviera française ou la Côte d'Azur au siècle dernier; des artistes et de riches oisifs venant de toute l'Europe leur emboîtèrent le pas, et de nos jours, une foule bigarrée et turbulente investit tous les endroits où le relief cède la place à des plages souvent minuscules. La majeure partie de la Provence – la vallée du Rhône et son vaste delta exceptés – est constituée par des plateaux et des reliefs arides et nus qui, contrairement à la côte, ont une densité de population extrême-ment faible. La Haute-Provence est une contrée de senteurs: la lavande, la sauge, la menthe, le thym et le romarin y poussent sur des sols secs, brûlés par le soleil, et donnent aux plats du terroir une saveur incomparable. Les régions montagneuses incultes sont le domaine des moutons et des chèvres – l'agneau et le fromage de chèvre sont des éléments de base de la cuisine traditionnelle.

Un peu plus bas, on trouve des oliviers et des légumes ainsi que des vignes, et enfin sur la côte, dominée par la végétation subtropicale, poussent des orangers et des citronniers, des châtaigniers et des aman-diers complétés par des fleurs et des palmiers.

A l'exemple des Provençaux qui ont gardé leur autonomie avec leurs traditions, la cuisine provençale occupe une place à part parmi les gastronomies régionales de France. Les mets embaument les herbes du pays et l'ail, la «truffe de la Provence». Ils sont préparés à l'huile d'olive. Les tomates jouent un grand rôle, mais les aubergines, les courgettes et les oignons participent à bien des recettes également. Il y a aussi le poisson de la Méditerranée et l'agneau des montagnes. Les amandes et le miel sont la base des spécia-lités sucrées traditionnelles des jours de fête.

Dans les environs de Nice, la cuisine cesse d'être proven-çale, mais n'est pas non plus italienne. Elle est «niçoise» avec des spécialités archi-connues comme la ratatouille et la salade niçoise.

De l'autre côté du Rhône jusqu'aux Pyrénées s'étend la région Languedoc-Roussillon, composée de deux anciennes provinces très dissemblables. Ici aussi, le plus clair de la population vit sur le littoral mé-diterranéen long de près de

Pages 108/109, tout en haut: depuis ce jardin exo-tique près d'Eze-Village sur la Côte d'Azur, on a une vue imprenable sur la Méditerranée.

Pages 108/109, au centre: les moutons des Cévennes, la porte du Sud.

Ci-contre: bateau de pêche dans le port de Sète dans le Languedoc. Aujourd'hui, la ville est plus qu'un important port de pêche, c'est le deuxième port de commerce de France après Marseille. Le vieux port date encore de l'époque de Louis XIV.

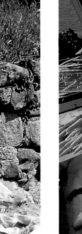

200 km; l'arrière-pays est montagneux dans le Roussillon, tout plat dans le Languedoc. C'est ici que l'on trouve la superficie viticole la plus importante de France. Le Roussillon possède le plus ancien vignoble du pays, mais ce terroir produit avant tout les légumes «primeurs» recherchés dans toute la France. La spécialité incontournable du Languedoc est le cassoulet, un ragoût de haricots dans de nombreuses variantes, le fromage le plus fameux est le roquefort issu de l'endroit du même nom dans les Cévennes. La cuisine du Roussillon est influencée par l'Espagne voisine. Fruits de mer et poissons, gibier à poil et à plume en sont les principaux éléments.

En haut: ce paysage bizarre des gorges de l'Ardèche offre un impressionnant spectacle naturel.

Au centre: comment l'œil averti choisit les légumes au marché haut en couleur de Nice.

Ci-contre: dans la vaste plaine alluviale du delta du Rhône, la Camargue, vivent encore aujourd'hui des troupeaux à moitié sauvages de petits chevaux gris clair, de moutons et de taureaux noirs. De plus, les colonies d'oiseaux aquatiques, de flamants roses et de hérons se sont maintenues dans ce paysage inviolé.

Les gens, les festivités, les curiosités

Les provinces méditerranéennes de France sont de vieilles régions culturelles. On peut y admirer un peu partout les témoignages intéressants d'époques très lointaines. Mais penchons-nous d'abord sur les merveilles de la nature: à l'est les calanques, ces falaises calcaires plongeant dans la mer et battues par le ressac, qui forment des criques naturelles; plus à l'ouest l'immensité de la Camargue où chevaux blancs et taureaux noirs vivent en liberté; au nord-est de Montpellier les Causses, des plateaux calcaires aux gorges encaissées. Les gorges du Tarn sont l'un des plus beaux sites naturels de France.

Marseille fut créée par les Grecs, c'est la troisième ville de France et la plus ancienne ainsi que le premier port français. Toulon est un autre port important avec une vieille ville qui mérite une visite. Nice, également fondée par les Phocéens, est une station thermale idéale en hiver. Les ruelles étroites du Château serpentent dans la vieille ville, mais les modernes ont aussi droit de cité – Matisse et Chagall y ont leur propre musée. Cannes et Saint-Tropez remontent aussi à l'Antiquité, et parallèlement à la vie mondaine des rues commerçantes, les vestiges ne manquent pas. Plus à l'ouest, Montpellier est le centre culturel de la région. Narbonne, autrefois ville portuaire, est aujourd'hui à l'intérieur des terres, puisque le port est ensablé. Enfin Perpignan était jadis la capitale du royaume de Roussillon auquel appartenaient les Baléares. L'ancien palais des rois de Majorque est un des plus beaux exemples d'architecture féodale. Plus haut, Nîmes, Arles et Avignon surtout valent le détour. On y rencontre partout des vestiges romains, des arènes et des temples comme la Maison carrée, un bâtiment bien conservé de l'époque d'Auguste. Non loin de là se trouve le pont du Gard, un aqueduc romain long de 275 m. Les églises et les abbayes romanes d'Arles et de bien d'autres villes, le palais gothique des Papes à Avignon, les anciennes fortifications comme à Carcassonne et les ruines des forteresses cathares dans le Roussillon sont les témoins archéologiques d'une très vieille culture. La ville phocéenne d'Agde, avec ses remparts féodaux et ses vieilles églises, est un exemple typique d'alliance entre l'ancien et l'ultramoderne. Le Cap d'Agde, à proximité, possède un centre de vacances créé de toutes pièces, offrant toutes les possibilités de sports et de loisirs imaginables.

Mais les vieilles pierres ne sont pas les seuls témoins de l'histoire. Nulle part, si ce n'est en France, le culte de la tradition vivante n'est poussé aussi loin. Si les Provençaux de la côte sont des Méridionaux ouverts et joviaux, ceux des reliefs montagneux sont plus conservateurs et taciturnes.

La langue et la poésie provençales sont encore vivaces. «Honore la mer et accroche-toi à la terre» dit un ancien proverbe. Si les habitants du Languedoc sont des descendants des Sarrasins émigrés d'Espagne qui ont apporté avec eux des influences culturelles grecques, la population du Roussillon est catalane et continue à parler le catalan. Le Roussillon n'a été définitivement rattaché à la France qu'au XVIIe siècle.

La tradition familiale est tenue en grande estime lors des grandes fêtes avec la pratique des vieilles coutumes. Mais les gens ne dédaignent pas les manifestations publiques. Les marchés hebdomadaires et les fêtes villageoises pittoresques rivalisent avec les fêtes de pêcheurs sur la côte. Le pèlerinage des Gitans en mai aux Saintes-Maries-de-la-Mer est l'événement le plus spectaculaire, suivi du carnaval de Nice. Les fêtes du citron à Menton, le corso fleuri à Toulon, l'expo roses et la fête du jasmin à Grasse, les marchés de lavande et enfin les fêtes du vin dans tous les coins sont dédiés aux richesses naturelles du terroir. Digne-les-Bains organise chaque année un colloque international de phytothérapie. L'année provençale s'achève avec les célèbres marchés aux santons de Marseille, de Toulon et de Solliès-Ville, qui sont uniques en France. Durant tout l'été ont lieu des festivals de théâtre et de musique allant du classique au jazz, ainsi que des férias, ces corridas où l'on ne tue pas le taureau, dont les plus connues à Béziers et à Fréjus.

A droite: le Roussillon, près d'Apt, possède les gisements d'ocre les plus importants de France. L'ocre est un mélange d'argile schisteuse et d'oxyde de fer.

En bas: joutes taurines à Arles. Dans les «corridas» du midi de la France, le taureau n'est pas mis à mort comme en Espagne.

A droite: fête folklorique dédiée à un saint local à Roquebrune sur la Côte d'Azur, non loin de la frontière italienne. Cette ancienne localité est perchée comme un nid d'aigle sur une colline et domine la côte.

En haut: terrasse de café au quai des Belges, près du vieux port de Marseille.

A gauche: costumes traditionnels provençaux lors d'une fête à Arles.

Ci-dessus: pour pratiquer le jeu national de la Provence, la pétanque, les hommes se retrouvent tous les jours sur les places des villages.

La Corse

Le présent chapitre est entièrement consacré à l'Ile de Beauté, à la fois une île en plein cœur de la Méditerranée et un «cas» qui conteste son appartenance à la France.

Cette île méditerranéenne, au nord de la Sardaigne en face de la côte italienne, est une véritable «montagne dans la mer». Le monte Cinto, qui culmine à plus de 2 700 m, est un paradis pour alpinistes et skieurs. La côte orientale plate et la côte occidentale très découpée attirent tous les ans des milliers de touristes. L'intérieur de l'île a été pratiquement déserté au cours de la dernière décennie, à part quelques grandes agglomérations, dont la capitale Corte.

L'Ile de Beauté, comme la surnommaient déjà les Grecs, a vu défiler les Etrusques, les Romains, les Sarrasins et les Génois. La population était continuellement sous la menace des pirates et ce n'est pas un hasard si la capitale se niche dans les montagnes. En 1960, il y avait encore des villages qui n'étaient accessibles qu'à dos de mulet. Depuis sa conquête en 1796 par le Corse Napoléon Bonaparte, la Corse est définitivement française, mais les mouvements séparatistes sont restés actifs jusqu'à nos jours. Même la langue, un dialecte italien, est l'expression d'une culture originale et connaît un regain de faveur ces dernières années.

La gastronomie corse a une identité propre et est plus provençale et italienne que française. Elle est simple, savoureuse et valorise les produits du terroir. Il y a encore 200 ans, l'agriculture était pratiquement inexistante. L'élevage ovin et caprin était le fondement de l'alimentation, on tuait un cochon à Noël dont une partie était consommée sous forme de viande fraîche, le reste était fumé, salé et poivré. Une autre base de l'alimen-

En haut: le port d'Ajaccio.

Au centre: grâce à un climat propice, orangers et citronniers s'épanouissent aussi sur l'Ile de Beauté.

A droite: falaises spectaculaires à la pointe sud de la Corse, près de Bonifacio, à 11 km seulement de la Sardaigne.

tation et de la cuisine corse est fournie à l'heure actuelle par les immenses châtaigneraies. Dans certaines régions, on servait jusqu'à 22 préparations différentes de châtaignes aux mariages! Maintenant encore les châtaignes sont traitées de manière traditionnelle, sauf que l'on porte des gants pour les récolter.

On étale les fruits sur des caillebotis et on les soumet à la fumée à la chaleur du fucone. Le fucone est l'âtre au cœur de la maison autour duquel la famille se rassemble et qui sert aussi à fumer la viande. Outre les châtaignes et la viande de porc, les poissons font partie des richesses naturelles au même titre que le miel et les tomates qui sont conservées sous forme de coulis (recette page 138). Les produits ovins et caprins sont aussi des éléments fondamentaux de la cuisine corse. Une large part du lait de brebis est réservée à la fabrication d'un roquefort des environs de Corte, le reste

est transformé en fromages à pâtes dures et molles, doux et relevés. Le brocciu, un chèvre frais à pâte mi-dure à dure élaboré à base de babeurre, intervient dans de nombreuses recettes, notamment celle des fritelles corses. On peut le remplacer par du Gervais ou du parmesan – ce qui montre sa versatilité.

La Corse, comme la Provence, est un paradis d'herbes parfumées. Basilic, fenouil, genièvre, laurier, menthe, myrthe, romarin sauvage, sauge et thym enveloppent l'île pendant tout l'été d'un nuage de fragrances épicées. Les côtes sont ponctuées par les amandiers, il y a des vignes et des agrumes, des olives et des figues.

Si l'on se rend en Corse, il faut aller voir en priorité les paysages sauvages de la Haute-Corse avec plus de 50 sommets à deux mille mètres d'altitude, les cols et leurs vues admirables, le curieux labyrinthe minéral des Calanche de Piana près de Porto, les gorges de la Restonica, ainsi que Filitosa, ville préhistorique de plus de trois mille ans perchée sur un éperon rocheux, les ports pittoresques, les forts romains, autant de merveilles toujours entrecoupées de panoramas à couper le souffle le long des routes escarpées de montagne.

En haut: Corses pariant avec les doigts.

Au centre à gauche: femmes emballant des chèvres ou des brebis frais dans de grandes feuilles.

A gauche: le col de Bavella offre un panorama époustouflant sur le relief escarpé et nu d'un côté, et sur des forêts et des plaines fertiles avec la mer au loin de l'autre.

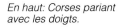

Les vins

Au pays des grands consommateurs de vin, le vin du midi de la France passait il n'y a pas si longtemps pour une piquette bon marché. Tout cela a changé. Toute la France méridionale fait des efforts pour relever le niveau, pour remplacer les cépages à fort rendement par des cépages de qualité et pour limiter les quantités. Cette évolution se reflète dans la création de nouvelles appellations d'origine contrôlée (AOC), dans des régions où l'on produisait autrefois des vins de table anonymes. Ces propos sur les vins «du Midi» concernent le Languedoc, le plus grand vignoble français.

La pratique de la viticulture en région Languedoc-Roussillon remonte aux Grecs et aux Phéniciens; dès le VIe siècle avant notre ère, les vignes recouvraient les terres situées entre le littoral méditerranéen et les contreforts du Massif central jusqu'à la Montagne noire et les Pyrénées orientales. La récolte représente environ trois fois les rendements obtenus en Allemagne, soit quelque 30 millions d'hectolitres. Un tiers de la superficie agricole utilisée est plantée en vignes. Près de 3 millions d'hectolitres concernent des vins de qualité, la grande majorité étant des vins de pays ou des VDQS, des rouges pour l'essentiel. Le principal cépage des vins rouges est le carignan, puis viennent le grenache, le cinsault, le mourvèdre et la syrah. A côté du procédé traditionnel, les rouges sont souvent fermentés sous gaz carbonique – un procédé également employé pour la vinification du beaujolais et qui donne des vins extrêmement fruités. Les vins blancs sont eux aussi issus de cépages typiques de la région méditerranéenne, à savoir le picpoul, la clairette, l'ugni blanc, le bourboulenc et quelques autres. Alors que les rouges jeunes se boivent un peu frais avec des viandes et des volailles grillées, les rouges plus âgés s'accordent avec les viandes rouges, le gibier et le fromage. Les rosés peuvent accompagner tout un menu et les blancs se dégustent à l'apéritif, avec des fruits de mer et du poisson, ainsi qu'avec le fromage de chèvre local.

Il n'entre pas dans le cadre de ce livre de passer en revue l'ensemble des appellations d'origine contrôlée. Pourtant, certains vins méritent d'être brièvement mentionnés.

Une des spécialités du Sud sont les vins «de sable», des vins sans histoires qui étanchent bien la soif en rouge, rosé et blanc. Etant les seuls cépages qui échappent au phylloxéra, il est inutile de les greffer.

La blanquette de Limoux est l'un des plus vieux mousseux du monde. On en buvait déjà au temps de Charlemagne.

Une autre spécialité du terroir sont les vins doux naturels, et en tête le banyuls qui s'élabore aujourd'hui exactement comme il y a 2 000 ans.

Par l'adjonction d'alcool pur au moût en fermentation, on préserve le moelleux naturel des raisins. Ce vin, de même que les muscats doux, est un vin d'apéritif ou de dessert. Tous ces vins entrent aussi dans la composition de cocktails ou de long drinks.

Outre les côtes du même nom, délimitées par la loi, la Provence recouvre aussi la région bordant le Rhône méridional connue sous le nom de côtes du Rhône.

Les cépages provençaux sont identiques à ceux du Languedoc voisin. Les vignobles longent la côte entre Marseille, berceau de la viticulture française, et Cannes ainsi qu'à Nice. Les blancs et les rosés sont frais, tendres et fruités; les rouges sont corsés et puissants.

Ici aussi, la qualité s'affirme au fil des ans.

La production en masse est impossible, de toute façon, la superficie ne le permet pas.

Les vins renommés de tradition sont issus des côtes du Rhône méridionales. Le généreux châteauneuf-du-pape rouge, pressuré à partir de non moins de 13 cépages et qui a mûri au soleil ardent, est surtout apprécié par les connaisseurs avec le gibier et les fromages forts. Le tavel, favori des rois et des poètes, passe pour l'un des plus fins rosés de France. Le rasteau, un blanc moelleux qui jouit d'une certaine notoriété, est un peu comparable au porto blanc. Le gigondas, cité par Pline et mis en avant par l'archevêque d'Orange au Moyen Age, vieillit dans un ancien tunnel ferroviaire dont la fraîcheur participe à l'évolution optimale de ce vin rouge issu de la chaleur.

Vendanges près de Valréas en Provence.

Les vins des côtes du Lubéron proviennent des côtes du Rhône méridionales. Ce sont des rouges et des rosés légers qui conviennent bien à la cuisine du Midi.

Recettes régionales

Soupes, salades et entrées

116 Aïgo-boulido
(Provence)
116 Soupe au pistou
(Provence)
117 Soupe aux pois chiches
(Provence)
118 Oignons marinés
(Comté de Nice)
118 Tapenade
(Provence)
119 Salade niçoise
(Comté de Nice)
120 Scarole au roquefort
(Languedoc)
120 Pissaladière
(Comté de Nice)
121 Mesclun
(Comté de Nice)
122 Omelettes provençales
(Provence)

Plats de légumes

124 Tomates à la provençale
(Provence)
124 Ratatouille niçoise
(Comté de Nice)
125 Aubergines farcies
(Roussillon)

Poissons et fruits de mer

125 Anchoïade
(Provence)
126 Grand aïoli
(Provence)
128 Bouillabaisse
(Provence)
130 Sardines gratinées
(Provence)
130 Loup au fenouil
(Comté de Nice)
131 Brandade de morue
(Languedoc)
132 Terrine de poissons aux herbes
(Provence)

Viandes et volailles

134 Cassoulet de Castelnaudary
(Languedoc)
135 Veau aux fines herbes
(Provence)
135 Stufatu
(Corse)
136 Poulet aux olives
(Corse)
136 Canard à la provençale
(Provence)
137 Dinde de Noël
(Provence)
138 Cabri en ragoût
(Corse)

Gibier

139 Sanglier en marinade
(Corse)
140 Cuissot de marcassin
(Provence)
141 Civet de lièvre
(Provence)

Desserts et biscuits

142 Fritelles
(Corse)
142 Croustade
(Languedoc)
143 Calissons d'Aix
(Provence)
144 Les 13 desserts de Caléna
(Provence)

Aïgo-boulido
(Provence)

Ingrédients pour 4 portions:

4 gousses d'ail
1 bouquet garni (feuille de
    laurier, persil, thym, vert de
    fenouil)
1 cs d'huile d'olive
1 jaune d'œuf
1 gros bouquet de persil
4-8 tranches de pain rassis
sel

Réalisation: 25 minutes
Par portion: 580 kJ/140 kcal

1 Remplir une casserole avec
1 l 1/2 d'eau. Eplucher l'ail
et le presser au-dessus de
l'eau. Saler, mettre le bouquet
garni. Ajouter l'huile.

2 Faire bouillir 15 minutes
environ à feu modéré.
Retirer le bouquet garni.

3 Mettre le jaune d'œuf au
fond d'une soupière
préchauffée. Verser la soupe

très chaude dans la soupière.
Bien mélanger.

4 Laver et hacher finement le
persil. Répartir les tranches
de pain dans les assiettes
creuses. Verser dessus la
soupe chaude.

• Variante: remplacez le
bouquet garni par 2 feuilles de
laurier.

• Aïgo-boulido signifie
effectivement «eau bouillie»,
mais il est question ici d'un
bouillon très savoureux, en
harmonie avec une époque où
l'on vivait modestement en
respectant toutefois
l'authenticité des produits du
terroir.

Soupe au pistou
(Provence)

Ingrédients pour 6 portions:

500 g de haricots verts
2 tomates
3-4 pommes de terre
    moyennes (farineuses)
200 g de gros vermicelles
3 gousses d'ail
3 branches de basilic frais
3 cs d'huile
2 cs de gruyère râpé frais
sel, poivre du moulin

Réalisation: 1 h
Par portion: 1 100 kJ/260 kcal

1 Nettoyer les haricots verts,
ôter éventuellement les fils,
les laver. Les couper en
tronçons de 1 cm environ.
Ebouillanter les tomates, les
peler et les épépiner. Couper la
pulpe en petits dés. Eplucher,
laver et couper en petits dés
les pommes de terre.

2 Mettre les légumes dans
une casserole avec 2 l
d'eau, faire cuire à couvert à

feu modéré pendant
40 minutes.

3 Ajouter les vermicelles au
bouillon et les faire cuire à
feu modéré. La soupe doit être
épaisse. Quand les pâtes sont
cuites, mais pas trop, saler et
poivrer. Retirer la soupe du feu.

4 Eplucher l'ail et le presser
dans un bol. Laver, hacher
fin et mélanger le basilic avec
l'ail. Ajouter l'huile en mince
filet en tournant jusqu'à ce le
mélange forme une purée. Y
ajouter deux louches de soupe
chaude. Verser le tout dans la
soupe et mélanger. Incorporer
le fromage râpé. Donner un
coup de bouillon et servir la
soupe très chaude.

• Variante: remplacez les
pommes de terre et les
vermicelles par des courgettes,
des carottes ou des
aubergines.

Soupe aux pois chiches
(Provence)

• Cette soupe passe aujourd'hui pour typiquement provençale, mais elle est originaire de Gênes. En Provence, on la prépare dans un nombre incalculable de variantes. L'élément principal est toujours la purée de basilic. Le mot pistou vient du vieux provençal pistar, qui veut dire piler, broyer.

Ingrédients pour 4 portions:

500 g de pois chiches
3 cs de gros sel marin
2 cs de farine
1 pincée de bicarbonate de soude
1 oignon
2 poireaux
1 tomate charnue
2 cs d'huile d'olive
4 tranches de pain de mie
sel, poivre du moulin

Réalisation: 2 h 1/2
    (+ environ 12 h de trempage)
Par portion: 2 200 kJ/520 kcal

1 Mettre les pois chiches avec de l'eau en suffisance, le sel de mer et la farine dans un saladier et laisser tremper toute la nuit.

2 Le lendemain, égoutter les pois chiches dans une passoire. Les passer plusieurs fois à l'eau froide, égoutter à nouveau. Les faire chauffer dans une casserole avec 3 l d'eau environ, le bicarbonate et un peu de sel. Couvrir et faire cuire 1 h environ à feu modéré.

3 Refaire égoutter les pois chiches. Les remettre dans une cocotte avec 2 l 1/2 d'eau légèrement salée. Laisser cuire encore 1 h environ jusqu'à ce que les pois chiches soient tendres et que la peau commence à se détacher.

4 Pendant ce temps, peler et hacher menu l'oignon. Nettoyer, laver les poireaux et émincer finement le blanc. Ebouillanter, peler et couper les tomates en quartiers.

5 Chauffer 1 cs d'huile dans une poêle. Y faire revenir l'oignon et le poireau jusqu'à ce qu'ils prennent couleur. Puis mouiller avec la tomate et 2 louches de l'eau de cuisson des pois chiches.

Ajouter les légumes aux pois. Poivrer.

6 Passer la soupe au tamis ou la réduire en purée au mixer. La réchauffer. Elle doit être liée mais non épaisse.

7 Dans l'intervalle, couper le pain en petits cubes et les faire rissoler dans le reste de l'huile. Verser la soupe dans une terrine. La parsemer avec les croûtons et, le cas échéant, d'un peu de poivre. Servir très chaud.

• Traditionnellement, en Provence, le repas de midi s'ouvre sur une assiette de soupe fumante. En hiver, on préparait souvent ces soupes avec de la farine de pois chiches, des haricots secs, du maïs ou encore du froment. «La soupo tapo un trau», disait-on, c'est-à-dire «la soupe bouche un trou».

Oignons marinés

(Comté de Nice)

Ingrédients pour 6 portions:

Pour la sauce:
500 g de tomates
2 oignons
50 ml d'huile d'olive
1 bouquet garni (laurier, thym, persil)
1 branche de basilic
3 gousses d'ail
sel, poivre du moulin

Pour la salade:
500 g d'oignons nouveaux
100 g de raisins secs
6 cs d'huile d'olive
200 ml de vinaigre de vin blanc
80 g de sucre glace
1 bouquet garni (laurier, thym, persil)
sel, poivre du moulin

Réalisation: 2 h
(+ 2 h environ de refroidissement)
Par portion: 1 300 kJ/310 kcal

1 Pour la sauce, ébouillanter, épépiner et concasser les tomates. Peler et hacher finement les oignons. Mettre ces deux éléments dans une cocotte avec l'huile, le bouquet garni et le basilic. Eplucher les gousses d'ail et les presser par-dessus. Saler, poivrer. Laisser frémir à petit feu pendant 30 minutes environ. Passer au tamis.

2 Nettoyer et bien laver les oignons nouveaux. Les mettre dans une cocotte avec 1/2 l d'eau. Ajouter les raisins secs, l'huile, le vinaigre, la sauce tomate, le sucre glace et le bouquet garni. Saler et poivrer.

3 Porter à ébullition, réduire la chaleur. Faire cuire les oignons à découvert pendant 1 h 1/4 environ, suivant leur taille.

4 Laisser d'abord refroidir la salade d'oignons avant de la mettre au réfrigérateur. Servir bien frais.

• Astuce: la variante figurant sur la photo est un peu moins savoureuse, mais elle présente mieux: blanchir les oignons nouveaux, les dresser sur des assiettes avec le reste des ingrédients. Confectionner la sauce tomate à part et en napper les oignons.

Tapenade

(Provence)

Ingrédients pour 8 portions:

300 g d'olives noires
100 g de filets d'anchois à l'huile
100 g de thon (en boîte au naturel)
1 cc de moutarde forte
200 g de câpres
200 ml d'huile d'olive extra
4 cl de cognac (facultatif)
poivre du moulin

Réalisation: 45 minutes
(+ quelques jours de repos)
Par portion: 1 550 kJ/370 kcal

1 Egoutter et dénoyauter les olives. Egoutter aussi les filets d'anchois et le thon. Piler finement ces ingrédients dans un mortier ou les passer au hachoir électrique.

2 Mélanger la moutarde à cette purée. Egoutter les câpres, les hacher très fin et les incorporer. Arroser d'huile en mince filet. Mélanger le tout

Salade niçoise
(Comté de Nice)

au batteur électrique pour obtenir une préparation homogène.

3 Poivrer généreusement. Ne pas saler, car les anchois sont déjà très salés. Parfumer éventuellement au cognac. Remplir un bocal fermant hermétiquement avec cette purée. Laisser reposer quelques jours au réfrigérateur.

• La tapenade, le «caviar provençal», est une création d'un gastronome marseillais du siècle dernier. Cette purée relevée se mange sur des toasts mais on peut aussi en farcir des œufs durs, si l'on amalgame le jaune avec la tapenade avant d'en remplir les blancs.

• Astuce: préparez la tapenade en grande quantité si vous attendez de nombreux invités. Elle est succulente en hors-d'œuvre et convient même à un buffet froid.

Ingrédients pour 4 portions:

1 laitue
500 g de tomates
50 g de thon (en boîte, à l'huile)
24 olives noires
400 g de haricots verts cuits
3 cs d'huile d'olive
1 cs de vinaigre de vin
1 pincée d'herbes de Provence
sel, poivre du moulin

Réalisation: 20 minutes
Par portion: 730 kJ/170 kcal

1 Couper les feuilles de la laitue, les laver et les essorer. Les répartir sur quatre assiettes individuelles. Laver et émincer les tomates en fines rondelles. Les dresser sur les feuilles de laitue. Egoutter le thon en récupérant l'huile pour la sauce de salade. Emietter le thon et le répartir avec les olives sur la salade. Ajouter les haricots verts.

2 Faire une sauce avec l'huile du thon, l'huile d'olive et le vinaigre. Saler, poivrer. Verser sur la salade. Ecraser les herbes de Provence entre les doigts et en parsemer la salade.

• Il existe une infinité de variantes de cette salade: vous pouvez substituer des filets d'anchois au thon. Un petit oignon en rondelles la relèvera. Que vous l'enrichissiez selon votre fantaisie de céleri blanc, de poivron, d'œufs durs et de basilic, ce sera toujours une salade niçoise originale.

• Dans le sud de la France, la salade niçoise se mange en collation ou sur le pouce entre deux demi-baguettes.

Scarole au roquefort

(Languedoc)

Ingrédients pour 4 portions:

1 scarole
40 g de beurre
80 g de roquefort
8 tranches de baguette
3 cs d'huile d'olive
1/2 cs de vinaigre de vin
100 g de cerneaux de noix
sel, poivre du moulin

Réalisation: 15 minutes
Par portion: 2 000 kJ/480 kcal

1 Eliminer les feuilles de salade flétries. Couper les autres, les passer sous l'eau froide et les essorer. Les déchirer en morceaux et les placer dans un saladier.

2 Travailler le beurre avec la moitié du roquefort. Griller les tranches de baguette à sec ou au grille-pain.

3 Ecraser le reste du roquefort et en faire une

sauce de salade avec l'huile et le vinaigre.

4 Parsemer la salade avec les cerneaux de noix. Verser la sauce par-dessus. Servir aussitôt cette salade avec les croûtons au roquefort en entrée.

• Une variante intéressante très répandue en France: réchauffez de petits chèvres frais à la poêle ou au four et les servir avec une salade verte.

• La scarole appartient à la famille de la chicorée. Son suc blanchâtre est très appétissant. Il en va de même pour la frisée. Pour cette entrée, vous pouvez utiliser de la romaine, de la chicorée (endive) ou de la salade de feuilles de chêne.

Pissaladière

(Comté de Nice)

Ingrédients pour 4 portions:

Pour la pâte:
250 g de farine + farine pour saupoudrer
10 g de levure
sel

Pour la garniture:
500 g d'oignons
75 ml d'huile d'olive + huile pour le moule
12 filets d'anchois
3 gousses d'ail
3 tomates
12 olives noires
sel, poivre du moulin

Réalisation: 1 h 1/4
(+ environ 2 h 1/2 de repos)
Par portion: 2 100 kJ/500 kcal

1 Tamiser la farine dans une terrine. Creuser une fontaine au centre. Y émietter la levure et mélanger avec 4 cs d'eau tiède. Saupoudrer dessus un peu de farine. Laisser lever cette pâte 30

minutes environ dans un endroit chaud.

2 Puis incorporer 1 dl environ d'eau chaude. Saler. Travailler la pâte jusqu'à ce qu'elle forme des bulles et se détache de la terrine. Saupoudrer avec un peu de farine et laisser lever 2 h de plus à température ambiante.

3 Environ 1 h 1/2 avant la fin du temps de repos, éplucher et hacher très fin les oignons. Mettre l'huile (au moins 1 cc) dans une cocotte en fonte avec les oignons. Faire mijoter les oignons à feu doux pendant environ 1 h sans qu'ils brunissent. Remuer de temps à autre.

4 Passer les oignons au tamis en récupérant le jus de cuisson.

5 Incorporer le jus de cuisson des oignons à la pâte.

Mesclun
(Comté de Nice)

Abaisser la pâte en un disque et en garnir un moule graissé de 28 cm. Préchauffer le four à 180° C.

6 Saler et poivrer la fondue d'oignons et la répartir également sur le disque de pâte. Disposer dessus les filets d'anchois en étoile. Eplucher les gousses d'ail et les tailler en petits bâtonnets. Laver et émincer les tomates, dénoyauter les olives. Décorer la pissaladière avec tous ces éléments. Arroser avec le reste de l'huile.

7 Glisser au four (gaz: thermostat 2) 40 minutes environ. Servir chaud ou froid en entrée.

• Vin conseillé: un vin provençal rouge (de pays) tel un côtes-de-provence.

Ingrédients pour 4 portions:

100 g de salade de Trévise
1/2 scarole
1/2 laitue
2-3 feuilles de pourpier
100 g de cerfeuil
3 gousses d'ail
1 morceau de croûte de pain
1 œuf dur
4 cs d'huile d'olive
1 cs de vinaigre de vin
1 cc de moutarde mi-forte
sel, poivre du moulin

Réalisation: 20 minutes
Par portion: 560 kJ/130 kcal

1 Couper les feuilles des salades, les laver et les essorer. Les déchirer en morceaux. Laver le cerfeuil, le sécher avec du papier absorbant et le mettre dans un saladier avec les feuilles de salades.

2 Eplucher l'ail. Frotter la croûte de pain avec les

deux gousses d'ail, puis la couper en quatre et l'ajouter dans la salade. Presser la 3e gousse d'ail par-dessus. Ecaler l'œuf et le hacher menu. En saupoudrer la salade.

3 Confectionner une vinaigrette avec l'huile, le vinaigre et la moutarde. Saler, poivrer et la verser sur la salade. Ne la mélanger qu'à table.

• Variante: décorez la salade avec des olives noires.

• Cette salade d'hiver au goût amer se déguste aussi bien avant qu'aussitôt après le plat de résistance.

Omelettes provençales
(Provence)

Ingrédients pour une recette de base (pour 4 portions):

8 œufs
2 cs de lait
4 cs d'huile d'olive (ou 2 cs
    d'huile d'olive et 2 cs
    d'huile de noix)
sel, poivre du moulin

<u>Réalisation:</u> 15 minutes
Par portion: 1 100 kJ/260 kcal

En Provence, les omelettes se dégustent sous des formes très variées en de nombreuses occasions: en entrée, en collation, en pique-nique de même qu'en plat principal. Dans les familles qui ont le sens des traditions, le lundi de Pâques, on mange de l'omelette au lard, aux fines herbes ou aux pommes de terre.
Les travailleurs agricoles emportaient aux champs ces omelettes aux oignons ayant longuement mijoté sur un coin du fourneau à charbon.

Essayez aussi d'autres variantes que celles qui sont présentées ci-contre:
• Pour l'omelette aux moules, nettoyer 500 g de moules, les mettre dans l'eau bouillante jusqu'à ce qu'elles s'ouvrent. Jeter les moules fermées. Oter les moules des coquilles. Les faire sauter dans une poêle avec 2 cs d'huile d'olive. Puis procéder comme pour la recette de base. Servir l'omelette légèrement baveuse.
• L'omelette aux artichauts est préparée avec de très jeunes artichauts. On se contente de les couper en quartiers et de les dépouiller des feuilles extérieures et du foin.
• Pour l'omelette aux courgettes, tailler en cubes des petites courgettes et les faire rapidement sauter à l'huile.

1 Casser les œufs et les battre 5-6 fois à la fourchette (pas plus, sinon le mélange serait trop mousseux) avec le lait, le sel et le poivre. Chauffer très fort une poêle à fond épais, pas trop lourde, de 25 cm de diamètre.

2 Verser rapidement le mélange d'œufs au centre de la poêle. Avec une fourchette, remuer calmement et régulièrement des bords vers le centre. Secouer légèrement la poêle. Quand l'omelette est à moitié prise, la laisser encore 4-5 secondes à feu réduit.

3 Retourner l'omelette à l'aide d'un couvercle et la faire cuire brièvement sur l'autre face à la mode provençale. Faire glisser l'omelette sur un plat chaud et servir.

Omelette aux oignons
Faire cuire 1 heure environ
500 g d'oignons en dés dans
4 cs d'huile d'olive à feu doux,
saler et poivrer. Retirer les
oignons de la poêle, les égoutter
et les reverser dans la poêle.
Mélanger les oignons avec le
mélange œufs-lait.

Omelette aux épinards
Nettoyer, laver et blanchir
500 g d'épinards. Les égoutter
et les faire revenir 5 minutes
dans 2 cs d'huile d'olive. Hacher
fin 2 gousses d'ail et
respectivement 3 branches de
persil et de basilic. Incorporer le
tout au mélange œufs-lait avec
4 cs de gruyère.

Omelette aux tomates
Laver, sécher et émincer
4 tomates. Enlever les graines.
Chauffer 2 cs d'huile d'olive
dans une poêle, y faire revenir
les tomates. Ajouter les œufs
battus et assaisonnés et faire
cuire suivant la recette de
base.

Omelette au lard
Détailler 150 g de lard maigre
fumé en dés, les blanchir à
l'eau bouillante. Egoutter les
lardons, les éponger et les faire
rissoler dans 2 cs d'huile
d'olive. Saler modérément le
mélange œufs-lait (recette de
base). Le faire cuire dans la
poêle avec les lardons.

Tomates à la provençale
(Provence)

Ingrédients pour 4 portions:

8 tomates moyennes
1 bouquet de persil
2 gousses d'ail
3-4 cc de chapelure
sel, poivre du moulin
huile pour le plat à gratin

Réalisation: 40 minutes
Par portion: 160 kJ/40 kcal

1 Laver, sécher et couper les tomates en deux. Exprimer les graines et laisser égoutter.

2 Laver, éponger et hacher menu le persil. Le mettre dans un bol. Eplucher et passer les gousses d'ail au presse-ail. Ajouter la chapelure et bien mélanger le tout. Saler, poivrer. Préchauffer le four à 240° C.

3 Remplir les demi-tomates avec ce mélange. Huiler un plat à gratin. Y ranger les tomates côte à côte.

4 Faire gratiner les tomates au four (milieu; thermostat 8) pendant 15 minutes environ. Servir en entrée ou en accompagnement de côtes d'agneau, par exemple.

• Variante du Roussillon: couper 8 tomates en 2 et les épépiner. Les saler et les faire dégorger 1 heure, puis les égoutter. Poivrer. Verser quelques gouttes d'huile dans chacune d'elles. Les faire sécher 1 heure au four, thermostat minimum, sans qu'elles brunissent. Entre-temps, faire tremper 2-3 tranches de pain rassis dans de l'huile d'olive, les exprimer et en remplir les tomates. Remettre les tomates 30 minutes au four. Saupoudrer de persil haché (facultatif). Servir très chaud.

Ratatouille niçoise
(Comté de Nice)

Ingrédients pour 6 portions:

3 aubergines moyennes
3 grosses tomates charnues
3 courgettes
3 poivrons rouges ou jaunes
100 ml d'huile d'olive
2 gousses d'ail
1 bouquet garni (laurier, persil, thym)
sel, poivre du moulin

Réalisation: 1 h 1/2
Par portion: 900 kJ/210 kcal

1 Peler et tailler les aubergines en cubes. Ebouillanter, peler et couper les tomates en dés. Laver, nettoyer et émincer les courgettes en rondelles de 1-2 cm. Laver les poivrons, retirer les côtes et les graines et les couper en lanières.

2 Mettre les légumes dans une cocotte en fonte. Verser l'huile d'olive. Saler, poivrer. Eplucher l'ail et le presser par-dessus. Ajouter le bouquet garni. Mouiller avec 100 ml d'eau froide.

3 Mettre le couvercle et porter à ébullition à feu vif. Diminuer le feu et laisser mijoter la ratatouille 1 h environ à tout petit feu.

4 Retirer le bouquet garni. Servir la ratatouille chaude, tiède ou froide en entrée ou comme légumes, avec du rôti d'agneau, par exemple.

Aubergines farcies
(Roussillon)

Ingrédients pour 4 portions:

4 aubergines moyennes
100 ml d'huile d'olive
100 g de lard maigre fumé
2 gousses d'ail
1 bouquet de persil
1-3 cc de chapelure
sel, poivre du moulin

Réalisation: 1 h
Par portion: 1 800 kJ/430 kcal

1 Eplucher les aubergines au couteau économe et les couper en tranches de 1 cm d'épaisseur environ dans le sens de la longueur. Les faire sauter en plusieurs fois à l'huile d'olive, les égoutter sur du papier absorbant.

2 Pendant ce temps, tailler le lard en tout petits dés ou le passer à la moulinette. Eplucher l'ail et le presser par-dessus. Laver et hacher finement le persil et l'ajouter ainsi que la chapelure. Bien

amalgamer le tout. Préchauffer le four à 180° C.

3 Placer les aubergines sur une tôle et les recouvrir avec le mélange au lard. Faire gratiner à four chaud (gaz: thermostat 2) pendant 30 minutes environ. Servir chaud en entrée.

• Les aubergines seront tout à fait savoureuses avec de la purée de tomates. Pour ce faire, ébouillanter 4 tomates bien mûres, les peler, les couper en quartiers, les épépiner et les faire fondre dans une casserole avec un peu d'huile. Les passer au tamis, saler et poivrer.

Anchoïade
(Provence)

Ingrédients pour 6 portions:

10-12 filets d'anchois à l'huile
3 cs d'huile d'olive
2 gousses d'ail
1 trait de vinaigre de vin
6 tranches épaisses de pain de campagne ou 12 tranches minces de baguette
poivre du moulin

Réalisation: 20 minutes
Par portion: 870 kJ/210 kcal

1 Laver les anchois à l'eau froide puis les écraser à la fourchette avec l'huile. Eplucher les gousses d'ail et les presser par-dessus. Ajouter le vinaigre. Poivrer modérément et bien mélanger le tout. Préchauffer le four à 240° C.

2 Etaler cette pâte sur les tranches de pain en la faisant pénétrer dans la mie. Faire gratiner 5 minutes au four (gaz: thermostat 6). Servir chaud en entrée.

• Variante: à Draguignan, on tartine les tranches de pain avec une mousse faite de filets d'anchois, d'oignons et d'œufs hachés. Arrosés de quelques gouttes d'huile, les croûtons sont glissés au four ou posés sur le gril.

• Selon la vieille tradition provençale, l'anchoïade se sert de la manière suivante: dans un pain de campagne, on découpe une tartine de 3 cm d'épaisseur que l'on divise en 4-6 parts selon le nombre de convives. Les filets d'anchois ne sont pas écrasés, mais arrosés d'huile, parsemés généreusement d'ail haché et poivrés. Chaque convive reçoit 1 filet, le met sur son morceau de pain, trempe d'autres fines tranches de pain dans l'huile aromatisée et y dépose le filet en l'écrasant et en l'enfonçant lentement dans la mie. Ce pain est ensuite grillé au feu ouvert ou au gril.

Grand aïoli
(Provence)

Ingrédients pour 8 portions:

Pour le plat:
600 g de morue
600 g de calmars
1 cs d'huile
8 carottes
500 g de haricots verts
8 artichauts
8 pommes de terre moyennes
8 œufs
sel, poivre du moulin

Pour l'aïoli:
1 morceau de mie de pain
    blanc de la taille d'un œuf
65 ml de lait
4-8 gousses d'ail
1 jaune d'œuf très frais
1/2 l d'huile d'olive
un peu de jus de citron
sel, poivre du moulin

Réalisation: 1 h 1/2
    (+ 12 h de repos)
Par portion: 4 400 kJ/ 1050 kcal

L'aïoli est originaire de Marseille. Là-bas, depuis des générations, parents et amis se réunissent autour du grand plat de poisson et de légumes pour lui faire un sort joyeux. Aïoli ne désigne que la mayonnaise à base d'ail pilé dont la garniture est laissée entièrement à la discrétion de la maîtresse de maison. Elle peut accroître ou réduire le nombre des ingrédients, en fonction de la saison ou du porte-monnaie, ajouter aux éléments proposés ici des escargots, du chou-fleur, des pois chiches cuits ainsi que d'autres poissons ou légumes, ou bien, en petit comité, elle peut se borner à servir de la morue et des pommes de terre. L'aïoli se mange à midi en été, dehors de préférence. C'était autrefois le repas traditionnel du mercredi des Cendres, mais aussi le repas maigre du vendredi.

• Astuce: si, malgré toutes les précautions prises, l'aïoli n'avait pas la consistance crémeuse désirée, ajoutez-y 2-3 gousses d'ail pilées, 1 œuf et un filet d'huile.

1 Mettre la morue à dessaler dans de l'eau froide pendant 12 h minimum.

2 Le lendemain, nettoyer éventuellement les calmars. Laisser les petits calmars entiers, couper les gros en rondelles. Chauffer l'huile dans une sauteuse et y faire cuire les calmars 20 minutes environ à feu doux et à couvert.

3 Nettoyer les carottes. Laver les haricots et ôter les fils. Raccourcir les artichauts aux ciseaux. Faire cuire les légumes séparément à l'eau salée. Cuire les pommes de terre en chemise. Faire durcir les œufs.

4 Mettre la morue dans une casserole et la couvrir d'eau froide. Amener à ébullition. Dès les premiers bouillons, retirer du feu, sinon le poisson durcira.

5 Pendant ce temps, préparer l'aïoli: faire ramollir la mie de pain, bien la presser et la mettre dans un plat creux. Presser les gousses d'ail épluchées par-dessus. Ajouter le jaune d'œuf. Travailler le tout pour obtenir une masse homogène.

6 Verser l'huile en mince filet en tournant sans cesse pour obtenir la consistance d'une mayonnaise. Assaisonner de quelques gouttes de citron, saler et poivrer abondamment.

7 Sortir les légumes et les faire égoutter avant de les dresser sur des plats chauds. Etaler les calmars quelques instants sur du papier absorbant. Les disposer en compagnie de la morue.

8 Passer les pommes de terre et les œufs à l'eau fraîche, les éplucher et les ranger sur d'autres plats. Servir le poisson et les légumes très chauds avec l'aïoli froid.

Bouillabaisse
(Provence)

Ingrédients pour 4-6 portions:

Pour la soupe:
1 kg de poissons de la
    Méditerranée, frais ou
    surgelés
1 oignon
4 pommes de terre moyennes
    (à chair ferme)
4 tomates charnues
1 bouquet de persil
4 cs d'huile d'olive
4 feuilles de laurier
4 x 0,1 g de safran
4 gousses d'ail
8 fines tranches de baguette
sel, poivre du moulin

Pour la rouille:
1 tranche de pain blanc rassis
    sans la croûte
1 gousse d'ail
1 piment rouge séché
200 ml d'huile d'olive de 1ère
    pression à froid

Réalisation: 1 h 1/2
Pour 6 portions, par portion:
    2 600 kJ/620 kcal

Le nom de cette célèbre soupe de poissons vient du provençal boui-abaisso, ce qui signifie à peu près «quand ça bout, baisse le feu». On porte la soupe à ébullition à plein feu et elle achève de cuire à feu doux. A l'origine, la bouillabaisse était non pas une spécialité, mais une méthode employée par les pêcheurs pour préparer rapidement les poissons qu'ils venaient de prendre. Il n'y a pas une recette de bouillabaisse. Chaque famille, chaque pêcheur a la sienne.
La bouillabaisse est un plat rustique. On a constamment cherché à l'«affiner» – souvent au détriment de son originalité. Cette soupe n'a besoin ni de vin blanc, ni de crème d'oursins pour sa liaison, encore moins de fumet à base de poissons de friture et de langouste.
Pour faire une bonne bouillabaisse, acheter les poissons suivants: rascasse, loup de mer (bar), congre, lotte, rouget grondin, saint-pierre, merlan, rouget barbet, pageot. Plus il y a de convives, plus le nombre de poissons entrant dans cette combinaison est grand. Indispensables sont les tomates et l'huile d'olive, tout le reste est laissé à la créativité du cuisinier. La recette qui suit est exécutée avec des pommes de terre, comme c'est la coutume à Martigues.

1 Si besoin est, faire décongeler les poissons à température ambiante. Les passer à l'eau courante, les écailler et les vider. Couper les têtes et les ébarber (couper les nageoires). Tronçonner les gros poissons.

2 Eplucher et concasser les oignons. Eplucher les pommes de terre et les émincer finement. Ebouillanter les tomates, les peler et les couper en quatre. Retirer les graines et couper la pulpe en petits dés. Laver et éponger le persil, le laisser entier.

3 Chauffer l'huile dans une marmite; y faire revenir les oignons sans colorer. Ajouter les rondelles de pommes de terre et laisser cuire un instant. Ajouter les tomates, le persil, le laurier et le safran. Saler et poivrer. Eplucher l'ail et le presser par-dessus. Baisser le feu et laisser frémir le tout 5 minutes environ.

4 Entre-temps, faire bouillir 1 l d'eau. Mettre les poissons dans la marmite, laisser frémir un moment avant de verser dessus l'eau bouillante. Remonter le feu et faire cuire la soupe à gros bouillons pendant 15-20 minutes.

5 Pendant ce temps, préparer la rouille: faire ramollir le pain dans de l'eau chaude. Eplucher l'ail et le piler au mortier avec le piment. Presser le pain pour en faire sortir l'eau et le travailler avec l'ail. Incorporer l'huile en petit filet.

6 Faire griller les tranches de baguette à sec dans une poêle. Les mettre au fond d'une soupière chaude.

7 Enlever délicatement les poissons du court-bouillon à l'écumoire et les dresser sur un plat avec les légumes tout autour. Verser le court-bouillon sur les croûtons dans la soupière.

8 Placer deux assiettes devant chaque convive, une creuse et une plate pour les arêtes. Mettre la chair de poisson dans les assiettes creuses, y ajouter les légumes et remplir avec le court-bouillon. Poser les tranches de pain au-dessus. Servir la rouille à part.

129

Sardines gratinées

(Provence)

Ingrédients pour 4 portions:

1 kg de sardines fraîches
2 citrons non traités
3 cs d'huile d'olive
1/2 bouquet de thym frais
100 ml de vin blanc sec
1 bouquet de persil
2 cs de chapelure
sel, poivre du moulin

Réalisation: 45 minutes
Par portion: 1 500 kJ/360 kcal

1 Passer les sardines sous le robinet d'eau froide, les vider et les écailler au besoin. Couper les têtes. Presser le jus de 1/2 citron, couper le reste en fines rondelles. Arroser les sardines avec le jus de citron. Préchauffer le four à 230° C.

2 Enduire un plat à gratin d'huile au pinceau. Laver et éponger le thym. Le disposer avec les rondelles de citron au fond du plat. Ranger les sardines par-dessus. Saler,

poivrer généreusement. Verser le vin et le reste de l'huile.

3 Laver et hacher menu le persil. Le mélanger à la chapelure et saupoudrer les sardines avec ce mélange.

4 Glisser 10 minutes au four préchauffé (gaz: thermostat 4). Arroser une ou deux fois avec le liquide de cuisson. Servir très chaud.

• Vin conseillé: un rosé de Provence, tel un côtes-de-provence ou mieux encore un bellet ou un bandol.

Loup au fenouil

(Comté de Nice)

Ingrédients pour 4 portions:

2 bars (loups) (500 g pièce)
50 ml d'huile d'olive + huile
  pour le plat à gratin
2-3 cs de graines de fenouil
60 g de beurre
1 citron non traité
sel, poivre du moulin

Réalisation: 1 h
Par portion: 1 600 kJ/380 kcal

1 Passer les bars à l'eau froide, au besoin les vider, les écailler et les ébarber. Essuyer les poissons avec du papier absorbant. Pratiquer 2 à 3 incisions en croix sur chaque face. Saler et poivrer intérieur et extérieur. Enduire les poissons d'huile au pinceau. Mettre au fond d'une assiette la moitié des graines de fenouil. Y rouler les loups, puis les ranger dans un plat à gratin huilé. Préchauffer le four à 220° C.

2 Faire cuire les poissons au four préchauffé (gaz: thermostat 4) pendant 35 minutes environ en les retournant une fois délicatement. Arroser ensuite avec 10 g de beurre fondu, monter le four au maximum et achever la cuisson pendant 5 minutes environ.

3 Pendant ce temps, piler le reste des graines de fenouil au mortier. Les mélanger avec le reste du beurre. Former un rouleau avec ce beurre de fenouil et l'envelopper dans du papier sulfurisé. Laisser durcir au réfrigérateur. Couper le citron en rondelles.

4 Dresser les poissons sur un plat. Décorer avec les rondelles de citron. Couper le beurre de fenouil en tranches et les disposer tout autour des poissons.

Brandade de morue

(Languedoc)

• Le loup de mer est un poisson à la chair très délicate que l'on pêche tant dans l'Atlantique Est, la mer du Nord et la Baltique que dans la Méditerranée. Quand il vient de l'Atlantique, il est vendu sous le nom de bar. Il n'est pas toujours aisé à se procurer et il est relativement cher. On peut accommoder la daurade ou le pageot de la même façon.

• Le loup au fenouil est tout aussi excellent grillé. C'est un plat pour les chaudes soirées d'été au jardin. Vous lui donnerez un air de vacances en mêlant les parfums du charbon de bois, du poisson et des épices.

• Vin conseillé: un vin blanc des côtes du Rhône méridionales, comme un châteauneuf-du-pape blanc.

Ingrédients pour 6-8 portions:

1 kg de morue
600 ml d'huile d'olive
100 ml de lait ou de crème
poivre blanc du moulin
un peu de sel (facultatif)
12 tranches de baguette

Réalisation: 40 minutes
(+ 12 h de repos)
Pour 8 portions, par portion:
4 870 kJ/1 125 kcal

1 Découper la morue en morceaux de moyenne grosseur et les faire dessaler 12 h minimum dans l'eau froide. Renouveler l'eau plusieurs fois.

2 Le lendemain, mettre le poisson dans une casserole. Verser assez d'eau pour recouvrir le poisson. Porter à ébullition. Dès les premiers frémissements, retirer la casserole du feu, sinon le poisson durcirait. Enlever le poisson après 10 minutes et le laisser égoutter. Oter soigneusement les arêtes, laisser la peau, elle donne plus de goût à la brandade. Emietter le poisson.

3 Réchauffer l'huile légèrement dans un plat en porcelaine allant au four, mais sans la chauffer. Réchauffer de la même manière le lait ou la crème. Mettre le poisson émietté dans une autre casserole. Verser 100 ml d'huile tiède.

4 A tout petit feu ou au bain-marie de préférence, réduire le poisson en purée avec une cuiller de bois. Quand le mélange est homogène, verser alternativement le lait et l'huile tièdes en tournant constamment pour obtenir une pâte souple. Elle ne doit jamais bouillir. Assaisonner de poivre blanc et d'un peu de sel.

5 Faire griller les tranches de pain à sec dans une poêle ou au grille-pain et les servir en accompagnement.

• Astuce: si vous ne servez pas la brandade tout de suite, gardez la casserole au chaud au bain-marie et ajoutez-y un filet de crème ou de lait pour qu'elle ne brunisse pas.

• Une pomme de terre cuite écrasée peut améliorer la consistance.

• A Nîmes, on tient pour sacrilège de relever la brandade avec de l'ail. Dans d'autres villes de Provence, on y ajoute pourtant volontiers 1-2 gousses d'ail ou on la sert avec des croûtons frottés d'ail.

• Quelques lamelles de truffes dans la brandade en affinent le goût, mais elles ne sont pas obligatoires.

Terrine de poissons aux herbes

(Provence)

Ingrédients pour 6 portions:

250 g de filet de saumon
250 g de filet de merlan (ou, à
    défaut, d'églefin)
1 échalote
100 ml de vin blanc sec
1 feuille de laurier
3 blancs d'œufs
300 g + 1 cs de crème fraîche
250 g d'épinards
1 cs de beurre
250 g de pain blanc de la veille
    sans la croûte
3 œufs entiers
1 petit bouquet de ciboulette
3-4 branches d'estragon
1 petit bouquet de persil
quelques branchettes de
    fenouil
sel, poivre du moulin

Réalisation: 2 h 1/2
Par portion: 2 200 kJ/520 kcal

1 Laver les poissons à l'eau courante, les éponger. Eplucher les échalotes et les couper en quatre. Les mettre avec le vin dans une casserole. Ajouter la feuille de laurier. Saler, poivrer. Mettre les poissons dans la casserole et verser de l'eau pour mouiller à peine les poissons à hauteur.

2 Faire cuire les poissons dans le court-bouillon légèrement frémissant à feu modéré pendant 5 minutes environ. Retirer les poissons à l'écumoire et les garder séparément.

3 Passer d'abord le saumon, puis les filets de merlan au hachoir électrique. Ajouter 1 blanc d'œuf à chaque purée, saler, poivrer et bien mélanger. Incorporer ensuite respectivement 100 g de crème fraîche. Garder les purées au frais.

4 Laver les épinards, les trier et couper les queues. Les mettre dégoulinants dans une casserole et les faire fondre brièvement. Bien les égoutter dans une passoire, en exprimer l'eau. Puis les réduire en purée avec 1 blanc d'œuf et incorporer 100 g de crème fraîche, saler et poivrer.

5 Emietter le pain dans un plat creux. Le mélanger avec les œufs. Passer les herbes à l'eau froide, les éponger. Enlever les tiges de l'estragon et du persil. Hacher finement les herbes et les amalgamer au pain. Ajouter 1 cs de crème fraîche. Bien mélanger le tout.

6 Laver le vert du fenouil et le poser au fond d'une terrine. Répartir par-dessus une moitié de purée de merlan, une moitié de purée d'épinards, autant de purée de saumon et de farce aux herbes. Procéder de même avec le reste. Préchauffer le four à 180° C.

7 Placer la terrine au bain-marie au four (gaz: thermostat 3) et faire cuire 1 h 1/2 environ. Démouler et servir chaud ou froid en entrée.

Cassoulet de Castelnaudary
(Languedoc)

Ingrédients pour 6-8 portions:

500 g de haricots blancs
    «lingots»
3-4 oignons moyens
5-6 clous de girofle
100 g de couennes fraîches
    (ou fumées, à défaut)
6 gousses d'ail
1 bouquet garni (persil, thym,
    feuille de laurier)
250 g de saucisson à l'ail
350 g de selle de porc
    désossée
350 g d'épaule de mouton
    désossée
100 g de lard maigre fumé
4 cs de graisse d'oie
1 feuille de laurier
3 tomates charnues
2-3 cs de chapelure
sel, poivre du moulin

Réalisation: 5 h
    (+ 12 h de trempage)
Pour 8 portions, par portion:
    3 450 kJ/825 kcal

1 La veille, faire tremper les haricots à l'eau froide.

2 Le lendemain, éplucher 1 oignon et le piquer avec les clous de girofle. Faire blanchir les couennes à l'eau bouillante. Eplucher 3 gousses d'ail.

3 Verser les haricots et leur eau de trempage dans une marmite, saler. Ajouter l'oignon clouté, les couennes, le bouquet garni et les 3 gousses d'ail. Couvrir et laisser cuire le tout 1 h environ à feu doux. Ajouter le saucisson et prolonger la cuisson pendant 30 minutes. Egoutter en récupérant le jus de cuisson.

4 Tailler la viande de porc et de mouton ainsi que le lard en cubes. Hacher le reste des oignons.

5 Dans une deuxième cocotte, faire fondre la moitié de la graisse d'oie. Y saisir à vif la viande et le lard avant d'ajouter l'oignon haché. Eplucher les 3 autres gousses d'ail et les presser par-dessus. Saler, poivrer. Ajouter la feuille de laurier et mouiller avec le jus de cuisson des haricots.

6 Peler et couper les tomates en quartiers. Exprimer les graines et l'eau de végétation, tailler la pulpe en dés et les mettre dans le ragoût. Couvrir et laisser frémir 2 h environ à tout petit feu.

7 Préchauffer le four à 220° C. Garnir un grand plat à gratin avec les couennes. Disposez par-dessus la moitié des haricots, puis la viande. Détailler le saucisson en rondelles, le mélanger au reste des haricots et verser ce mélange sur la viande. Saupoudrer de chapelure. Faire fondre le reste de la graisse d'oie et en arroser les haricots.

8 Faire gratiner à four chaud (gaz: thermostat 4) pendant 1 h 1/2 environ. Casser la croûte à plusieurs reprises pour faire sortir le jus.

• Comme maintes recettes ayant une longue tradition, les variantes du cassoulet sont infinies. En voici quelques-unes: on peut remplacer l'épaule de mouton par du jarret de porc. Le cassoulet toulousain comporte du confit d'oie ou de canard.
Celui de Carcassonne, de la perdrix.

• Le mot «cassoulet» vient de la cassolle d'Issel, un récipient en terre fabriqué dans un village voisin de Castelnaudary, Issel, la vraie patrie du cassoulet.

• Vin conseillé: un vin rouge corsé du Languedoc.

Veau aux fines herbes
(Provence)

Ingrédients pour 6 portions:

1 kg d'épaule de veau
400 ml de bouillon de poule
2 branchettes de thym
1 feuille de laurier
2 bottes d'oignons nouveaux
2 gousses d'ail
1 branche de basilic
900 g de yaourt
2-3 cs de jus de citron
1 cc d'huile d'olive
sel, poivre du moulin

Réalisation: 2 h 1/2
Par portion: 770 kJ/180 kcal

1 Passer l'épaule de veau à l'eau froide, l'essuyer et la détailler en cubes de 3 cm de côté environ. Saler et poivrer.

2 Mettre le bouillon de poule dans une marmite en fonte. Laver rapidement le thym à l'eau froide et l'ajouter ainsi que la feuille de laurier. Mettre la viande dans le bouillon et amener à ébullition. Couvrir et laisser frémir 1 h environ à feu doux.

3 Nettoyer les oignons nouveaux. Garder la verdure. Après 1 h de cuisson, mettre les oignons dans la marmite et laisser cuire 1 h de plus.

4 Entre-temps, pour la sauce, éplucher l'ail et laver le basilic. Les passer tous deux au hachoir électrique. Couper le vert des oignons en fines rouelles. Mettre le yaourt dans un bol. Ajouter l'ail, le basilic et le vert d'oignon. Incorporer le jus de citron et l'huile. Saler et poivrer. Mélanger la sauce rapidement au batteur électrique (à main) et la servir avec le veau chaud et les oignons nouveaux cuits.

Stufatu
(Corse)

Ingrédients pour 6 personnes:

600 g d'épaule d'agneau
600 g d'épaule de veau
    désossée
75 g de lard gras frais
1 oignon
6 tomates bien mûres
1 petite tête d'ail
1 bouquet de thym
3-4 feuilles de laurier
1 pincée d'herbes de Provence
    séchées
200 ml de vin rouge
500 g de macaronis
125 g de fromage de brebis
    corse
sel, poivre du moulin

Réalisation: 1 h 1/2
Par portion: 4 100 kJ/980 kcal

1 Détailler la viande en gros dés. Couper le lard en petits lardons. Eplucher et hacher fin l'oignon. Ebouillanter les tomates, les peler et les épépiner.

2 Faire rissoler un peu les lardons dans une grande casserole. Ajouter les oignons, puis la viande et lui faire prendre couleur. Mettre les tomates. Eplucher l'ail et le presser par-dessus. Laver le thym, enlever les feuilles et les ajouter à la viande en même temps que le laurier et les herbes séchées. Saler, poivrer. Mouiller avec le vin. Faire mijoter le tout à couvert et à feu modéré pendant 30 minutes.

3 Faire bouillir une bonne quantité d'eau salée. Y faire cuire les macaronis al dente. Préchauffer le four à 200° C. Râper le fromage.

4 Dans une terrine, ranger en alternance les couches de ragoût, de macaronis et de fromage. Faire cuire au four préchauffé (gaz: thermostat 3) à couvert pendant 30 minutes environ. Servir dans la terrine.

Poulet aux olives
(Corse)

Canard à la provençale
(Provence)

Ingrédients pour 4 portions:

1 poulet à rôtir (1,2 kg)
125 g de lard maigre fumé
125 g de champignons de
     Paris
250 g de grosses olives vertes
500 g de petites pommes de
     terre
4 tomates charnues
2 cl de cognac
sel, poivre du moulin

Réalisation: 1 h 3/4
Par portion: 2 400 kJ/570 kcal

1 Laver et brider le poulet
(attacher les cuisses et les
ailes au corps avec du fil de
cuisine). Détailler le lard en
petits lardons. Nettoyer les
champignons mais ne pas les
laver. Laisser les petits entiers,
couper les gros en deux ou en
quatre. Dénoyauter au besoin
les olives. Eplucher les
pommes de terre, les laver et
les laisser entières.
Ebouillanter, peler et épépiner

les tomates. Concasser la
pulpe.

2 Chauffer une cocotte et y
saisir rapidement les
lardons et les pommes de
terre. Ajouter les champignons,
les olives et la tomate
concassée et faire revenir.
Terminer par le poulet et le
faire dorer de toutes parts.
Ajouter le cognac. Saler et
poivrer.

3 Mettre le couvercle et faire
cuire à feu doux pendant
1 h environ. Découper le poulet
en morceaux et servir très
chaud avec les légumes.
Accompagner de pain de
campagne blanc.

• Vin conseillé: un rouge ou un
rosé corse puissant.

Ingrédients pour 4 portions:

250 g d'olives vertes
1 oignon
3 tomates
1 canard prêt à cuire (2 kg)
2 cs d'huile d'olive
1 cc de farine
100 ml de vin blanc sec
1 bouquet garni (thym, feuille
     de laurier, persil)
4 gousses d'ail
sel, poivre du moulin

Réalisation: 1 h 3/4
Par portion: 2 900 kJ/690 kcal

1 Faire blanchir les olives et
les égoutter. Eplucher et
hacher menu l'oignon.
Ebouillanter, peler, épépiner
les tomates et couper la pulpe
en dés.

2 Laver soigneusement le
canard à l'intérieur et
l'extérieur et le découper en
8 morceaux.

3 Chauffer l'huile dans une
cocotte. Y faire dorer les
morceaux de canard à feu vif.
Verser éventuellement la
graisse de cuisson. Baisser le
feu. Ajouter les tomates et
l'oignon et les faire suer
quelques instants, saupoudrer
avec la farine, saler, poivrer.
Mouiller avec le vin et 1 dl
d'eau. Mettre le bouquet garni.
Eplucher l'ail et le presser par-
dessus. Dénoyauter les olives
et les mettre dans la cocotte.
Couvrir et faire braiser à petit
feu pendant 1 h environ. Servir
avec des nouilles.

• Astuce: si la saveur des
olives est trop dominante ou si
elles sont très salées, vous
pouvez blanchir les olives
dénoyautées plus longtemps à
l'eau bouillante. Elles seront
moins amères.

• Vin conseillé: un rouge frais
de Provence.

Dinde de Noël
(Provence)

Ingrédients pour 6 portions:

1 jeune dinde avec son foie (2 kg)
2 cs de cognac
20 châtaignes
500 g de hachis de veau
1 fine barde de lard gras frais
100 ml d'huile d'olive
sel, poivre du moulin

Réalisation: 2 h
    (+ 12 h de marinade)
Par portion: 3 500 kJ/830 kcal

1 La veille au soir, faire mariner le foie de dinde dans le cognac.

2 Le lendemain, laver soigneusement la dinde à l'eau froide, la sécher. Saler et poivrer l'intérieur.

3 Inciser en croix le haut et le bas de l'enveloppe des châtaignes. Faire bouillir de l'eau dans une casserole et y laisser cuire les châtaignes

10 minutes. Les rafraîchir à l'eau froide, ôter l'écorce et la peau brunâtre sous-jacente.

4 Mélanger ensemble le hachis et la moitié des châtaignes. Enlever le foie du cognac et le hacher très fin. Le mélanger à la farce. Préchauffer le four à 180° C.

5 Remplir la dinde avec cette farce et recoudre l'ouverture. Brider la dinde. Poser la barde sur la poitrine et la ficeler également au corps de la dinde. Mettre la dinde, poitrine en dessous, dans une braisière et l'arroser avec l'huile. Glisser la dinde au four préchauffé (gaz: thermostat 2) pour 40 minutes environ. Quand elle commence à brunir, l'arroser avec le fond de cuisson. Mouiller le cas échéant avec un peu d'eau ou de vin blanc sec. Durant la cuisson, arroser la dinde toutes les 10 minutes. Après

40 minutes, retourner la volaille et poursuivre la cuisson 30 minutes. Augmenter la chaleur de 40° (2 repères de thermostat).

6 Ajouter le reste des châtaignes. Saler et poivrer la dinde et la laisser cuire encore 10 minutes.

7 Dresser la dinde sur un plat et disposer les châtaignes tout autour. Mettre le plat au chaud. Dégraisser le fond de cuisson et le passer au tamis. Verser la sauce dans une saucière.

• Variante pour la farce: dans l'huile, faire revenir sans colorer 1 oignon haché menu. Couper en morceaux 1 tranche de jambon. Ajouter le hachis et le jambon à l'oignon haché. Mouiller avec 50 ml de vin blanc sec. Saler, poivrer généreusement. Laisser mijoter le tout 10 minutes. Ajouter les

châtaignes et remplir la dinde avec cette farce.

• Variante pour l'accompagnement: mettre le fond de cuisson de la dinde dans une casserole. Ajouter 10 oignons nouveaux nettoyés et 50 g de lardons. Chauffer pour les faire colorer. Ajouter le reste des châtaignes entières. Lier avec très peu de farine. Vérifier l'assaisonnement.

• Avant de la faire cuire, vous pouvez très bien effectuer quelques incisions dans la peau de la dinde et y glisser des lamelles de truffe.

• En Provence, on sert la dinde de Noël au déjeuner traditionnel du 25 décembre.

• Vin conseillé: un château-neuf-du-pape rouge ou blanc.

Cabri en ragoût

(Corse)

Ingrédients pour 8 portions:

1,5 kg d'épaule de cabri (ou d'agneau) désossée
200 g de filet de porc
200 g de filet de veau
200 g de foie de veau
400 g d'épinards
5 cs d'huile
1 jaune d'œuf
sel, poivre du moulin

Réalisation: 1 h 1/2
Par portion: 3 750 kJ/900 kcal

1 Passer l'épaule de cabri à l'eau froide. Passer le porc, le veau et le foie à la moulinette ou les hacher finement.

2 Trier les feuilles d'épinards, bien les laver et les égoutter. Puis les laisser fondre avec 1 cs d'huile dans un faitout. Bien exprimer le surplus d'eau et les hacher menu ou les passer à la moulinette. Les mélanger au reste de la farce dans un plat creux. Ajouter le jaune d'œuf et le mélanger. Saler et poivrer.

3 Etaler l'épaule de cabri sur un plan de travail et étendre la farce dessus. Refermer la viande et l'entourer avec du fil de cuisine pour empêcher la farce de s'échapper. Préchauffer le four à 250° C.

4 Enduire un plat allant au four avec le reste de l'huile. Y mettre la viande et la faire cuire au four (gaz: thermostat 5) pendant 30 minutes environ. Arroser d'eau de temps à autre.

5 Sortir la viande. Enlever le fil de cuisine. Servir très chaud.

• Vin conseillé: un rouge corse fruité pas trop lourd ou un rosé se marient très bien avec ce plat.

Coulis de tomates – toute la saveur des tomates mûres
Le coulis de tomates est très utilisé dans la cuisine corse. Il y a très longtemps que l'on conserve de cette manière en automne les tomates bien mûres et que l'on obtient ainsi un condiment aux multiples usages. Un récipient en bois pourvu d'un trou à la base bouché par un bouchon est indispensable à sa préparation traditionnelle. Les tomates pelées et concassées cuisent dans ce récipient en donnant un jus très acide. Après quelques jours, on laisse couler ce jus par la bonde. On met les particules solides dans un sac de lin qu'on laisse égoutter. La purée ainsi obtenue est salée, étalée et séchée au soleil sur une planche de bois. Après quelques jours, on en remplit des récipients de terre ou de verre, on la recouvre d'huile et on s'en sert tout l'hiver jusqu'en été pour épicer les plats. Il faut

Sanglier en marinade
(Corse)

de temps à autre rajouter un peu d'huile afin que le mélange soit toujours recouvert et puisse se conserver.
La variante suivante est un peu plus facile à confectionner: laver 1 kg de tomates et les couper en quatre, les peler. Eplucher et hacher 3 oignons. Les faire revenir dans une casserole avec 6 cs d'huile. Ajouter 1 pointe de couteau de sucre. Faire roussir les oignons. Ajouter les tomates, saler et épicer avec 4 gousses d'ail. Faire bouillir 10 minutes en remuant souvent. Baisser le feu et laisser cuire encore 10 minutes. Poivrer. Ajouter en tournant 1 cs de basilic haché. Sert à assaisonner les potages et les sauces.

Ingrédients pour 4-6 portions:

1 kg de viande de sanglier
*   désossée*
1 oignon
1 l de vin rouge (corse de
*   préférence)*
1 bouquet garni (thym, persil,
*   laurier)*
2 cs de saindoux ou d'huile
3 gousses d'ail
2 cs de coulis de tomates (voir
*   ci-contre; ou, à défaut, de*
*   la purée de tomates)*
1 cs de farine
sel, poivre du moulin

Réalisation: 1 h 1/2
*   (+ 3 jours de marinade)*
Pour 6 portions, par portion:
*   1 400 kJ/330 kcal*

1 Détailler le sanglier en cubes de 2 cm de côté environ. Eplucher l'oignon et le couper en rondelles minces. Mettre les cubes de viande dans une terrine ou un plat de verre. Répartir les rondelles

d'oignon par-dessus. Mouiller avec le vin. Poivrer. Ajouter le bouquet garni. Poser le couvercle et laisser mariner la viande 3 jours environ dans un endroit frais.

2 Retirer les cubes de viande de la marinade à l'écumoire, laisser égoutter et éponger. Passer la marinade au tamis. Garder tous les éléments.

3 Faire fondre le saindoux ou l'huile dans une cocotte. Y raidir vivement la viande en plusieurs fois. Quand elle est raidie, la remettre dans la cocotte. Ajouter l'oignon, laisser suer un instant. Eplucher l'ail et le presser par-dessus. Ajouter le coulis ou la purée de tomates, saupoudrer avec la farine. Laisser mijoter le tout 5 minutes environ en remuant. Verser la marinade. Mettre le bouquet garni. Ajouter éventuellement un peu d'eau

pour que le liquide recouvre la viande. Saler.

4 Couvrir la cocotte et laisser braiser la viande 1 h environ à feu doux. Goûter la sauce et rectifier l'assaisonnement si nécessaire avant de servir.

• Les sangliers corses sont généralement des croisements entre des sangliers tels que nous les connaissons et des cochons domestiques vivant en liberté. Ils ont une viande un peu plus claire et une saveur moins forte. Chez nous, on ne trouve du sanglier que pendant la saison froide.

• Vin conseillé: un rouge corse à la robe foncée de Patrimonio ou d'Ajaccio par exemple.

Cuissot de marcassin

(Provence)

Ingrédients pour 6 portions:

1 cuissot de marcassin (jeune
  sanglier; 2 kg)
150 g de lard maigre fumé
sel, poivre du moulin

Pour la marinade:
4 carottes
2 oignons
2 échalotes
2 gousses d'ail
1 branche de céleri
100 ml d'huile
1 l de vin rouge
50 ml de bon vinaigre de vin
1 bouquet de persil
1 bouquet garni (thym, feuille
  de laurier, sauge, basilic)
  mélange de 3 épices
  (3 parts de poivre, 1 part de
  muscade râpée, poudre de
  girofle et gingembre en
  parts égales)
1 piment séché
1 cc de sucre
sel
quelques grains de poivre

Pour la sauce:
50 g de beurre
1 cs de farine
2 cs de glace de viande

Réalisation: 1 h 3/4
    (+ 2 jours de marinade)
Par portion: 3 000 kJ/710 kcal

1 Parer le cuissot de
marcassin et le laver à l'eau
froide. Détailler le lard en
julienne et en larder le cuissot à
l'aide d'un couteau pointu.
Saler et poivrer.

2 Pour la marinade, nettoyer,
laver et couper les carottes
en dés. Eplucher les oignons,
les échalotes et l'ail et les
hacher menu. Laver et émincer
le céleri.

3 Chauffer l'huile dans une
casserole et y faire revenir
les légumes à feu vif. Mouiller
avec le vin et le vinaigre. Laver
le persil et l'ajouter entier.
Mettre le bouquet garni, le

mélange d'épices, le piment, le
sucre et le poivre en grains
dans la marinade. Saler.
Laisser frémir le tout
15 minutes à feu doux.

4 Verser la marinade dans un
grand plat creux et laisser
refroidir. Y placer le cuissot et
laisser mariner 2 jours à
couvert dans un endroit frais ou
au réfrigérateur en retournant la
viande de temps en temps
pour qu'elle s'imprègne
uniformément de la marinade.

5 Préchauffer le four à 220°
C. Retirer le cuissot de la
marinade, le faire égoutter et
l'essuyer. Le mettre dans un
plat à gratin et le faire cuire
environ 1 h au four préchauffé
(en bas; thermostat 7).

6 Dans l'intervalle, préparer la
sauce: faire fondre le
beurre dans une casserole.
Saupoudrer avec la farine et la
faire suer jusqu'à obtention

d'un roux blanc. Verser dessus
la marinade à travers un tamis.
Baisser le feu et laisser frémir
la sauce à petit feu pendant
30 minutes environ.

7 Ajouter la glace de viande
et cuire 30 minutes
supplémentaires à feu doux et
à frémissements. Ecumer de
temps en temps.

8 Disposer le cuissot sur un
plat et le tenir au chaud.
Déglacer les sucs de cuisson
avec un peu d'eau et les
ajouter à la sauce. Donner un
dernier coup de bouillon et servir la sauce à part.

• Si la sauce était trop surette –
cela dépend surtout du vin
rouge –, ajoutez-lui 1 cs de
gelée de groseille verte pour
l'adoucir.

• La glace de viande s'obtient
en faisant réduire du bouillon
ou du fond de viande à feu

Civet de lièvre
(Provence)

modéré assez longtemps pour qu'elle prenne un aspect sirupeux (quand on y plonge une cuiller, elle doit la napper complètement).

• Vin conseillé: un château-neuf-du-pape rouge puissant ou un gigondas de la partie méridionale des côtes du Rhône.

Ingrédients pour 4-6 portions:

1 bel oignon
2 carottes
15 gousses d'ail
1 branchette de romarin, 1 de thym, 1 de sarriette et 1 de sauge (à défaut 1 cc 1/2 d'herbes de Provence séchées)
10 baies de genièvre
10 grains de poivre
1 l 1/2 de vin rouge (de Provence si possible)
1,5-2 kg de civet de lièvre non désossé
4 cs d'huile
10 cl de cognac
4-6 tranches épaisses de baguette de la veille
sel

Réalisation: 2 h 1/2
(+ 24 h de marinade)
Pour 6 portions, par portion: 2 300 kJ/550 kcal

1 Eplucher et hacher grossièrement l'oignon. Eplucher et émincer finement les carottes. Eplucher les 10 gousses d'ail, les laisser entières. Laver et éponger les herbes. Mettre ces ingrédients avec les baies de genièvre, les grains de poivre et le vin dans une terrine.

2 Désosser la viande et la couper en cubes de grosseur moyenne. Jeter les os ou les utiliser pour une soupe de gibier. Mettre la viande dans la marinade et la laisser macérer 24 h dans un endroit frais.

3 Retirer la viande de la marinade et l'égoutter. Chauffer l'huile dans une cocotte et y saisir la viande à feu vif en plusieurs fournées. La retourner souvent. Chauffer le cognac dans une louche au-dessus d'une flamme de bougie, l'allumer et le verser sur la viande. Quand elle est flambée, ajouter la marinade. Eplucher l'ail restant et le presser par-dessus. Laisser braiser le civet à couvert et à tout petit feu pendant environ 1 h 1/2.

4 Pendant ce temps, écroûter les tranches de pain. Hacher fin la mie et la passer au tamis.

5 Retirer la viande de la sauce avec une écumoire et la placer au chaud dans une terrine plate.

6 Passer la sauce au chinois, la remettre dans la cocotte et la faire réduire éventuellement. La lier à la mie de pain. Rectifier l'assaisonnement et napper la viande avec la sauce. Servir très chaud avec du pain ou des nouilles.

• Vin conseillé: un vin rouge provençal corsé, de préférence celui qui a servi à réaliser la marinade.

Fritelles

(Corse)

Ingrédients pour 4 portions:

500 g de farine
20 g de levure
2 jaunes d'œufs
1 pincée de sel
1 cs de beurre ramolli
250 ml d'eau plate
quelques gouttes de rhum ou
*   d'eau de fleur d'oranger*
1 l d'huile de friture
sucre pour saupoudrer

Réalisation: 50 minutes
Par portion: 4 000 kJ/950 kcal

1 Tamiser la farine dans une terrine. Délayer la levure dans un peu d'eau tiède, l'ajouter à la farine et laisser gonfler 15 minutes. Puis ajouter le jaune d'œuf, le sel et le beurre ainsi que l'eau plate. Bien mélanger ces éléments. Parfumer au rhum ou à l'eau de fleur d'oranger.

2 Chauffer l'huile dans une friteuse ou dans une grande casserole. Prélever la pâte à la cuiller à soupe et former des boulettes de pâte. Les faire frire quelques minutes dans l'huile bouillante jusqu'à ce qu'elles soient dorées.

3 Egoutter les boulettes et les placer sur une serviette en papier ou sur du papier absorbant. Les saupoudrer de sucre et servir chaud.

• Les fritelles à la farine de châtaignes sont très appréciées en Corse. On peut parfois se procurer cette farine dans les magasins d'alimentation naturelle ou vous pouvez la moudre vous-même. Confectionnez une pâte avec 500 g de farine de châtaignes et 2 jaunes d'œufs mélangés à 250 ml d'eau tiède légèrement salée. Puis suivez la recette. Ces fritelles à la farine de châtaignes se mangent chaudes ou froides en dessert.

Croustade

(Languedoc)

Ingrédients pour 6 portions:

Pour la pâte:
300 g de farine + farine pour le
*   plan de travail*
2 œufs
200 g de beurre ramolli
1 cs de sucre glace
1 pincée de sel

Pour la garniture:
130 g d'amandes moulues
125 g de sucre brun
1/2 cc d'eau de fleur d'oranger
1 citron non traité (zeste)

Réalisation: 4 h
*   (+ 2 h 1/4 de repos)*
Par portion: 2 800 kJ/670 kcal

1 Tamiser la farine au-dessus d'un plan de travail ou d'une terrine, creuser un puits au centre. Y casser 1 œuf. Saler. Ajouter 25 g de beurre en pommade et le sucre glace. Arroser avec 125 ml d'eau froide et travailler vigoureusement la pâte jusqu'à la formation de bulles. Laisser reposer environ 1 h dans un endroit frais.

2 Etaler cette pâte au rouleau dans une pièce fraîche sur un plan de travail frais (en marbre par ex.). Travailler un instant le reste du beurre pour éliminer l'eau. Mettre le beurre sur la pâte et refermer celle-ci sur le beurre. Abaisser la pâte en une languette jusqu'à l'apparition du beurre. Plier la languette en trois, à savoir replier le tiers de droite jusqu'au milieu, puis le tiers de gauche sur le droit. Tourner la pâte d'un quart de tour, l'abaisser en une languette et plier à nouveau celle-ci comme décrit plus haut. Tourner la pâte du côté opposé, l'abaisser et la replier encore une fois. Laisser reposer 15 minutes environ. Répéter cinq fois cet enchaînement. Diviser la pâte en deux.

Calissons d'Aix

(Provence)

3 Mélanger les amandes avec le sucre brun, l'eau de fleur d'oranger et le zeste de citron. Préchauffer le four à 220° C.

4 1 Abaisser les 2 moitiés de pâte aux dimensions d'un moule de 26 cm. Foncer un moule avec une moitié de pâte en tirant un peu les bords. Mettre la garniture. Recouvrir avec l'autre moitié. Pincer le tour du bout des doigts. Battre le second œuf dans une tasse et en dorer le couvercle. Dessiner des motifs à votre guise à la pointe du couteau.

5 Faire dorer ce gâteau au four préchauffé (gaz: thermostat 4) pendant 20-25 minutes. Laisser refroidir.

• Si vous êtes pressé, prenez de la pâte feuilletée surgelée pour confectionner cette croustade.

• Ce gâteau est toujours excellent après une semaine.

Ingrédients pour 20 biscuits:

250 g d'amandes
250 g de sucre
4-5 cs de sirop d'abricot (à défaut d'un autre sirop de fruit clair)
20 hosties alimentaires rondes (5 cm)
1 blanc d'œuf
100 g de sucre glace

Réalisation: 40 minutes
Par biscuit: 670 kJ/160 kcal

1 Mettre les amandes dans l'eau bouillante. Après 4 minutes environ, les égoutter dans une passoire. Enlever la peau foncée. Bien sécher les amandes et les moudre finement. Mélanger les amandes moulues avec le sucre. Incorporer le sirop d'abricot.

2 Chauffer cette pâte dans une casserole en tournant avec une cuiller de bois. Faire sécher un peu. Oter du feu.

3 Répartir la pâte sur les hosties. Laisser refroidir. Préchauffer le four à 200° C.

4 Entre-temps, mélanger ensemble le blanc d'œuf et le sucre glace dans un bol. Une fois le sucre fondu, napper les biscuits avec cette glace.

5 Poser les biscuits sur une tôle à pâtisserie et les faire cuire 10 minutes environ au four préchauffé (gaz: thermostat 3).

• Les calissons d'Aix sont une pâtisserie pascale traditionnelle à Aix-en-Provence. L'archevêque distribuait naguère les biscuits consacrés après la messe de Pâques devant le portail de l'église. Ils étaient censés protéger les gens des maladies et des épidémies.

143

Les 13 desserts de Caléna

(Provence)

*Ingrédients pour la galette de
Noël (8 portions):*

*700 g de farine
1,5 dl d'huile
45 g de levure
2 œufs
1 orange ou 1 citron non traités
sel*

*Réalisation: 1 h 1/2
(+ 25 h de repos)
Par portion: 2 100 kJ/500 kcal*

La galette de Noël à l'huile fait
partie des 13 desserts de Noël
traditionnels en Provence. Si
les autres éléments de cette
corbeille de friandises sont
interchangeables, la galette de
Noël est un élément obligatoire
du menu de réveillon.

En Provence plus que partout
ailleurs en France, on observe
les us et coutumes lors des
grandes fêtes. C'est ainsi que
les préparatifs de Noël commencent déjà le
4 décembre, à la Sainte-
Barbara, quand la maîtresse de
maison met des grains de blé
et des lentilles à germer dans
deux soucoupes remplies
d'eau. Les germes verts
décoreront la table du réveillon
et ensuite la crèche.

La tradition de la crèche de
Noël vient d'Italie. Chaque
famille, chaque église a sa
crèche – on peut acheter les
santons dans les marchés de
Noël. Outre les personnages
habituels de la crèche, ceux
qui apportent à manger à
l'Enfant Jésus sont mis en
avant – et notamment celui qui
porte la galette de Noël. Le soir
du réveillon, avant la messe, il
y avait jadis le «gros souper»
qui s'achevait par les 13 desserts; le chiffre 13 n'avait rien
à voir avec le nombre des
éléments, mais symbolisait les
forces que le peuple leur
prêtait.

Hormis l'indispensable galette
de Noël, les 13 desserts
comportent les quatre
mendiants: amandes, figues,
noisettes et raisins secs. Leurs
couleurs rappellent les
défroques des quatre ordres
mendiants. On y ajoute aussi
des dattes. Le deuxième
élément important sont des
fruits frais que l'on a conservés
exprès depuis l'automne:
poires, melons d'hiver,
grenades et raisins. Le
troisième élément sont des
biscuits et des confiseries:
nougat, calissons, pâtes de
coings, fruits confits et – selon
les régions – toutes sortes de
pâtisseries rondes aux
garnitures diverses.

Dans la tradition provençale,
on ne coupe pas le gâteau,
mais on le rompt le long des
entailles. Celui qui découpe le
gâteau avec un couteau fera
faillite l'an prochain!

1 Tamiser 200 g de farine au-
dessus d'une terrine. Verser
l'huile. Diluer la levure dans un
peu d'eau tiède, l'ajouter et
mélanger le tout. Couvrir et
laisser gonfler cette pâte 24 h
environ dans un endroit frais.

2 Le lendemain, tamiser le
reste de la farine au-dessus
d'une terrine. Râper le zeste de
l'orange ou du citron et
l'ajouter. Travailler ce mélange
avec les œufs et la pâte.
Ajouter un peu d'eau si besoin
est. Laisser encore gonfler
cette pâte pendant 1 h environ.

3 Sur un plan de travail, étaler
cette pâte sur une
épaisseur de 3 cm. Donner à la
galette une forme circulaire. La
placer sur une tôle farinée ou
un moule rond. Préchauffer le
four à 220° C.

4 A l'aide d'un couteau bien aiguisé, entailler le gâteau en étoile du centre vers les bords. Faire dorer 30 minutes au four préchauffé (gaz: thermostat 4). Laisser refroidir 20 minutes. Servir tiède.

L'ail et les olives – toute la saveur du Midi

L'ail, ce bulbe blanc à rosé de la grosseur d'une noix et à la saveur forte, a certes un goût de vacances, de soleil et de Méditerranée, mais il était déjà connu dans l'Antiquité pour ses vertus médicinales en cas de fièvre et d'asthénies.

Sans ail, point de cuisine française et de cuisine provençale en particulier. Les grands maîtres de la gastronomie française l'emploient tout comme la fermière du Midi – seuls les dosages diffèrent. Ainsi, à l'âge d'or de la haute cuisine au début de ce siècle, le chef cuisinier prenait le «soupçon» d'ail au pied de la lettre. Il croquait dans une gousse et soufflait sur le plat terminé. Actuellement, soupçon d'ail se traduit par frotter la casserole avec une demi-gousse d'ail.

D'un autre style, vous avez l'aïoli, une sorte de pâte à l'ail qui a donné son nom à un plat, ou encore la rouille, une mayonnaise à l'ail relevée au cayenne sans laquelle la bouillabaisse serait orpheline. L'ail est le condiment des sauces de salades, de l'agneau, de certains saucissons, du poisson et des tomates.

L'ail tout blanc, que l'on trouve frais au printemps sur les marchés, est très doux. Les variétés rosées, moins précoces et vendues séchées, se conservent néanmoins plus longtemps. Si vous n'employez l'ail que rarement en cuisine, mettez au garde-manger de l'huile d'ail, du sel d'ail ou des gousses d'ail conservées dans l'huile.

Quand on cuisine à l'ail, c'est

La récolte des olives. Les fruits ne sont plus que rarement cueillis à la main, aujourd'hui on recueille les olives mûres qui tombent de l'arbre dans de grands filets.

que les olives et l'huile d'olive ne sont pas loin. En France, on peut affirmer sans crainte que si on cuisine à l'huile d'olive, on est dans le Sud.

Les oliviers sont pratiquement cantonnés en Provence et en Corse. Les olives de table vertes et précoces apparaissent déjà à la fin de l'été sur les marchés. On les met à macérer dans des saumures, légèrement écrasées

et on les épice souvent avec des herbes comme le fenouil. Les olives foncées à noires cueillies à pleine maturité n'arrivent que plus tard. C'est avec elles que l'on confectionne la délicieuse tapenade, par exemple. Cette préparation à base d'olives, de sardines et de câpres se déguste sur du pain grillé ou sert à relever des sauces ainsi que les lapins ou les poulets en daube.

Les olives dont on extrait l'huile mûrissent plus tardivement. La meilleure huile d'olive de France, l'huile vierge, est obtenue par pression à froid selon des moyens purement mécaniques. La pulpe des fruits concassés dans l'huilerie est répartie sur des scourtins empilés les uns sur les autres. Ce léger poids suffit à faire s'écouler spontanément la précieuse huile.

La saveur fruitée et pure de l'huile d'olive provençale a la faveur des gourmets. Elle est digeste et est employée aussi bien pour poêler et rôtir que pour les vinaigrettes.

Il ne faut jamais conserver de l'huile d'olive dans un endroit trop frais, puisqu'elle flocule vers 6° et qu'elle durcit à 0°.

En haut: sur un étal de marchand, on vante la nouvelle récolte d'huile d'olive. Bien que cela aille de soi, on souligne qu'il s'agit d'une première pression à froid.

En bas: différentes préparations d'olives noires et vertes sur un marché. Au premier plan à droite, les célèbres «olives cassées» à l'ail et au persil.

L'ail est l'un des principaux condiments de la cuisine du sud de la France.

Les herbes et les essences

Les herbes sont les principales épices de la cuisine française. Pas de marinade, pas de daube, pas de ragoût de poissons sans le fameux *bouquet garni* composé d'une feuille de laurier, de persil, de fenouil et/ou de thym, soigneusement ficelé et que l'on retire avant de servir le plat. Ce bouquet garni donne aux mets ce tendre arôme qui se marie si intimement aux autres ingrédients qu'il en devient indissociable.

Il en va tout autrement en Provence. Le voyageur est immergé toute la journée dans le parfum des herbes et, quand il se met à table, des effluves aromatiques venant de la cuisine lui chatouillent les narines. En haute Provence surtout, la cueillette des herbes médicinales et aromatiques est une vieille tradition. Elles développent leurs arômes sous le soleil brûlant des hauts plateaux, et les moutons, qui dédaignent ces herbes, favorisent leur croissance en broutant les plantes concurrentes environnantes.

Les *herbes de Provence*, un mélange d'herbes séchées, sont bien connues partout. Il se compose de thym, de basilic, de fenouil, de fleurs de lavande, de sarriette et d'une sarriette de montagne qui ne pousse que là-bas. Cela vaut la peine, en achetant ce mélange d'herbes séchées, de privilégier la qualité, quitte à dépenser un peu plus.

On peut remplacer les herbes de Provence par le mélange suivant originaire de la région niçoise, que j'ai trouvé dans un vieux recueil de cuisine: faire sécher 20 g de thym, 20 g de feuilles de laurier, 20 g de sarriette, 20 g de clous de girofle, 20 g d'écorce d'orange et 1 noix de muscade et piler le tout au mortier. Conserver ce mélange dans un récipient fermant hermétiquement et l'ajouter à faibles doses dans les civets ou les ragoûts.

Il serait injuste envers la cuisine provençale de n'employer que des mélanges. Ce serait oublier toute la série des herbes délectables qui seules, à deux ou à trois, confèrent aux plats légèreté, originalité et succulence.

• Le thym n'est pas limité au bouquet garni, il parfume aussi le poisson, la viande grillée, les marinades pour gibier, les pâtés, la volaille.
• La sauge convient bien aux plats de porc.
• Les graines de fenouil aromatisent les poissons grillés.
• Le romarin se marie aux poissons et aux côtes d'agneau ainsi qu'au fromage frais de chèvre ou de brebis.
• Le basilic relève bien les volailles et les sauces.
• Le laurier est ajouté dans les marinades de poissons ainsi que dans la sauce blanche accompagnant le veau ou le poulet.
• L'estragon épice les tomates et la volaille.
• Le cerfeuil n'est pas un condiment propre au sud de la France. Il a un goût mi-doucereux, mi-aromatique et on l'emploie volontiers pour assaisonner soupes aux herbes, plats à base d'œufs et agneau.
• La ciboulette, hachée, agrémente les salades ou les fromages blancs.
• Les «fines herbes» font maintenant référence, dans la majorité des cas, au persil haché. Autrefois, on désignait par là un mélange de persil, de cerfeuil, d'estragon et parfois aussi de ciboulette. En fine cuisine, on ajoutait de surcroît des champignons de Paris et des truffes.

Si vous ne pouvez vous procurer ces herbes à l'état frais, utilisez-les séchées, mais en prenant garde au dosage. Il en faut très peu, car les herbes séchées ont une saveur plus intense.

Les herbes se congèlent bien. Mettez le bouquet séché dans un sachet de congélation. Les

herbes surgelées n'ont pas besoin d'être décongelées. Il suffit de les émietter délicatement entre les doigts et de les jeter aussitôt dans la préparation.

Dans le sud de la France, l'art de préparer des essences aromatiques remonte à la fin du Moyen Age. Nostradamus,

l'illustre prophète, était natif de Salon-de-Provence, et c'est lui qui, grâce à la somme des connaissances botaniques acquise au long de ses études de médecine, sauva la vie à de nombreuses personnes pendant la grande épidémie de peste de 1525 avec ses essences aromatiques et ses mesures d'hygiène. Plus tard, il s'occupa également de la fabrication de crèmes de beauté, de pilules d'amour et de parfums à base d'essences de fleurs et de plantes.

Au XVIe siècle, les paysans provençaux distillaient déjà de l'essence de lavande qui servait surtout à soigner les plaies. Depuis les années 1920, la lavande est cultivée sur de vastes superficies. Les parfumeurs de Grasse prolifèrent et la Provence est aujourd'hui le leader de la fabrication des parfums et des essences aromatiques. Les essences de fleurs, comme l'eau de fleur d'oranger, l'eau de girofle ou de rose, sont principalement destinées à l'industrie cosmétique, mais quelques gouttes parfument la cuisine et les desserts, et notamment des plats de viande, pâtés et terrines essentiellement.

Fabriquer soi-même des *essences aromatiques* n'est pas si difficile que cela: ébouillanter avec du vin blanc ou du vinaigre des herbes fraîches comme du cerfeuil, de l'estragon ou du persil. Laisser infuser le mélange 20 minutes environ et le passer au tamis. Faire réduire le liquide d'un quart. L'essence se garde longtemps dans un flacon bien bouché.

Parmi les essences fréquemment utilisées en haute cuisine, il y a aussi l'essence d'ail, d'oignons, d'amandes, de truffes et de champignons de même que les fonds à base de poisson, de viande, de volaille ou de légumes. On les trouve en pots dans le commerce.

Page 148 en haut: des herbes de Provence, de la lavande et de l'ail sont proposés dans cette boutique qui embaume tous les parfums du Midi.

Page 148 en bas: récolte de la lavande. On élabore avec les fleurs des essences parfumées. Mais on les utilise aussi en très petites quantités dans la cuisine.

Tout en haut: savons naturels aux herbes, aux algues, à l'olive et aux essences de fleurs.

Ci-dessus: Grasse est renommée pour son industrie de la parfumerie. Ces ballons contiennent les essences qui serviront à fabriquer des parfums.

Le Sud-Ouest: Midi-Pyrénées, Aquitaine

Bordelais, Pays basque, Béarn, Gascogne, Périgord

Crépuscule sur l'Atlantique:
Des filets de pêche au-dessus de la mer

Les produits du terroir

L e Sud-Ouest est un grand fourre-tout. La région située entre le littoral atlantique méridional et les Pyrénées a été traversée depuis des temps immémoriaux par de nombreux peuples. Bordeaux, par exemple, a appartenu tantôt à l'Aquitaine, tantôt à la Gascogne, sans compter une occupation anglaise longue de trois cents ans. La division en départements a mis un semblant d'ordre, mais les frontières s'écartent des entités naturelles et les régions actuelles Midi-Pyrénées et Aquitaine ne correspondent pas aux provinces historiques. Essayons tout de même de nous y retrouver grâce à la géographie.

La Côte d'Argent, prolongée au sud par la côte basque, s'étend vers le sud depuis l'estuaire de la Garonne. Des dunes gigantesques caractérisent le paysage au nord, celle du Pyla culminant à 100 mètres. L'arrière-pays était naguère marécageux, dans la mesure où l'ensablement des voies d'eau empêchait l'écoulement de l'eau. De nos jours, on y cultive du maïs et des forêts de pins entrecoupées de lacs peu profonds stabilisant le sol. La côte basque, longeant les Pyrénées, est profondément découpée. Les stations balnéaires comme Saint-Jean-de-Luz et Biarritz jouissent d'un climat doux. A l'arrière, les Pyrénées françaises ont des sommets allant jusqu'à 3 000 mètres. A l'ouest, là où elles descendent vers la mer, des champs, des vastes prairies et des forêts de feuillus peuplent les amples vallées. Dans les Pyrénées centrales, en haute montagne, de ravissants sentiers de randonnée isolés traversent des gorges encaissées pour mener à des cascades et à des lacs. Vers l'est, la contrée devient aride, les pins et les maquis dominent le paysage.

La région Aquitaine comprend également le Périgord, flanquant le Massif central à l'ouest. Le Périgord noir excessivement boisé au sud de la Dordogne fait face au Périgord blanc au sud. Les Romains y plantèrent des noyers et des châtaigniers dont les fruits sont aujourd'hui encore l'un des principaux produits du terroir.

Le nombre de produits et de cuisines régionales est très varié. Dans le Pays basque, c'est surtout la réputation du jambon de Bayonne qui a franchi les frontières. D'ailleurs Bayonne serait aussi la ville natale du chocolat. Les spécialités basques ont des noms exotiques, ainsi le ttorro, une soupe de poissons de mer. Le poisson et l'agneau sont les ingrédients de base de quantité de spécialités basques. Dans le Béarn voisin, on élève des pintades, des poulets de maïs à la chair jaune et des dindes dans les forêts. Les oies et les canards sont transformés en confits qui se dégustent seuls ou en ragoût.

La Gascogne est le paradis des chasseurs. Le gibier et le poisson font partie des trésors régionaux, mais toutes sortes de légumes et les cèpes sont largement représentés dans cette cuisine simple mais raffinée.

C'est le pays de l'armagnac, le frère méridional généreux du cognac, qui donne aux plats de viande et de volaille un accent original.

Entre le Lot et la Garonne, des arbres fruitiers à perte de vue poussent sur des sols alluviaux fertiles. Le Sud-Ouest est le deuxième producteur de pommes de table, mais les pêches, les poires, les tomates, les asperges, les aubergines, l'ail et les melons y foisonnent également.

En région bordelaise, zone d'origine de nombreux grands crus de réputation internationale, on pratique une cuisine princière au charme simple. Les préparations à base de vin sont légendaires, à l'instar de la fameuse entrecôte bordelaise. Les huîtres d'Arcachon sont recherchée par les gourmets.

Le Périgord, enfin, produit l'exquise truffe noire et dans la France entière, un plat «à la périgourdine» signifie que des truffes entrent dans sa préparation. Mais cette belle région produit également de succulents cèpes. Les spécialités telles que les galantines et les pâtés réjouissent le cœur des gourmets. Les mets sont cuisinés non au beurre, mais à la graisse d'oie ou au saindoux.

A droite: cèpes géants de la vallée de la Dordogne.

A droite au centre: paysage idyllique à Domme en Dordogne.

A l'extrême droite: jambons crus et saucissons secs dans une charcuterie de Saint-Jean-de-Luz dans le Pays basque.

Ci-dessous: panneau publicitaire pour le foie gras, une spécialité du Périgord.

FOIES GRAS DU PERIGORD
Delpeyrat
SPECIALITES DU TERROIR

A droite: troupeaux de moutons dans les Pyrénées.

A l'extrême droite: vue sur la vieille cité vinicole de Saint-Emilion dont les élégants vins rouges ont contribué à la renommée de la région viticole de Bordeaux. De nombreux domaines de production ont leur siège dans cette ville.

153

Les gens, les festivités, les curiosités

A l'extrême sud-ouest de la France vit actuellement à peu près un dixième du peuple basque dont l'origine est un mystère et dont la langue est le seul idiome non indo-européen en Europe occidentale. Les dépositaires de cet héritage culturel sont surtout les Basques des montagnes. Pour aborder la tradition et la manière de vivre des Basques, il vaut la peine d'assister en été à leurs joutes où à des sports locaux tout à fait typiques. Les processions de la Fête-Dieu organisées un peu partout en Pays basque gagnent également à être vues.

Biarritz l'élégante passe pour être la station balnéaire la plus célèbre au monde. On y admire surtout ses superbes plages et son port de pêche coloré enserré entre des falaises abruptes. Pau, l'ex-capitale des Comtes de Béarn, est basque elle aussi. C'est là que vécut la mère d'Henri IV et

on peut encore visiter le château comtal.

Bayonne, à l'intersection des cultures basque et gasconne, occupait une position clé, verrouillant le passage des cols pyrénéens. La ville est dominée par d'anciennes fortifications. Elle a donné son nom à la baïonnette fabriquée par ses armuriers.

Tarbes, et sa cathédrale de style gothique primaire, est la capitale de l'ancien comté de Bigorre et de l'actuel département des Hautes-Pyrénées. Dans les grottes d'Aurignac, on peut voir les traces des peuplements préhistoriques de la région. Au sud de Tarbes, Lourdes, haut lieu de pèlerinage, reçoit annuellement la visite de plusieurs millions de croyants.

Toulouse, la quatrième ville de France, est en fait le chef-lieu du Languedoc, même si elle n'appartient pas à la région du

même nom. Centre économique du Midi, elle fut fondée par les Celtes et colonisée par les Romains avant de devenir la capitale des Wisigoths et par la suite le centre de l'Aquitaine. La ville est bâtie au bord du canal du Midi, reliant l'Atlantique à la Méditerranée. Saint-Sernin, l'un des plus beaux édifices romans sinon le plus beau, est une des étapes du pèlerinage de Saint-Jacques-de-Compostelle.

Périgueux, la capitale du Périgord, aujourd'hui siège épiscopal, nous propose ses ruines romaines et ses églises médiévales.

Le Périgord offre au visiteur les traces les plus anciennes de l'existence humaine. L'homme de Cro-Magnon y a vécu. De nombreux gisements paléolithiques, haches de pierre, grottes ornées et squelettes en attestent. La célèbre grotte de Lascaux n'est plus ouverte au public pour des raisons de

conservation, mais on a créé un Lascaux II avec des copies des merveilleuses peintures rupestres.

Rocamadour, vieux bourg pittoresque du Quercy en surplomb d'une gorge, présente une chapelle miraculeuse avec une madone noire du XIIe siècle qui attirait une foule de pèlerins à l'époque médiévale.

Et pour conclure, Bordeaux, la ville portuaire à l'embouchure de la Gironde, était déjà l'une des principales cités gauloises et, de nos jours, c'est une grande métropole commerciale et surtout le centre vinicole du Bordelais. Le centre-ville est un bel exemple de l'architecture du XVIIIe.

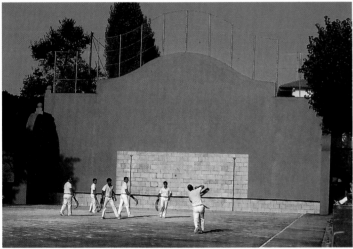

Tout en haut: la place de la Liberté à Bayonne, commandant l'accès aux cols des Pyrénées orientales et ancienne ville fortifiée.

Au centre: pelotaris à Saint-Jean-de-Luz. La pelote est envoyée contre le mur à main nue ou avec un gant.

En haut à droite: Sarlat dans le Périgord est une ville en forme de cœur située au nord de la Dordogne. Elle fut jadis la capitale du Périgord noir.

A droite: la plage de rêve de Biarritz, l'une des stations balnéaires les plus huppées du monde, sur le golfe de Gascogne, à l'extrême sud-ouest de la France, au bord de l'Atlantique.

A gauche: dans le Pays basque, on met un point d'honneur à pratiquer les sports basques traditionnels à l'occasion de fêtes, comme ici la lutte à la corde.

Les vins

Le Sud-Ouest possède deux régions viti-vinicoles diamétralement opposées. D'un côté le Bordelais, la plus grande région de production de vins de qualité au monde avec ses grands crus très estimés, de l'autre des petites régions éparses, historiquement significatives, regroupées sous le nom prosaïque de Sud-Ouest.

A l'époque gallo-romaine, la région de Bordeaux produisait déjà des vins réputés qui ne ressemblaient toutefois en rien aux vins actuels. Plus tard, ce furent les Anglais qui favorisèrent la production vinicole. «Claret» est le nom d'un vin rouge pâle qui suscitait un grand engouement. La caractéristique de tous les vins de Bordeaux est l'assemblage de divers cépages: le cabernet-sauvignon pour son riche bouquet, son potentiel de vieillissement et son élégance, le merlot pour son moelleux, sa finesse et sa robe, le verdot pour sa puissance. Finalement, le cabernet franc, le «petit cousin» du délicat cabernet-sauvignon, a des propriétés similaires à ce dernier mais il est moins racé. Les blancs sont vinifiés avec du sauvignon à cause de son goût délicat, avec du sémillon blanc pour son ton muscat ainsi qu'avec de la muscadelle très aromatique.

Les vins de châteaux du Médoc, une étroite bande de terre au nord de Bordeaux, classés officiellement en 1855, sont tout en haut de l'échelle. Ce sont tous des rouges. Même les crus de Sauternes et de Barsac, à la limite sud de la région, furent classés dès 1855. Ici un vin blanc domine – le château-d'iquem, vin liquoreux élaboré à partir de raisins attaqués par le botrytis (pourriture noble). Ce n'est qu'après une longue maturation qu'il arrive à son apogée.

Saint-Emilion est connu pour ses vins rouges souples et fins. Pomerol offre aussi des rouges subtils. Le château-pétrus passe pour le vin rouge le plus onéreux de la terre. Reste Graves qui s'étend jusqu'aux faubourgs sud de Bordeaux. Le plus majestueux des graves est le haut-brion, un vin rouge qui fut classé en 1855 avec les grands médocs. Les blancs sont secs, mais aussi demi-secs, les rouges sont souples, équilibrés et bouquetés.

Au-delà de tous les crus classés réservés à des occasions spéciales, il ne faudrait pas négliger les bonnes bouteilles portant les appellations bordeaux, bordeaux supérieur ou des appellations régionales. On trouvera parmi elles des rouges comme des blancs très agréables à boire tous les jours.

A proximité de la ville de Bordeaux, mais n'appartenant déjà plus au Bordelais, se trouve la région de Bergerac où les rouges et les blancs sont élaborés à partir de cépages identiques à ceux de la région voisine. Une de ses spécialités est le monbazillac, un vin liquoreux très alcoolisé de tradition ancienne.

A l'extrême sud-ouest de la région, les contreforts des Pyrénées près de Pau sont la terre d'élection des vignobles du Jurançon qui donnent un vin blanc légendaire qui aurait servi à baptiser Henri IV. Ce vin blanc moelleux qui a une bonne aptitude à vieillir est devenu aujourd'hui une sorte de curiosité. Au nord-ouest de Pau, on trouve deux spécialités, le pacherenc-du-vic-bilh blanc et doux, et le madiran rouge. Ce dernier était au Moyen Age un vin de messe très réputé, les pèlerins le firent connaître jusqu'au fin fond de l'Europe.

Le troisième îlot viticole est situé près de Toulouse. Gaillac est surtout renommé pour ses vins pétillants qui ne sont pas élaborés selon la méthode champenoise, mais fermentés sans addition de sucre, préservant ainsi son caractère de vin fruité. Citons enfin le vin «noir» de Cahors, le plus foncé.

Vendanges dans la région de Saint-Emilion où l'on élabore uniquement des vins rouges de grande qualité.

Recettes régionales

Soupes et entrées

158 Tourain
(Périgord)
158 Le mourtaïrol
(Périgord)
159 Soupe aux haricots et à l'oseille
(Périgord)
160 Œufs frits à la gasconne
(Gascogne)
162 Cèpes à la bordelaise
(Bordelais)
162 Cèpes Côte d'Argent
(Bordelais)
163 Pipérade
(Pays basque)

Poissons et fruits de mer

164 Mouclade
(Bordelais)
164 Chipirons à la basquaise
(Pays basque)
165 Coquilles Saint-Jacques à la bordelaise
(Bordelais)
166 Ttorro
(Pays basque)
168 Lotte à la bergeraçoise
(Bordelais)
168 Sole à la gasconne
(Gascogne)
169 Truites du Gave
(Béarn)

Viandes et volailles

170 Entrecôte à la bordelaise
(Bordelais)
170 Escalopes à la cajarçoise
(Périgord)
171 Faux-filet à la landaise
(Gascogne)
172 Confit de canard
(Périgord)
174 Lièvre en cabessal
(Périgord)

Desserts et pâtisseries

176 Gâteau à l'armagnac
(Gascogne)
176 Flaugnarde
(Périgord)
177 Gâteau des rois
(Bordelais)
178 Millassou
(Périgord)
178 Friands périgourdins
(Périgord)
179 Pruneaux au vin rouge
(Bordelais)
179 Œufs au lait
(Quercy)

Tourain

(Périgord)

Ingrédients pour 4 portions:

2 gros oignons
500 g de tomates
1 cs de saindoux
1 gousse d'ail
1 cs de farine
8 petites tranches de pain
  blanc ou de pain de
  campagne blanc rassis
100 g de gruyère fraîchement
  râpé
1 jaune d'œuf
sel, poivre du moulin

Réalisation: 1 h 1/4
Par portion: 1 100 kJ/260 kcal

1 Eplucher et couper les oignons en minces lamelles. Ebouillanter les tomates, les peler et ôter les graines; concasser la pulpe.

2 Dans un faitout, chauffer le saindoux. Y faire fricasser les oignons, c'est-à-dire dorer sans roussir, ce qui donnerait un goût amer au bouillon.

Ajouter l'ail épluché et pressé. Saupoudrer avec la farine qui doit aussi prendre couleur. Mouiller avec 100 ml d'eau chaude environ et ajouter 900 ml d'eau chaude. Saler, poivrer. Ajouter le concassé de tomates.

3 Couvrir et laisser cuire la soupe 45 minutes environ à feu modéré.

4 Pendant ce temps, mettre la moitié du pain au fond d'un tourain en terre. Parsemer de gruyère râpé et recouvrir avec le reste du pain. Préchauffer le four à 250° C.

5 Lier le bouillon avec le jaune d'œuf. Passer au tamis et verser sur les tranches de pain. Faire gratiner au four (gaz: thermostat 5) pendant 5 minutes environ.

Le mourtaïrol

(Périgord)

Ingrédients pour 4 portions:

500 g d'abattis de poule
2-3 os de veau
2 bouquets d'herbes potagères
2 x 0,1 g de safran en poudre
4 tranches épaisses de pain
  blanc ou de pain de cam-
  pagne blanc
sel

Réalisation: 2 h 1/4
Par portion: 1 100 kJ/260 kcal

1 Laver les abattis de poule et les os de veau à l'eau fraîche. Nettoyer et laver les herbes potagères.

2 Mettre ces ingrédients dans une marmite et les recouvrir de 2 litres d'eau froide. Faire cuire à couvert et à feu modéré pendant 1 h 1/2 environ. Ecumer de temps en temps. Saler.

3 Passer le bouillon à l'étamine. Dégraisser au

besoin, à savoir enlever la graisse à l'écumoire ou bien passer à la surface du bouillon un glaçon enveloppé dans du papier absorbant. Cela fera durcir la graisse qui adhérera au papier.

4 Saupoudrer avec le safran et mélanger. Vérifier l'assaisonnement. Préchauffer le four à 200° C.

5 Mettre le pain au fond d'un tourain en terre. Verser juste assez de soupe pour tremper les tranches de pain. Placer la terrine au four préchauffé (gaz: thermostat 3).

6 Réchauffer le reste de la soupe sur le feu. Verser constamment de la soupe dans le tourain au four. Après 30 minutes environ, retirer le tourain du four. Ajouter le reste de la soupe. Servir très chaud.

Soupe aux haricots et à l'ose[...]
(Périgord)

• Variante: préparer cette soupe avec des vermicelles à peine précuits.

• Dans les familles paysannes périgourdines, on servait cette soupe quand le plat de résistance consistait en des abats de volaille. La plante de safran, une espèce de crocus, était naguère cultivée en Périgord, mais on n'en trouve plus de nos jours.

• Dans le Quercy, le mourtaïrol est un pot-au-feu au hachis de bœuf, aux marrons, aux navets, aux carottes et aux pommes de terre – relevé et coloré au safran, comme il se doit.

Ingrédients pour 6 portions:

750 g de haricots blancs secs (lingots)
2 oignons
250 g d'oseille
2 cs de graisse d'oie
1 cs de farine
6 tranches minces de pain de campagne clair rassis
sel, poivre du moulin

Réalisation: 3-3 h 1/2
Par portion: 2 200 kJ/520 kcal

1 Verser 3 litres d'eau dans une marmite. Saler. Porter à ébullition. Y jeter les haricots blancs.

2 Eplucher et hacher menu les oignons. Couper les pédoncules et les côtes de l'oseille. Les passer à l'eau froide, les égoutter. En réserver un quart environ.

3 Faire fondre 1 cs de graisse d'oie dans une poêle.

Y faire dorer les oignons. Saupoudrer avec la farine et lui laisser prendre couleur en remuant bien.

4 Prendre de l'eau bouillante dans la marmite avec une louche pour mouiller le roux. Décoller soigneusement la farine du fond de la poêle. Mettre le roux dans la marmite.

5 Dans la même poêle, chauffer le reste de la graisse d'oie. Ajouter les trois quarts des feuilles d'oseille et les laisser fondre. Les ajouter à la soupe.

6 Laisser cuire la soupe 2-3 h à feu doux. Les haricots doivent être presque sur le point de se défaire. Incorporer le reste de l'oseille.

7 Mettre les tranches de pain dans un tourain en terre. A la louche, verser dessus assez de légumes et de soupe pour

les tremper. Couvrir et tenir au chaud 15 minutes.

8 Allonger éventuellement cette grosse soupe, dans laquelle une cuiller tient debout, avec un peu d'eau chaude ou de bouillon de légumes. Servir chaud.

• Dans l'ancien temps, on plaçait le tourain sous l'édredon pour le garder au chaud. On ajoutait à cette soupe épaisse un peu de bouillon de légumes ou un petit verre de vin blanc sec.

• Vous pouvez apprêter de la même manière une soupe aux haricots blancs, aux pommes de terre, aux carottes, aux céleris et aux tomates.

Œufs frits à la gasconne
(Gascogne)

Ingrédients pour 4 portions:

2 petites aubergines (500 g)
500 g de tomates
125 ml d'huile d'olive
1 gousse d'ail
4 tranches de jambon de
    Bayonne (100 g; à défaut,
     un autre jambon cru doux)
2 cc de beurre
750 ml d'huile de friture
8 œufs
1 bouquet de persil
sel, poivre du moulin

<u>Réalisation:</u> 1 h 1/2
Par portion: 4 000 kJ/950 kcal

• Le jambon de Bayonne
originaire de la ville portuaire
homonyme au pied des
Pyrénées est un jambon cru
fumé très doux. Dans le sud de
la France, on l'apprécie avec
des tomates et des œufs
comme entrée chaude.

• Servis en entrée, ces œufs
frits sont pour 8 personnes.

• Vin conseillé: un bordeaux
blanc sec tel un graves ou un
bergerac.

1 Peler et tailler les aubergines en tranches de 1 cm d'épaisseur. Disposer ces tranches sur une assiette et les saupoudrer de sel. Laisser dégorger 1 h environ.

2 Dans l'intervalle, ébouillanter les tomates, les peler, les couper en deux et ôter les graines. Couper la pulpe en petits dés. Dans une casserole, chaufffer 4 cs d'huile d'olive, y ajouter les dés de tomates. Eplucher la gousse d'ail et la presser par-dessus. Saler et poivrer.

3 Couvrir la casserole et faire cuire les tomates 20 minutes environ. Passer la purée au tamis et garder au chaud.

4 Essuyer les aubergines avec du papier absorbant. Chauffer le reste de l'huile d'olive dans une poêle. Y faire dorer les tranches d'aubergines des deux côtés. Les égoutter sur du papier absorbant. Les dresser sur un plat et les garder au chaud.

5 Détailler le jambon en fines lanières. Faire fondre le beurre dans une poêle et y faire sauter le jambon quelques instants.

6 Porter l'huile à haute température dans une friteuse. Casser un œuf dans une assiette et le faire glisser délicatement dans l'huile chaude. Recouvrir aussitôt le jaune du blanc à l'aide d'une cuiller pour reconstituer l'œuf.

7 Une fois que le blanc est doré, enlever l'œuf et le faire égoutter. Le dresser sur les tranches d'aubergines. Procéder ainsi avec le reste des œufs.

8 Répartir le jambon sur les œufs frits. Verser dessus la purée de tomates. Saler avec précaution. Passer rapidement le persil à l'eau froide, l'éponger, le hacher et en parsemer le plat. Servir très chaud.

Cèpes à la bordelaise

(Bordelais)

Ingrédients pour 4 portions:

1 kg de cèpes
200 g de jambon cru maigre
2 gousses d'ail
1 petit bouquet de persil
quelques branches de cerfeuil
1/2 botte de ciboulette
100 ml d'huile d'olive
2-3 cs de jus de citron
sel, poivre du moulin

Réalisation: 1 h
Par portion: 2 100 kJ/500 kcal

1 Séparer les pieds des têtes de cèpes. Nettoyer les deux mais sans les laver, les essuyer seulement.

2 Griller les pieds un instant à sec dans une poêle afin qu'ils rendent de l'eau.

3 Hacher finement les pieds et le jambon. Eplucher les gousses d'ail et les écraser avec un couteau à lame large. Laver les herbes et les hacher fin. Mélanger le tout.

4 Chauffer la moitié de l'huile dans une terrine ou dans une cocotte. Mettre la moitié du mélange pieds de cèpes-herbes dans la cocotte et répartir les têtes par-dessus. Recouvrir avec le reste des pieds hachés. Arroser avec le reste de l'huile. Saler, poivrer.

5 Couvrir la terrine ou la cocotte et faire cuire 45 minutes environ à feu très doux.

6 Arroser les cèpes de jus de citron et les servir dans le plat de cuisson.

• Vin conseillé: un bordeaux sec blanc ou rouge, tel un graves.

Cèpes Côte d'Argent

(Bordelais)

Ingrédients pour 4 portions:

500 g de tomates bien mûres
100 ml d'huile d'olive
12 têtes de cèpes (500 g;
réserver les pieds pour un
autre usage)
4 échalotes
4 gousses d'ail
250 g de jambon cru doux
200 ml de bordeaux blanc
demi-sec (un graves ou un
sauternes, par exemple)
1 bouquet garni (feuille de
laurier, persil, thym)
sel, poivre du moulin

Réalisation: 1 h
Par portion: 3 400 kJ/810 kcal

1 Commencer par le concassé de tomates: ébouillanter, peler et épépiner les tomates. Couper la pulpe en petits dés. Chauffer 2 cs d'huile dans une casserole. Ajouter les dés de tomates et les faire mijoter à couvert et à feu modéré pendant environ 20 minutes. Les passer au tamis.

2 Dans l'intervalle, nettoyer les têtes des cèpes. Ne pas les laver, simplement les frotter à sec. Chauffer environ 3 cs d'huile dans une poêle et y faire dorer les têtes des cèpes sur les deux faces.

3 Eplucher les échalotes et les gousses d'ail et les hacher menu séparément. Tailler le jambon en dés.

4 Chauffer le reste de l'huile dans une grande casserole. Y faire rissoler les dés d'échalotes et de jambon. Mouiller avec le vin. Ajouter le concassé de tomates et éventuellement un peu d'eau. Mettre les cèpes dans la casserole, puis le bouquet garni. Ajouter l'ail. Saler et poivrer.

Pipérade
(Pays basque)

5 Faire cuire environ 15 minutes à couvert et à tout petit feu.

6 Enlever le bouquet garni. Servir très chaud en entrée avec du pain.

• Vin conseillé: un bordeaux supérieur rouge, un graves ou le vin qui a servi à confectionner la sauce.

Ingrédients pour 4 portions:

4 beaux poivrons rouges
4 tomates charnues
3 cs d'huile d'olive
2 gousses d'ail
6 œufs
1 bouquet de persil
1 cc de saindoux ou de beurre
400 g de jambon de Bayonne
    en tranches fines (à défaut
    un autre jambon fumé
    doux)
sel, poivre du moulin

Réalisation: 50 minutes
Par portion: 2 600 kJ/620 kcal

1 Laver, essuyer et fendre les poivrons en deux. Retirer les côtes et les graines. Couper les demi-poivrons en fine julienne. Ebouillanter les tomates et les peler. Détailler la pulpe en petits dés.

2 Chauffer l'huile dans une cocotte. Ajouter la julienne de poivrons en premier, puis les tomates après quelques minutes. Remuer. Saler, poivrer. Eplucher et presser l'ail par-dessus. Laisser frémir à couvert 25 minutes environ à feu très doux.

3 Casser les œufs dans une terrine et les battre au fouet jusqu'à consistance légèrement mousseuse. Laver, éponger, hacher menu le persil et l'ajouter.

4 Quand les légumes sont cuits, incorporer les œufs en tournant. Laisser prendre un instant. Le mélange doit rester moelleux et ne pas avoir la consistance d'une omelette. Retirer la cocotte du feu.

5 Chauffer le saindoux dans une poêle. Y faire revenir rapidement les tranches de jambon. Verser la graisse et servir le jambon avec les légumes.

• 1-2 piments relèvent le plat. Du rôti froid ou des petites saucisses piquantes grillées peuvent remplacer le jambon.

• Au Pays basque, on mange aussi les légumes de la pipérade avec de l'omelette en entrée ou en collation.

• La saveur de ce mets dépend de la qualité des tomates. Mieux vaut des tomates en boîte que des fruits qui ne sont pas mûrs ou des tomates de serre.

• Vin conseillé: un rosé du sud-ouest de la France, du Béarn par exemple.

Mouclade
(Bordelais)

Ingrédients pour 4 portions:

3 kg de moules
2 oignons
1 bouquet garni (persil, feuille
    de laurier, thym)
400 ml de vin blanc sec
30 g de beurre
2 cs de farine
2 gousses d'ail
150 g de crème
2 jaunes d'œufs
1 bouquet de persil
sel, poivre du moulin

Réalisation: 45 minutes
Par portion: 1 900 kJ/450 kcal

1 Bien gratter les moules à l'eau courante froide. Ecarter les moules ouvertes ou abîmées. Eplucher les oignons et les hacher fin.

2 Faire cuire les moules 10 minutes à couvert avec les oignons, le bouquet garni et le vin blanc dans un faitout, jusqu'à ce qu'elles soient ouvertes.

3 Laisser chaque moule dans une demi-coquille. Passer le jus de cuisson au chinois ou à l'étamine et le réserver. Disposer les demi-coquilles sur un plat, couvrir et tenir au chaud.

4 Faire fondre le beurre dans une casserole. Saupoudrer avec la farine et laisser suer sans faire roussir. Mouiller avec le jus des moules. Poivrer, saler modérément. Eplucher et presser l'ail par-dessus; laisser frémir 10 minutes environ.

5 Affiner la sauce avec la crème. Retirer du feu et incorporer les 2 jaunes d'œufs au fouet et verser la sauce sur les moules.

6 Laver et hacher fin le persil. En parsemer le plat et servir sans attendre.

Chipirons à la basquaise
(Pays basque)

Ingrédients pour 4 portions:

800 g d'encornets (calmars)
    frais ou surgelés nettoyés
4 échalotes
3 gousses d'ail
1/2 bouquet de persil
750 g de tomates
3 cs d'huile d'olive
2 x 0,1 g de safran en poudre
1 branchette de thym frais
100 ml de vin blanc sec
2 cs d'armagnac
2 cs de crème fraîche
sel

Réalisation: 1 h 3/4
    (évent. + 2 h de
    décongélation)
Par portion: 1 200 kJ/290 kcal

1 Le cas échéant, faire décongeler les encornets 20 minutes environ à température ambiante. Les passer à l'eau froide, les essuyer et couper les gros en rondelles, laisser les petits entiers.

2 Eplucher et hacher menu les échalotes. Eplucher et écraser les gousses d'ail. Laver, éponger et hacher fin le persil. Peler et épépiner les tomates, détailler la pulpe en petits dés.

3 Faire chauffer l'huile dans une casserole. Y fricasser les échalotes et l'ail à feu modéré. Ajouter le persil. Augmenter le feu et y faire revenir les encornets. Ajouter le safran et les tomates. Laver le thym, détacher les feuilles et les ajouter. Mouiller avec le vin, saler et poivrer la sauce. Baisser le feu et laisser frémir 30 minutes environ à couvert.

4 Parfumer la sauce au cognac. Vérifier l'assaisonnement (sel). Prolonger la cuisson de 15 minutes environ. Incorporer la crème en dernier lieu. Servir avec du riz.

Coquilles Saint-Jacques à la bordelaise
(Bordelais)

• Si vous avez l'occasion de vous procurer des encornets frais, n'hésitez pas! Ils sont plus faciles à préparer. Tranchez la tête et les tentacules avec un couteau bien aiguisé. Puis incisez le corps en longueur et retirez l'os de seiche. La poche d'encre est maintenant visible au bout du corps. Retirez délicatement les entrailles pour ne pas faire éclater la poche d'encre.

• Une variante de ce plat prévoit l'utilisation de l'encre. Videz la poche d'encre dans un bol et délayez un peu de fécule dans l'encre. Ajoutez-la à la préparation avec l'armagnac. Dans ce cas, prolongez la cuisson de 15 minutes.

• Si vous aimez les mets relevés, remplacez l'armagnac par 1 petit piment.

Ingrédients pour 4 portions:

12-16 coquilles Saint-Jacques avec corail, fraîches ou surgelées
1 carotte
1 oignon
1 échalote
1 tomate
4 cs de beurre
2 cl de cognac
1 petite gousse d'ail
200 ml de vin blanc sec
sel, poivre du moulin

Réalisation: 40 minutes
(évent. + 2 h de décongélation)
Par portion: 1 200 kJ/290 kcal

1 Au besoin, faire décongeler la chair des coquilles au réfrigérateur. Nettoyer, laver et couper la carotte en dés. Éplucher et hacher menu l'oignon et l'échalote. Escaloper les coquilles Saint-Jacques. Peler la tomate, la couper en quartiers et retirer les graines.

2 Faire fondre le beurre dans une cocotte. Y mettre la carotte, l'oignon et l'échalote et les faire un peu suer. Ajouter les Saint-Jacques avec le corail et les faire blondir en remuant. Flamber au cognac. Éplucher l'ail et le presser par-dessus. Saler, poivrer. Mouiller avec le vin blanc et laisser bouillir 10 minutes environ à feu vif. Enlever les Saint-Jacques avec une écumoire et les réserver au chaud.

3 Faire réduire un peu le jus de cuisson et rectifier l'assaisonnement. Passer la sauce au tamis au-dessus des coquilles. Servir très chaud.

• Astuce: présentez ce plat dans les coquilles d'origine.

Ttorro

(Pays basque)

Ingrédients pour 6 portions:

1 tête de congre
2 oignons
3 gousses d'ail
100 ml d'huile d'olive
1 bouquet garni (persil, thym,
      feuille de laurier)
1/2 l de vin blanc sec
1 cs de purée de tomates
1 cc de paprika doux
1 kg de moules
6 petits rougets grondins
      (250 g pièce)
6 tronçons de congre
6 scampis crus
farine pour saupoudrer
6 tranches de baguette
sel, poivre de Cayenne

Réalisation: 2 h 1/4
Par portion: 3 100 kJ/740 kcal

• Le rouget grondin est un poisson à la chair délectable qui vit dans les mers tempérées d'Europe. Il peut peser jusqu'à 6 kg. Il se caractérise par des piquants osseux dorsaux et de grandes nageoires ventrales bleues. Le grondin est souvent présenté sans peau et sans tête. Pour cette recette, il faut des petits poissons afin que chaque convive reçoive son poisson. Si c'est impossible, vous pouvez tronçonner deux grondins.

• Le congre est présent dans toutes les mers d'Europe. Il est moins gras que les anguilles de rivière, il a une chair ferme et un goût fin. N'achetez que la partie près de la tête: contrairement à la queue, elle a peu d'arêtes.

• Avant de servir, placez le ttorro recouvert d'une feuille d'aluminium au four (thermostat minimum) pendant que vous mangez l'entrée, par exemple.

1 Passer la tête de congre à l'eau froide. Eplucher et hacher fin les oignons. Eplucher les 2 gousses d'ail et les écraser avec la lame d'un couteau. Chauffer 2 cs d'huile dans une casserole. Y faire revenir les oignons et l'ail sans colorer. Mettre le bouquet garni. Faire étuver 10 minutes à feu doux.

2 Mouiller avec le vin et faire réduire à feu vif de moitié environ. Verser 2 l d'eau. Ajouter la purée de tomates, le paprika, le sel et le cayenne. Faire bouillir puis baisser le feu et faire braiser le tout à feu doux et à couvert pendant 1 h environ.

3 Entre-temps, gratter soigneusement les moules sous le robinet d'eau froide. Ecarter celles qui sont ouvertes ou abîmées. Faire chauffer les autres moules avec un peu d'eau dans une casserole pendant 10 minutes jusqu'à ce qu'elles s'ouvrent. Jeter les moules restées fermées.

4 Oter la chair des coquilles et la mettre de côté. Passer les grondins, les tronçons de congre et les scampi à l'eau froide et les essuyer. Mettre la farine dans une assiette creuse et y rouler les poissons. Faire tomber la farine en excédent.

5 Chauffer le reste de l'huile dans une casserole et y faire dorer sur toutes leurs faces et les uns après les autres les grondins et le congre. Egoutter sur du papier absorbant. Puis faire sauter les scampi dans la poêle.

6 Mettre les poissons et les scampi dans une poêle à paëlla ou dans un grand plat à gratin. Passer dessus le court-bouillon au tamis. Amener lentement à ébullition à feu modéré. Ajouter les moules.

7 Griller les tranches de pain à sec et les frotter avec la gousse d'ail qui reste pelée et coupée en deux. Disposer le pain sur les poissons. Servir très chaud.

Lotte à la bergeraçoise

(Bordelais)

Ingrédients pour 6 portions:

1,2 kg de lotte nettoyée
2 cs de farine
600 g de tomates bien mûres
4 échalotes
3-4 cs d'huile
1 bouquet garni (feuille de
  laurier, persil, thym)
125 ml de bergerac blanc sec
6 tranches de baguette ou de
  pain blanc
sel, poivre du moulin

Réalisation: 1 h
Par portion: 1 200 kJ/290 kcal

1 Passer le poisson sous l'eau froide, le tronçonner et le saupoudrer avec la farine.

2 Ebouillanter les tomates, les peler, retirer les graines et concasser la pulpe. Eplucher les échalotes et les hacher finement.

3 Chauffer l'huile dans une poêle à hauts bords. Y met-tre les médaillons de lotte et les faire revenir de tous côtés. Enlever le poisson et le garder au chaud.

4 Réchauffer les tomates et les échalotes dans l'huile de cuisson du poisson, mettre le bouquet garni, saler, poivrer. Quand les tomates commen-cent à donner du jus, mouiller avec le vin. Remettre les morceaux de lotte dans la poêle. Baisser le feu. Couvrir la poêle et achever de cuire pendant 15 minutes environ.

5 Griller les tranches de pain à sec ou au grille-pain. Enlever le bouquet garni. Dresser le poisson sur un plat de service, le napper avec la sauce. Servir très chaud. Accompagner avec du pain.

• Vin conseillé: un bergerac blanc sec comme celui qui a servi pour la sauce.

Sole à la gasconne

(Gascogne)

Ingrédients pour 2 portions:

1 sole nettoyée (500 g)
2 échalotes
1 bouquet de persil
75 g de beurre
250 ml de bordeaux blanc sec
1 cs de moutarde à l'estragon
1 cs de vinaigre de vin
1 cs de purée de tomates
1 petite gousse d'ail
1 jaune d'œuf
1 cs de chapelure
1/2 botte de ciboulette
sel, poivre du moulin

Réalisation: 45 minutes
Par portion: 2 500 kJ/600 kcal

1 Passer la sole à l'eau fraîche et l'essuyer. L'inciser des deux côtés avec un couteau pointu à hauteur de l'arête centrale et soulever un peu les filets. Saler, poivrer.

2 Eplucher et hacher menu les échalotes. Laver, éponger et hacher fin le persil.

Etaler la moitié des échalotes et du persil haché au fond d'un plat à gratin. Poser la sole dessus. Préchauffer le four à 180° C.

3 Faire fondre 50 g de beurre dans la casserole. Mouiller avec le vin. Laisser réduire un peu à feu vif. Ajouter la moutarde, le vinaigre, le reste des échalotes et du persil haché ainsi que le concentré de tomates. Bien mélanger au fouet. Eplucher l'ail, le concasser et l'ajouter à la sauce. Saler, poivrer.

4 Napper le poisson avec la sauce. Faire cuire au four préchauffé (gaz: thermostat 2) 10 minutes.

5 Dresser la sole sur un plat allant au four. Régler le thermostat du four au maximum.

Truites du Gave

(Béarn)

6 Faire un peu réduire la sauce. La retirer du feu et la passer au tamis. La lier avec le jaune d'œuf et la verser sur le poisson. Parsemer le tout de chapelure. Mettre dessus des petits morceaux de beurre. Faire gratiner au four chaud (milieu) environ 5 minutes de plus.

7 Laver et hacher la ciboulette; en saupoudrer le plat avant de servir.

• Vin conseillé: un bon bordeaux blanc sec, tel un haut-brion ou un graves.

Ingrédients pour 4 portions:

2 oignons
2 échalotes
1 branche d'estragon
1 bouquet de persil
1 cs d'huile
1 petite gousse d'ail
1 toute petite gousse d'ail
1/2 l de jurançon (vin blanc)
4 truites nettoyées (200 g pièce)
2 jaunes d'œufs
2 cs de crème fraîche
1-2 cs de jus de citron
sel, poivre du moulin

Réalisation: 1 h
Par portion: 1 460 kJ/330 kcal

1 Eplucher et hacher fin oignons et échalotes. Laver, éponger et hacher séparément l'estragon et le persil.

2 Chauffer l'huile dans une casserole, y faire suer un bref instant les oignons et les échalotes. Eplucher la gousse

d'ail, l'ajouter avec l'estragon et 1 cc de persil. Mouiller avec le vin et 100 ml d'eau environ. Saler, poivrer et laisser frémir 10 minutes à feu modéré. Préchauffer le four à 200° C.

3 Passer rapidement les truites à l'eau froide. Faire attention à ne pas enlever le mucus de la peau. Les ranger côte à côte dans un plat à gratin.

4 Laisser refroidir quelque peu le court-bouillon aux herbes, le verser tiède sur les truites. Glisser au four (gaz: thermostat 3) pour 20 minutes environ.

5 Retirer délicatement les truites du court-bouillon et les réserver au chaud sur un plat. Faire réduire un peu le court-bouillon. Fouetter les 2 jaunes d'œufs avec la crème fraîche. Incorporer ce mélange hors du feu. Amalgamer le jus

de citron et le reste du persil. Régler le thermostat du four sur 5.

6 Reverser la sauce dans le plat à gratin. Poser les truites par-dessus et les faire gratiner 5 minutes environ au four. Servir dans le plat de cuisson.

• Cette recette vient de Pau, l'ancienne capitale du comté de Béarn et ville natale de la mère d'Henri IV, Jeanne d'Albret, reine de Navarre. La ville est en surplomb du Gave, une petite rivière où l'on pêche des truites délicieuses. Le vin employé dans la recette est également originaire de cette région. Le jurançon est un vin blanc moelleux (mi-doux) et fleuri, à la robe jaune doré intense. Autrefois connu et estimé, il est très rare de nos jours. La seule alternative est un blanc moelleux (demi-sec) du type graves ou sauternes.

Entrecôte à la bordelaise

(Bordelais)

Ingrédients pour 4 portions:

1 entrecôte de 800 g
1 cs d'huile
2 échalotes
2-3 os à moelle (de bœuf)
2 cs de beurre
1 cs de farine
200 ml de bordeaux
sel, poivre du moulin

Réalisation: 1 h 3/4
Par portion: 2 100 kJ/500 kcal

1 Trancher les tendons superficiels de l'entrecôte pour éviter qu'elle ne se bombe à la cuisson. Enduire la viande d'huile et la laisser reposer environ 1 h.

2 Éplucher et hacher très fin les échalotes. Détacher la moelle des os et la hacher en gros dés.

3 Chauffer 1 cs de beurre dans une poêle à fond épais. Y faire sauter la viande à feu vif puis baisser le feu et la faire cuire selon le degré de cuisson désiré en la retournant (elle est saignante après 25 minutes). Saler et poivrer.

4 Faire fondre 1 cs de beurre dans une casserole. Y faire revenir les échalotes 1 minute. Saupoudrer avec la farine, mouiller avec le vin. Saler, poivrer. Laisser frémir 10 minutes à feu modéré. Ajouter la moelle, laisser frémir 10 minutes de plus.

5 Laisser un peu reposer l'entrecôte, la découper et la dresser, nappée de la sauce, sur un plat chaud de service.

• Si vous aimez beaucoup la moelle de bœuf, vous pouvez en pocher quelques tranches à l'eau bouillante et les disposer sur la viande.

• Vin conseillé: un bon médoc ou un bon saint-émilion.

Escalopes à la cajarçoise

(Périgord)

Ingrédients pour 4 portions:

4 escalopes de veau
* (150 g pièce)*
2 cs d'huile
2 cs de beurre
3 gousses d'ail
1 bouquet de persil
4 cs de bouillon ou de fond de
* viande*
sel, poivre du moulin

Réalisation: 30 minutes
Par portion: 1 100 kJ/260 kcal

1 Passer les escalopes à l'eau froide et les essuyer. Faire fondre le beurre et l'huile dans une poêle. Y faire sauter les escalopes 5 minutes environ de chaque côté.

2 Dans l'intervalle, éplucher et hacher menu les gousses d'ail. Laver, éponger et hacher fin le persil. Mélanger ensemble le persil et l'ail. Retirer les escalopes de la poêle, les assaisonner et les tenir au chaud dans un plat creux.

3 Verser le bouillon dans la poêle et déglacer le fond de cuisson. Napper les escalopes avec cette sauce. Parsemer avec le mélange ail-persil. Servir chaud.

Faux-filet à la landaise

(Gascogne)

Ingrédients pour 4 portions:

*200 ml de vin blanc sec,
  un graves par exemple
2 cl d'armagnac
1/2 cc de poivre mignonnette
noix de muscade fraîchement
  râpée
1 branchette de thym
1 feuille de laurier
800 g de faux-filet
3 cs de beurre
1 aubergine
2 oignons
2 courgettes
3-4 tomates
2 poivrons
8 pommes de terre moyennes
  (à chair ferme)
4 cs d'huile d'olive
1/2 bouquet de persil
2 cc de chapelure
1 gousse d'ail
sel, poivre du moulin*

*Réalisation: 1 h 1/2
  (+ 6 h de marinade)
Par portion:
  3 500 kJ/830 kcal*

1 Confectionner une marinade avec le vin, l'armagnac, les épices et les herbes. Laver la viande à l'eau courante, l'essuyer et la mettre dans la marinade. La laisser macérer 6 h environ en la retournant 1 fois par h.

2 Préchauffer le four à 240° C. Oter la viande de la marinade et l'essuyer avec du papier absorbant. Garder la marinade.

3 Beurrer une sauteuse et y mettre la viande. Glisser la braiseuse à découvert au four préchauffé (milieu; thermostat 8) pour 45 minutes environ. Arroser de temps à autre avec la marinade.

4 Pendant ce temps, éplucher l'aubergine et les oignons. Laver et nettoyer les courgettes. Ebouillanter, peler et couper les tomates en deux. Retirer les graines. Laver les poivrons, retirer les côtes et les graines. Ne pas couper les légumes en trop petits morceaux. Laver les pommes de terre et les cuire en chemise dans un peu d'eau (elles doivent rester fermes).

5 Chauffer l'huile dans une cocotte en fonte, y faire revenir les légumes (sauf les tomates) à feu vif. Baisser le feu, y mélanger les tomates et laisser mijoter 30 minutes environ à couvert. Saler et poivrer.

6 Rafraîchir les pommes de terre, les émincer finement. Laver le persil, l'égoutter et le hacher fin. Le mélanger avec la chapelure. Peler la gousse d'ail et la presser par-dessus. Beurrer un plat à gratin. Y ranger les rondelles de pommes de terre, assaisonner. Parsemer avec le mélange au persil. Répartir à la surface des noisettes de beurre.

7 Sortir la viande du four, la dresser sur un plat et la garder au chaud. Glisser les pommes de terre dans la partie supérieure du four. Régler la température sur 250° C (gaz: thermostat 5). Faire gratiner les pommes de terre 10 minutes.

8 Entre-temps, déglacer le fond de cuisson avec 2 cs de marinade. Laisser quelque peu réduire et en napper la viande. Disposer les légumes tout autour. Servir accompagné du gratin de pommes de terre.

• Variante: préparer le gratin avec des pommes de terre crues. Emincer les pommes de terre en lamelles très fines et prolonger la cuisson de 30 minutes environ.

• Vin conseillé: un bon bordeaux léger tel un pomerol ou un saint-émilion.

Confit de canard
(Périgord)

Ingrédients pour 6 portions:

1 canard prêt à cuire (1,8 kg)
2-3 branchettes de thym
2 feuilles de laurier
1,5 kg de graisse (de rognons)
*   d'oie ou de lard frais*
gros sel

Réalisation: 2 h 1/2
*   (+ 24 h de repos)*
Par portion: 4 445 kJ/1 060 kcal

• Aujourd'hui, le confit de canard, tout comme le confit d'oie et de dinde, est commercialisé un peu partout en France. Au sens strict, le confit n'est pas un plat, mais une conserve de volaille. Si vous voulez faire votre propre confit, achetez toujours une volaille de premier choix. L'idéal est d'acheter votre canard, votre dinde ou votre oie chez un producteur de confiance. Etant donné que la recette est très facile à réaliser et ne demande que peu de condiments, le résultat est directement fonction de la saveur de la volaille.

• Vous pouvez aussi apprêter de la dinde ou de l'oie suivant cette recette. Mais pour le confit d'oie, il ne faut pratiquement pas de graisse complémentaire.

• Dans le Périgord, le confit de canard ou d'oie fait invariablement partie de la fête. En hiver, on le fait poêler dans sa graisse ou – si on le veut moins riche – réchauffer plus ou moins 20 minutes au gril, suivant la grosseur des morceaux. Ce plat se marie très bien avec une fricassée de cèpes et de pommes de terre. En été, on mange souvent les morceaux de confit froids, à l'occasion d'un pique-nique notamment. On enlève la graisse qui l'emprisonne à l'eau chaude. On l'accompagne de baguette et de salade mêlée ou bien d'une salade de champignons crus assaisonnée de jus de citron et de crème fraîche ou encore d'une vinaigrette au citron.

1 Séparer généreusement les ailerons et les cuisses, en détachant un peu de la chair attachée à l'arrière des jointures. Veillez à ne pas abîmer la peau. Enlever le gras sur le reste du corps et le mettre de côté.

2 Mettre du gros sel dans une assiette. Effeuiller le thym et frotter les feuilles entre les doigts. Piler les feuilles de laurier au mortier. Mélanger les deux avec le sel. En frotter les morceaux de canard.

3 Ranger les morceaux de canard dans une grande terrine. La recouvrir d'une assiette ou d'une planchette et la surmonter d'un poids. Laisser reposer au moins 24 h.

4 Le lendemain, faire fondre la graisse (mise de côté) du canard à feu modéré. Hacher la graisse d'oie ou le lard et l'ajouter. Remuer avec une cuiller de bois. Quand la graisse est fondue, retirer les dés de graisse, et passer la graisse au tamis.

5 Remettre la graisse dans la casserole et la réchauffer. Passer les morceaux de canard à l'eau fraîche et les sécher soigneusement. Les faire cuire 1 h environ à feu modéré dans la graisse chaude. Les piquer délicatement avec une aiguille. Si le jus qui en sort est incolore, les morceaux sont à point.

6 Enlever les morceaux de canard, les laisser refroidir et les mettre dans une terrine. Verser autant de graisse dessus qu'il en faut pour les couvrir. Conserver la terrine dans une pièce fraîche, de préférence à la cave.

Lièvre en cabessal

(Périgord)

Ingrédients pour 6 portions:

1 jeune lièvre et son foie ou 1
   lapin, prêts à cuire (2 kg)
1 fine barde de lard gras

Pour la marinade:
100 ml d'huile
750 ml de bon bordeaux rouge
1 oignon
1 gousse d'ail
3 branchettes de thym
1-2 branches de romarin
1 feuille de laurier
3-4 clous de girofle
noix de muscade fraîchement
   râpée
poivre du moulin

Pour la farce:
2 tranches de pain toast rassis
1 échalote
1/2 bouquet de persil
500 g de hachis de porc
1 œuf
1 escalope de veau (150 g)
100 g de lard gras frais en
   fines bardes
sel, poivre du.moulin

Pour la sauce:
50 g de lard maigre fumé
4 cl de cognac
1/2 l de bordeaux rouge
1 oignon
1 cs de beurre

2 cs de farine
1 gousse d'ail
4 cs de bon vinaigre de vin
2 truffes noires
sel, poivre du moulin

Réalisation: 4 h 1/2
   (+ au moins 12 h de
   marinade)
Par portion: 4 400 kJ/1 000 kcal

• Le nom de ce délicieux mets de fête du Périgord vient du fichu porté en bandeau autour du front des femmes qui devaient porter de lourdes charges sur leur tête. Dans la recette traditionnelle, le lièvre est disposé en rond dans une terrine ronde, éventuellement ficelé et cuit ainsi. Ce plat est bien entendu plus savoureux avec du lièvre. Or ce dernier n'étant en vente qu'en automne et au début de l'hiver, vous pouvez également, comme sur les photos, prendre du lapin.

• Vin conseillé: un très bon bordeaux rouge, tel un saint-émilion grand cru ou un bon pomerol.

1 Passer le lièvre un court instant sous l'eau froide. Garder le foie au réfrigérateur. Avec un couteau pointu, détacher les côtes. Cela prend un peu de temps, mais c'est très facile.

2 Confectionner une marinade avec l'huile et le vin rouge. Eplucher et hacher l'oignon et la gousse d'ail. Les ajouter à la marinade avec les herbes et les épices. Y mettre le lièvre au moins toute une nuit.

3 Le lendemain, préparer la farce: faire tremper le pain dans de l'eau tiède et l'exprimer. Eplucher et hacher fin les échalotes, laver et hacher le persil. Travailler ensemble le hachis, l'œuf, le pain, le persil, le sel et le poivre.

4 Retirer le lièvre de la marinade et l'essuyer. Mettre l'escalope dans l'orifice ventral. Le tapisser avec les bardes de lard. Ajouter la farce en dernier. Recoudre l'orifice ventral avec du fil de cuisine. Envelopper le lièvre entièrement dans la barde de lard frais et le ficeler bien serré.

5 Pour la sauce, tailler le lard maigre en petits dés. Les jeter dans une grande cocotte et les faire sauter sans colorer. Arranger le lièvre en rond dans la cocotte et le faire raidir. Mouiller avec le cognac et le vin. Retirer la cocotte du feu. Préchauffer le four à 160° C.

6 Eplucher et hacher menu l'oignon. Chauffer le beurre dans une casserole. Saupoudrer avec la farine, laisser un peu roussir. Ajouter l'oignon haché. Passer la marinade au tamis par-dessus pour mouiller le roux. Et verser le tout sur le lièvre.

7 Faire braiser le lièvre au four (gaz: thermostat 3). Il est cuit lorsque la viande se détache des os du dos. 30 minutes avant la fin de la cuisson, éplucher 1 gousse d'ail et la passer au mixeur avec le foie. Laisser frémir 25 minutes environ à feu doux dans une casserole avec le vinaigre.

8 Enlever le lièvre de la cocotte et le réserver au chaud. Dégraisser la sauce et y ajouter le mélange au foie. Réchauffer 10 minutes, mais sans faire bouillir. Eplucher les truffes et les émincer en lamelles ultrafines. Les ajouter à la sauce et en napper le lièvre.

Gâteau à l'armagnac

(Gascogne)

Ingrédients pour 4-6 portions:

Pour la pâte:
2 œufs
60 g de sucre
1 sachet de sucre vanillé
60 g de farine
1 pointe de levure chimique
beurre pour le moule

Pour la sauce:
100 g de sucre glace
50 ml d'armagnac

Réalisation: 45 minutes
Pour 6 portions, par portion:
840 kJ/200 kcal

1 Casser les œufs en séparant les blancs des jaunes. Dans un saladier, battre les jaunes avec le sucre pour obtenir un mélange mousseux et jaune pâle. Incorporer le sucre vanillé. Mélanger la farine avec la levure chimique et la tamiser par-dessus, mais sans l'incorporer.

2 Battre les blancs en neige très ferme, les ajouter à la farine et les amalgamer très délicatement à la cuiller de bois. Préchauffer le four à 180° C.

3 Beurrer un moule à cake ou à quatre-quarts (d'une contenance d'1 l -1,5 l). Le remplir avec la pâte. Faire dorer le gâteau environ 20 minutes au four préchauffé (gaz: thermostat 2).

4 Cinq minutes avant la fin de la cuisson, diluer le sucre glace dans une casserole dans 2-3 cs d'armagnac et chauffer. Ajouter le reste de l'armagnac. Retirer aussitôt la casserole du feu.

5 Démouler le gâteau sur un plat. L'arroser peu à peu avec la dilution sucre-armagnac. Laisser refroidir un peu le gâteau et le servir tiède avec le café.

Flaugnarde

(Périgord)

Ingrédients pour 4-6 portions:

4 œufs
100 g de sucre glace
80 g de farine
1 cc de rhum
100 ml de lait
sel
4 pruneaux dénoyautés
beurre pour le moule
sucre glace pour saupoudrer
(facultatif)

Réalisation: 45 minutes
Pour 6 portions, par portion:
930 kJ/220 kcal

1 Préchauffer le four à 200° C. Battre les œufs dans un saladier jusqu'à consistance mousseuse. Tamiser le sucre glace par-dessus en continuant à battre le mélange. Saupoudrer la farine à travers un tamis et l'incorporer petit à petit. Verser le rhum et le lait. Assaisonner avec 1 petite pincée de sel.

2 Couper les pruneaux en quatre, les mettre dans la pâte. Bien mélanger le tout.

3 Beurrer un moule à tarte rond. Le remplir avec la pâte et le glisser au four préchauffé (gaz: thermostat 3) pour 20 minutes.

4 Laisser refroidir la flaugnarde. La servir tiède ou froide avec le café. Eventuellement, la saupoudrer de sucre glace.

• Astuce: cette pâtisserie est encore meilleure avec de la crème fouettée.

Gâteau des rois
(Bordelais)

Ingrédients pour 6-8 portions:

Pour la pâte:

10 g de levure
500 g de farine + farine pour le
  plan de travail
200 g de beurre + beurre pour
  la tôle à pâtisserie
5 œufs
sel
1 jaune d'œuf
citronat et perles de sucre
  multicolores pour décorer

Pour le sirop:

2 cl de cognac
2 cl d'eau de fleur d'oranger
  (en pharmacie)
100 g de sucre
1 morceau de zeste d'1 orange
  non traitée
1 morceau de zeste d'1 citron
  non traité

Réalisation: 1 h
  (+ 6-7 h de repos)
Pour 8 portions, par portion:
  2 200 kJ/520 kcal

1 Emietter la levure dans une terrine. La délayer avec 2 cl environ d'eau chaude. Peser 100 g de farine. En ajouter la moitié à la levure à travers un tamis et mélanger. Verser encore 2 cl d'eau tiède. Tamiser le reste de la farine par-dessus. Travailler le tout pour obtenir une pâte molle. Couvrir la terrine d'un torchon propre et laisser reposer 30 minutes environ dans un endroit chaud. La pâte doit doubler de volume.

2 Pendant ce temps, préparer le sirop: mettre le cognac et l'eau de fleur d'oranger. Y faire fondre le sucre. Tailler les zestes d'orange et de citron en fine julienne. Réchauffer le mélange à feu doux en tournant. Laisser cuire jusqu'à obtention d'un sirop liquide. Laisser refroidir.

3 Tamiser le reste de la farine au-dessus d'une terrine.

Creuser une fontaine au centre. Saler un peu. Ajouter le beurre coupé en dés. Travailler bien le tout au crochet pétrisseur du mixeur à main. Ajouter les œufs un à un. Incorporer le sirop peu à peu. La pâte doit rester assez souple.

4 Amalgamer délicatement la première pâte. Couvrir et laisser reposer 3-4 h dans un endroit pas trop chaud. La pâte doit à nouveau doubler de volume.

5 Laisser reposer la pâte toujours recouverte d'un linge dans un endroit plus frais jusqu'à ce qu'elle ait encore une fois doublé de volume. Cela prend environ 2 h.

6 A présent, sur un plan fariné, former une grosse saucisse avec la pâte. Raccorder les deux extrémités pour former un cercle ou bien mettre la pâte dans un moule à

savarin. Délayer le jaune d'œuf avec un peu d'eau et enduire le gâteau au pinceau avec ce mélange.

7 Beurrer une tôle à pâtisserie. Poser le gâteau dessus. Le décorer de quelques tout petits morceaux de citronat et de perles de sucre multicolores. Recouvrir et laisser reposer 45 minutes environ dans un endroit chaud. Préchauffer le four à 220° C.

8 Faire dorer 20 minutes au four préchauffé (gaz: thermostat 4).

• Gâteau des rois traditionnel de la région de Bordeaux. Le jour de l'épiphanie, on introduit une fève blanche dans le gâteau avant de le cuire et celui ou celle qui la trouve devient roi ou reine d'un jour.

Millassou
(Périgord)

Ingrédients pour 6 portions:

1,5 kg de courge
6 œufs
1/2 l de lait
375 g de sucre
5 cl de rhum
200 g de beurre + beurre pour
  le moule
375 g de farine de maïs

Réalisation: 1 h
Par portion: 3 900 kJ/930 kcal

1 Eplucher la courge, ôter les graines et la couper en cubes. Les faire cuire 15 minutes environ dans un peu d'eau. Egoutter les cubes de courge et les réduire en purée au hachoir électrique ou les passer au tamis. La purée de courge doit être très souple et très fine.

2 Battre les œufs à la fourchette dans un saladier comme pour une omelette. Chauffer le lait dans un poêlon.

3 Mélanger ensemble les œufs et la purée de courge. Ajouter le sucre, le rhum, le beurre en petits morceaux et le lait chaud. Bien mélanger le tout. Laisser tomber la farine de maïs en pluie sans cesser de tourner. Préchauffer le four à 220° C.

4 Beurrer un moule à tarte de 26 cm. Y mettre le mélange et faire dorer 25 minutes environ au four préchauffé (gaz: thermostat 4).

• Le nom de ce plat vient de «millette», une variété de maïs à petits grains cultivée dans les Landes. Millas est le nom dans le midi et le sud-ouest de la France de ce que l'on désigne par polenta en Corse, en Provence et en Italie.

Friands périgourdins
(Périgord)

Ingrédients pour 6 portions:

500 g de pommes de terre
  nouvelles
1 cs rase de sucre glace
1 pincée de sel
500 g de farine
750 ml d'huile de friture
1 sachet de sucre vanillé

Réalisation: 50 minutes
  (+ 3-4 h de repos)
Par portion: 2 600 kJ/620 kcal

1 Faire cuire les pommes de terre 20 minutes environ à couvert dans un peu d'eau. Les égoutter et les peler. Les passer encore chaudes au presse-purée sur un torchon propre.

2 Saupoudrer le sucre glace au-dessus des pommes de terre à travers un tamis. Tamiser au-dessus peu à peu la farine et l'amalgamer. Envelopper la pâte dans le torchon et la laisser reposer 3-4 h. Chauffer l'huile dans une friteuse ou dans une casserole à hauts bords.

3 Sur un plan légèrement fariné, abaisser la pâte sur 1 cm d'épaisseur environ. A la roulette à pâte, découper des losanges ou des biscuits ronds et les passer en plusieurs fois dans la friture. Les sortir avec une écumoire et les laisser égoutter sur du papier absorbant. Les dresser sur un plat et les saupoudrer de sucre vanillé. Servir tièdes ou froids.

• Dans les familles périgourdines, et surtout dans la région de Bergerac, ces friands rustiques sont très estimés des petits et des grands. Dans le reste de la France, le mot «friand» désigne des petits pâtés en feuilletage garnis de farce de viande.

Pruneaux au vin rouge

(Bordelais)

Ingrédients pour 4 portions:

500 g de pruneaux dénoyautés
1/2 l de bordeaux rouge
8 cs de sucre glace
1 gousse de vanille
1 pincée de cannelle moulue

Réalisation: 1 h 1/4
(+ 3 h de trempage)
Par portion: 2 000 kJ/480 kcal

1 Faire tremper les pruneaux pendant 3 h environ. Puis les égoutter et les mettre dans une casserole avec le vin et le sucre glace. Inciser la gousse de vanille en longueur et l'ajouter avec la cannelle.

2 Faire cuire les pruneaux environ 45 minutes à découvert et à feu doux. Le jus doit avoir une consistance sirupeuse.

3 Verser les pruneaux avec leur jus dans un plat creux.

Oter la gousse de vanille. Servir les pruneaux tièdes.

• Les pruneaux au vin rouge accompagnent bien du riz au lait ou du gâteau sec.

• Il ne faut pas faire tremper les pruneaux emballés sous vide.

Œufs au lait

(Quercy)

Ingrédients pour 6 portions:

1 l de lait
150 g de sucre fin
1 gousse de vanille
6 œufs
4 cs de sucre cristallisé

Réalisation: 1 h 1/2
Par portion: 1 400 kJ/330 kcal

1 Verser le lait dans une casserole. Y faire fondre le sucre. Inciser la gousse de vanille en longueur et l'ajouter au lait sucré. Porter le lait à ébullition. Retirer aussitôt le lait du feu. Oter la gousse de vanille.

2 Casser les œufs dans une terrine et les battre à la fourchette comme pour une omelette. Verser lentement le lait chaud en tournant constamment.

3 Faire bouillir un peu d'eau. Dans un moule à charlotte, dissoudre le sucre cristallisé avec 3 cs d'eau froide. Chauffer le mélange dans le moule jusqu'à ce que le sucre soit caramélisé. Une fois que le mélange est à moitié brun, ajouter 2 cs d'eau bouillante. Avec une manique ou un gant, imprimer un mouvement rotatif au moule à charlotte pour en tapisser l'intérieur de caramel. Verser les œufs au lait dans le moule à travers une passoire fine. Préchauffer le four à 220° C.

4 Enfourner pour 25 minutes environ (gaz: thermostat 4). Laisser refroidir avant de démouler.

Les légumes – une explosion de couleurs

Nul ne sait exactement comment Dieu vit en France, mais il doit probablement passer son temps à bénir les marchés du pays – au nord et au sud comme à l'est et à l'ouest. La France mérite le voyage rien que pour ses splendides étals multicolores de fruits et légumes. Les marchandises amoureusement déployées ne sont pas les seules à éclater de joie de vivre, les gens aussi, qu'ils se tiennent devant ou derrière les étals. La conversation entre une marchande et une ménagère – c'est pareil pour les hommes – est technique et sérieuse des deux côtés, mais, à travers cette gravité, on sent toujours percer la joie quotidienne des Français à la vue de leurs remarquables produits et la jubilation anticipée à l'idée qu'ils vont les cuisiner et les déguster.

Les climats et les sols français font du pays un immense jardin potager et le mot «primeur» – fruit ou légume précoce – a un

écho particulier tant pour le gourmet privilégié que pour le peuple tout entier.

Les régions méditerranéennes ensoleillées de la Provence au Roussillon en passant par la vallée méridionale du Rhône présentent le climat idéal pour la culture de légumes primeurs. Mais les terres alluvionnaires du Lot, de la Garonne et du Tarn et l'air doux et humide en provenance de l'Atlantique se révèlent tout aussi favorables.

Même dans les régions plus au nord, les agriculteurs n'ont pas à renoncer aux primeurs à cause de la rigueur du climat. Le Gulfstream, qui baigne la Bretagne, permet là aussi des cultures de pleine terre en hiver. La vallée de la Loire est tout aussi favorisée par les conditions climatiques et le nord et l'est de la France regorgent de cultures fruitières et maraîchères.

Le légume primeur par excel-

lence est l'asperge, qui arrive déjà du Midi sur le marché dès le mois de mars. Les Français préfèrent les asperges au bout légèrement vert ou rose-violet qui ont davantage de goût que les blanches. Les asperges se colorent facilement quand les bouts dépassent de 1 à 2 cm de la terre. En France, les asperges se mangent froides ou tièdes en entrée, générale-

ment avec une sauce vinaigrette, rarement en accompagnement chaud.

Les artichauts français sont réputés et estimés. Les gros spécimens ronds, bleu-vert, qui constituent l'essentiel de la récolte, sont originaires de Bretagne; les plus petits de forme ovoïde viennent du sud de la France. En France, les

Ci-dessus: artichauts, aubergines, poivrons et tomates.

Ci-dessus: étal multi-colore. Ici tous vos souhaits sont satisfaits.

artichauts se mangent chauds ou froids en entrée. Les artichauts bretons s'accommodent de multiples sauces froides dans lesquelles on trempe les feuilles, ou bien on prépare uniquement le fond que l'on farcit ou non. Quand ils sont tout jeunes, on sert les petits artichauts à la croque au sel, en salade ou en omelette. On trouve les gros artichauts

français de mai à novembre, les petits de mars à juillet.

Le chou-fleur passe pour le légume favori des Français. On le récolte toute l'année dans toutes les régions, avec encore une fois la Bretagne en tête. La variété «prince de Bretagne» est vendue dans le commerce partout en Europe. Le chou-fleur se mange en entrée ou

encore en accompagnement du poisson.

C'est toujours le nord de la France qui produit les meilleures carottes, surtout la Normandie, la Bretagne et l'Ile-de-France à Crécy, les carottes primeurs étant récoltées dans la vallée de la Loire et dans le Sud. La «Nantaise» est une très bonne variété aux racines rouge-

orange lumineux à bout arrondi. Dans la cuisine française, on aime bien faire mijoter les carottes avec de la viande, il en faut dans tous les courts-bouillons et, râpées et assaisonnées en salade, elles sont un élément indispensable des crudités.

Les pois mange-tout, que l'on consomme avec leur cosse, sont un primeur très délicat. Ils font souvent partie d'une entrée chaude, seuls ou en compagnie de carottes. Les meilleures tomates de France sont récoltées dans le Sud où elles constituent l'élément principal de la cuisine provençale. Là, elles sont servies en salade ou en légume, farcies en entrée ou comme élément d'un plat mitonné ou d'une soupe de poissons. Les autres zones de production sont le sud de la Bretagne et la vallée de la Loire.

L'endive (chicorée) en salade ou au jambon est très en faveur surtout dans l'extrême nord de la France à la frontière belge.

En haut: beaux choux-fleurs à vendre sur les marchés.

En bas: tous les haricots ne se ressemblent pas à en juger par les variétés soumises au jugement critique de l'acheteur.

La méthode culturale employée est l'hydroculture. Près de 60 % de la récolte globale en Europe vient de cette région.

Le céleri (blanc ou à côtes) entre lui aussi impérativement dans la gastronomie française à titre de condiment. Généralement, on se contente d'ajouter 1 à 2 branches dans les plats de viande ou de volaille braisés ou étuvés, mais les pieds de céleri au beurre ou nappés de béchamel servis en légumes ou bien froids en hors-d'œuvre sont tout aussi appréciés.

Les poivrons, les courgettes et les aubergines sont récoltés dans les régions méditerranéennes où on les sert fréquemment farcis en entrée chaude, mais ils entrent aussi parfois dans la composition de plats de viande, de volaille et de poisson.

Deux sortes de légumes peu courants que les Français aiment bien sont les cardons et les crosnes. Les cardons se présentent en pieds sur les marchés, un peu comme des pieds de céleri. Au siècle dernier, ce légume était encore connu en Allemagne, mais à l'heure actuelle il n'a plus qu'une importance régionale limitée au sud de la France. C'est un légume d'automne. On consomme la côte (carde) des feuilles qui a un goût voisin de

l'artichaut. Dans le Lyonnais, on prépare un gratin de cardons. Les crosnes sont essentiellement cultivés en Chine et au Japon; en Europe, on ne les trouve qu'en France. Ce sont des tubercules juteux, blanc-jaune, de la longueur d'un doigt, que l'on apprête comme des asperges ou que l'on sert en salade avec d'autres légumes. En France, la première espèce

de champignon est le champignon de couche qui est cultivé en masse dans des galeries creusées dans le tuffeau de la vallée de la Loire. L'Ile-de-France possède elle aussi des cultures importantes – d'où le nom de champignon de Paris. Si l'on préférait jadis les petits champignons, on s'est aperçu aujourd'hui que les gros étaient plus savoureux.

En haut: les morilles sont des champignons très fins qui confèrent à n'importe quel plat une note particulière.

En bas: cèpes et girolles à profusion, et asperges vertes à l'avant-plan.

Les champignons très frais sont souvent servis crus en entrée, assaisonnés de vinaigrette, et entrent dans la confection de nombreuses sauces et de potages fins.

Les cèpes sont une spécialité du Sud-Ouest, les morilles sont principalement originaires du Jura. Les truffes, aussi noires, aussi exquises et aussi chères que le caviar, sont présentes en Bourgogne, en Périgord et en Provence. On les débusque et on les récolte à la fin de l'automne à l'aide de chiens et / ou de cochons. En cuisine gastronomique, elles sont utilisées en petites quantités pour relever des sauces et des potages ainsi que pour garnir (truffer) des volailles.

Les variétés de pommes de terre et d'oignons sont nombreuses en France. Les meilleures pommes de terre viennent de Normandie, de Bretagne ou de Provence. Ces deux dernières régions sont aussi les principaux exportateurs d'oignons. Citons encore les échalotes. En fine cuisine, l'échalote sert essentiellement pour les sauces. Elle a un goût plus fort que l'oignon et donne aux plats une saveur très spéciale. En raison de leur goût fort, les échalotes s'emploient avec parcimonie.

Dans un menu français traditionnel, les légumes sont servis en entrée chaude ou froide ou bien font partie intégrante du plat de résistance, c'est-à-dire qu'ils cuisent avec le reste.

Récolte de pommes de terre. Beaucoup d'agriculteurs offrent leur production sur le bord des routes.

En haut: aucune ménagère française ne se contenterait d'acheter simplement des «oignons». Elle prend la variété qui convient à chaque mets – ce n'est pas le choix qui manque.

En bas: ici l'on propose de l'ail violet. Il est plus fort que le blanc et se garde aussi plus longtemps.

Auvergne, Limousin

Economie pastorale sur un glacis dénudé:
L'Auvergne et le Massif central

Les produits du terroir

La province historique d'Auvergne, élevée au rang de région depuis 1960, couvre la plus grande partie du Massif central. Les paysages de cette contrée encore peu touristique exercent une singulière attraction: dômes volcaniques pittoresques, nombreux lacs volcaniques et réservoirs de barrage et, suivant le degré d'érosion, vallées évasées ou encaissées et gorges profondes. C'est en Auvergne que prennent leur source quantité de cours d'eau comme la Loire, l'Allier, la Dordogne et le Lot. Dans le parc régional des Volcans, le plus grand parc naturel français, et dans un autre parc naturel, inauguré en 1984 seulement, de même que dans les stations de cure avec leurs sources thermales et dans les stations de sports d'hiver, les citadins stressés trouvent le repos, la détente et le calme absolu.

L'Auvergne n'est pas une région riche. On pratique l'élevage sur les plateaux arides et déboisés. Le lait et le fromage sont les principaux produits de l'agriculture. Dans ce contexte, la cuisine est bien évidemment simple et nourrissante. La vallée de l'Allier est la Terre promise pour les mangeurs de pain de seigle et de fromage, car, outre des fruits, on y trouve du vin et le pain blanc remplace ici le pain bis de campagne. En dépit de sa simplicité, la cuisine auvergnate ne manque pourtant pas de saveur et mérite qu'on s'y attarde.

Chaque région a son fromage. Le plus ancien fromage de France, le cantal et son léger goût de terre déjà connu des Romains, le saint-nectaire et son arôme de noisettes, deux fromages intéressants à pâte persillée, le bleu d'Auvergne et la fourme d'Ambert, le salers et la laguiole vous feraient vite oublier les plaisirs citadins. Les truites et les carpes sont des produits régionaux typiques. Les carottes, les pommes de terre, les pois chiches, le chou, les lentilles vertes et les fèves sont le plus souvent accompagnés de porc. Les mets sont préparés avec du saindoux, et les jambons d'Auvergne ont aussi des adeptes dans d'autres régions.

Le fait que, depuis toujours, on sache apprécier les plaisirs de la table dans une région pauvre est également attesté par l'affirmation d'avoir «bien mangé», quand un banquet a comporté non moins de six préparations différentes de navets. Tout l'art consiste à composer un repas varié à partir de produits simples.

La limite nord-ouest du Massif central est jouxtée par le Limousin dont fait aussi actuellement partie la province historique de la Marche. C'est après la Corse la région où la densité de population est la moins forte tout en étant le centre géographique de la France. Les plateaux succèdent aux vallées. Le point le plus élevé culmine à 1000 mètres. C'est une région à l'hydrographie très riche: ruisseaux, rivières et lacs façonnent le paysage. Quelque 1000 sources seraient recensées sur le plateau de Millevaches et 75 lacs environ représentent une source alimentaire importante pour les habitants. De plus elles comblent le cœur des amateurs de sports nautiques.

Le produit le plus connu du terroir est le bœuf limousin qui, grâce à sa robustesse, passe toute l'année en prairie et qui donne une viande très tendre. Le gibier et la volaille, les cèpes et les morilles, les châtaignes et les légumes sont les principaux ingrédients d'une cuisine saine et fine.

La Corrèze, surtout, est réputée être le paradis des gourmets. C'est là que les terrines et les pâtés truffés de foie de volaille de Brive ont acquis une notoriété méritée.

Ci-dessus: vue de Clermont-Ferrand, la capitale de l'Auvergne, et sa cathédrale gothique en pierre volcanique de couleur sombre.

A gauche: paysage idyllique près de Visois dans le Limousin, la région la moins peuplée de France.

Ci-dessus: Limoges, la capitale du Limousin, est réputée pour ses manufactures de porcelaine.

A l'extrême gauche: les saucissons, les jambons fins et le bon pain de campagne sont des spécialités auvergnates.

Ci-contre: les châtaignes sont des aliments de base qui entrent dans la composition de nombreux plats régionaux.

A droite: la chapelle Saint-Michel juchée sur un piton rocheux en roche volcanique au Puy. Le Puy était sur la route de Saint-Jacques-de-Compostelle.

Les gens, les festivités, les curiosités

«Les Auvergnats ont les cheveux noirs, des yeux de braise et portent plusieurs chandails, bruns et violets, l'un sur l'autre.» C'est en ces termes qu'Alexandre Vialatte dépeint ses compatriotes. On pourrait ajouter qu'ils descendent des Arvernes celtiques qui ont joué un rôle décisif dans le soulèvement contre César. Vercingétorix était leur chef.

Si vous voyagez aujourd'hui en Auvergne, vous serez enthousiasmé par ses beautés naturelles. A Bort-les-Orgues par exemple, vous pourrez admirer des colonnes phonolithiques de plus ou moins 10 cm d'épaisseur (les orgues) et parcourir les gorges de la Dordogne en voiture. Le Puy de Dôme, haut de près de 1500 mètres et qui surgit tout droit dans le paysage, n'est pas célèbre seulement pour le panorama qu'il offre de son sommet. En 1911, un avion a pour la première fois parcouru en 5 heures la distance de Paris au Puy de Dôme. Les Gaulois et les Romains l'ont vénéré comme une montagne sacrée.

Le patrimoine architectural roman ne le cède en rien au patrimoine naturel. Du fait de l'école auvergnate; ici comme dans le Limousin, s'est développé un style tout à fait original que l'on ne retrouve nulle part ailleurs en France. Quelque 50 édifices de l'époque romane ont été préservés. L'un des plus beaux exemples est à Orcival. L'église Notre-Dame a été édifiée en pierres volcaniques. La Vierge au trône a été longtemps un but de pèlerinage.

Dans la station thermale de Saint-Nectaire, au pied des monts Dore, on trouve dans l'église romane du même nom un des trésors religieux les plus riches de France. Riom, ancienne capitale de l'Auvergne jadis dominée par les ducs du Berry, peut également s'enorgueillir de posséder une superbe basilique de style auvergnat.

Vichy, siège du gouvernement Pétain de 1940 à 1944 et première station thermale de France, est situé sur l'Allier à la limite septentrionale de l'Auvergne. Ses eaux thermales qui jaillissent du sol jusqu'à 43° étaient déjà connues des Romains. Dans la jolie vieille ville, on peut admirer les vestiges d'un château de Louis II.

La capitale actuelle, Clermont-Ferrand, est, avec 150 000 habitants seulement, de loin la ville la plus importante de cette région. Elle s'étend à une certaine altitude dans la plaine de la Limagne. Elle fut au Moyen Age le point de départ de la première croisade commanditée par le pape Urbain II. Sa cathédrale en pierres volcaniques gris foncé est l'un des plus grands édifices gothiques du Centre.

Limoges, la capitale du Limousin voisin, est surtout connue pour ses manufactures de porcelaine. C'est au XVIIIe siècle que l'art de la fabrication de la porcelaine vint de Sèvres et se concentra sur cette ville. Jean Renoir, le grand impressionniste, fit ses débuts ici comme peintre sur porcelaine.

Aubusson abrite une autre tradition d'art: c'est ici qu'au XVe siècle des immigrants protestants apportèrent des Flandres leur habileté à tisser des tapisseries. De grandes manufactures de gobelins et de tapisseries y perpétuent encore aujourd'hui cette tradition. A Bellac, la ville natale de Jean Giraudoux, un festival lui est dédié.

A droite: le viaduc ferroviaire de Garabit enjambant la Truyère, une œuvre de Gustave Eiffel qui fit ici ses premières armes en vue de la construction de la tour Eiffel. Ci-dessous: pavillon de source minérale à Royat, une station thermale très fréquentée près de Clermont-Ferrand.

A droite: au Puy, l'art de la dentelle n'est pas le domaine réservé des femmes.

Ci-dessus: restaurant campagnard Le Viaduc à Busseau-sur-Creuse.

A gauche: pont romain sur la Creuse près de Senoueix.

Ci-dessous à gauche: c'est en costumes et avec une dégustation de vin que l'on fête l'écrevisse dans la Marche qui fait partie du Limousin.

Ci-dessous à droite: volailles en liberté dans une ferme typique d'Auvergne.

Les vins

Les Auvergnats aiment le vin, mais le climat des plateaux du Massif central n'autorise pas la viticulture. Il n'y a que dans les vallées fertiles de la Limagne que l'on peut planter de la vigne.

En Auvergne, un vieux proverbe dit: «Là où il y a du pain et du vin, le roi est le bienvenu». On offre du vin à toute personne qui ne fait que passer, même au voisin. Si le visiteur a fait un long chemin, il reçoit du pain et du fromage.

Le vin et le sel étaient les premières marchandises apportées dans la montagne à dos d'âne. Les dimanches et jours de fête, les hommes se réunissaient dans les auberges pour boire du vin qui devait être rouge foncé, un signe de qualité qui ne trompe pas. Les paysans d'Auvergne allaient même jusqu'à asperger leur chemise de quelques gouttes de vin pour en vérifier la couleur. Les vignerons de la plaine n'ignoraient pas cette prédilection et teintaient leurs vins rouges, les années où ils étaient un peu plus clairs, avec du jus de myrtille ou de sureau.

A Salers, une petite localité médiévale en plein cœur du Massif central, on fêtait l'anniversaire de la Vierge Marie en faisant ce jour-là couler du vin à la place d'eau à la fontaine. On peut s'imaginer la scène quand les pèlerins assoiffés par un long voyage se jetaient sur le délicieux breuvage.

On peut déduire à partir des fragments d'amphores retrouvés à Gergovie, l'antique cité arverne, que Vercingétorix et ses hommes épiçaient déjà leurs mets avec du vin ou bien le buvaient comme «médicament».

Le vin rouge fait toujours partie de nombreuses recettes. Les poulets, l'agneau, les pieds de porc et la queue de bœuf, et même les truites sont préparés au vin rouge.

La viticulture dans la vallée de l'Allier vit sous la menace permanente des gelées printanières et des orages. On va même jusqu'à punir le patron,

saint Verny, quand le temps fait des siennes. On retourne tout bonnement sa statue, le visage au mur.

Les vins d'Auvergne ont aujourd'hui le statut de VDQS, vin délimité de qualité supérieure. Ils font partie des crus du «Val de Loire» et plus précisément des «côtes d'Auvergne». On peut y trouver accolés des noms de localités telles que Boudes, Château-gay, Corent et Médargues.

Les vignobles sont éparpillés au sud et au sud-est de Clermont-Ferrand. Les vins blancs sont faits avec des raisins chardonnay, les rouges et les rosés avec du gamay et du pinot noir. Le chanturgue surtout avait naguère bonne réputation et les Auvergnats essaimés dans le monde entier le considéraient comme le meilleur vin de la terre. De nos jours, cet agréable vin fruité à la jolie robe cerise est devenu très rare.

Le saint-pourçain vient des vallées de l'Allier et de la Bouble. Jadis un vin digne de la table des rois de France, il ne jouit plus aujourd'hui que d'une renommée régionale. Les vins blanc verdâtre sont secs et légers, et les caves à mousseux allemandes les achètent volontiers en raison de leur légère note de pomme. Les vins rouges et rosés sont clairs et légers, ils rappellent un peu le beaujolais, mais ils sont plus puissants en bouche.

Une spécialité des vignerons est le vin de paille (ou passe-rillé). En Limagne, on choisit déjà les plus belles grappes de raisins blancs sur pied que l'on place sur un lit de paille ou sur des claies après la récolte. Le pressurage n'intervient qu'en janvier ou en février. Une fois mis en bouteille, le vin ambré se garde trente ans et plus.

En Limousin, on cultive un peu la vigne dans la vallée de la Vienne et en Corrèze, mais ces vins n'ont qu'une importance strictement régionale.

Distillerie artisanale dans une ferme auvergnate. On mesure le taux d'alcool avec un aéromètre ou densimètre.

Recettes régionales

Soupes et entrées

192 Soupe de courge
(Auvergne)
192 Soupe au cantal
(Auvergne)
193 Soupe au pain de seigle
(Limousin)
193 Cousinat
(Auvergne)
194 Pâté creusois aux
pommes de terre
(Limousin)

Poissons

196 Truites à l'ail
(Auvergne)
196 Saumon au vin rosé
(Auvergne)
197 Carpe forézienne
(Auvergne)

Viandes et volailles

198 Escalopes de porc farcies
(Auvergne)
198 Bœuf à la mode de Bellac
(Limousin)
199 Ris de veau aux cèpes
(Auvergne)
200 Poussins aux morilles
(Auvergne)
200 Poulet aux marrons
(Limousin)
201 Pintade à la limousine
(Limousin)

Légumes

202 Petits pois et carottes
(Auvergne)
202 Pommes de terre en pot
(Limousin)
203 Châtaignes blanchies
(Limousin)
203 Truffade au fromage
(Auvergne)

Desserts

204 Clafoutis
(Limousin)
204 Fouace d'Auvergne
(Auvergne)
205 Poires aux macarons
(Auvergne)
205 Fraises au poivre
(Auvergne)

Soupe de courge

(Auvergne)

Ingrédients pour 4 portions:

800 g de courge
3 oignons
50 g de beurre
750 ml de lait
150 g de crème fraîche
100 g de cerfeuil
12 tranches de baguette
sel, poivre du moulin

Réalisation: 1 h 1/4
Par portion: 2 400 kJ/570 kcal

1 Eplucher la courge, ôter les pépins et couper la chair en gros dés. Eplucher les oignons et les hacher finement.

2 Chauffer la moitié du beurre dans une petite marmite. Ajouter les oignons et les faire revenir sans colorer. Ajouter la courge et laisser cuire sans addition d'eau à feu doux pendant 1 h environ jusqu'à ce qu'elle soit tendre.

3 Passer la courge à la moulinette ou au mixeur. Ajouter le reste du beurre, le lait et la crème fraîche pour obtenir une soupe crémeuse. Assaisonner.

4 Laver le cerfeuil. Le blanchir rapidement à l'eau bouillante et l'ajouter.

5 Faire griller les tranches de baguette et les servir à part avec la soupe.

• On peut parsemer la soupe de fromage fraîchement râpé.

• Au lieu de tranches de baguette, saupoudrez la soupe de croûtons passés au beurre.

Soupe au cantal

(Auvergne)

Ingrédients pour 6 portions:

6 oignons
3 gousses d'ail
1 cs de beurre
500 g de pain de campagne
   gris en tranches fines
300 g de cantal fraîchement
   râpé
sel

Réalisation: 45 minutes
Par portion: 1 800 kJ/430 kcal

1 Eplucher et couper les oignons en fines lamelles. Eplucher et hacher l'ail.

2 Faire fondre le beurre dans une casserole. Y jeter les oignons et l'ail, et les faire légèrement dorer à feu doux. Mouiller avec 1,5 l d'eau environ, saler et laisser frémir le tout 10 minutes.

3 Préchauffer le four à 240° C. Garnir le fond d'un tourain ou d'un plat creux allant au four avec une couche de tranches de pain. Saupoudrer dessus une partie du fromage. Recouvrir d'une seconde couche de pain. Poursuivre ainsi jusqu'à épuisement du fromage et du pain. Verser la soupe par-dessus. Elle doit venir à peine à hauteur des couches de pain et de fromage.

4 Faire gratiner la soupe au four (gaz: thermostat 5) 15 minutes. Servir très chaud. Il faut qu'une cuiller puisse y tenir debout.

• Le cantal passe pour l'un des plus vieux fromages français. Pline l'Ancien le cite déjà. Il est fabriqué en Auvergne où il mûrit dans des caves creusées dans la roche volcanique.

Soupe au pain de seigle
(Limousin)

Ingrédients pour 4 portions:

750 g d'échine de porc fumée
200 g de carottes
200 g de céleri-rave
200 g de céleri à côtes
200 g de poireaux
200 g de pommes de terre
4 tranches de pain de seigle
sel, poivre du moulin

Réalisation: 2 h
Par portion: 2 300 kJ/550 kcal

1 Laver et éponger l'échine. Chauffer 2 l d'eau dans une marmite. Y mettre l'échine de porc, poivrer et laisser bouillir. Couvrir, baisser le feu et laisser frémir 30 minutes environ.

2 Dans l'intervalle, nettoyer et bien laver les carottes, le céleri-rave et le céleri à côtes ainsi que les poireaux. Eplucher les pommes de terre. Laisser les carottes entières, couper le céleri-rave en quartiers, les poireaux en deux

dans le sens de la longueur et le céleri à côtes en tronçons de la taille d'un doigt. Selon leur grosseur, laisser les pommes de terre entières ou les couper en deux.

3 Mettre les légumes et la viande dans la marmite et laisser frémir le tout environ 1 h.

4 Retirer les légumes et la viande à l'écumoire. Vérifier l'assaisonnement de la soupe.

5 Mettre le pain dans une terrine. Détacher la viande des os et la tailler en cubes. Les remettre dans la soupe et verser le tout dans la terrine. Servir les légumes à part.

• Variante: suivant la saison, mettre dans la soupe du chourave, des haricots verts ou des fèves.

Cousinat
(Auvergne)

Ingrédients pour 6 portions:

200 g de pommes de terre
100 g de carottes
100 g de poireau
1 branche de céleri
500 g de châtaignes
100 g de lard maigre fumé
1 clou de girofle
1 feuille de laurier
1 jaune d'œuf
100 g de crème fraîche
1 cs de beurre
6 tranches de baguette
sel, poivre du moulin

Réalisation: 2 h
Par portion: 1 700 kJ/400 kcal

1 Préchauffer le four à 250° C. Nettoyer, laver et tailler les légumes en petits morceaux.

2 Inciser en croix l'écorce des châtaignes. Les faire chauffer au four (gaz: thermostat 5) sur une tôle jusqu'à l'éclatement de l'écorce. Oter l'écorce et la peau.

3 Faire bouillir 2,5 l d'eau dans une marmite. Y mettre les légumes, les châtaignes, le lard, le clou de girofle et la feuille de laurier. Saler, poivrer et porter de nouveau à ébullition. Baisser le feu et faire cuire la soupe 1 h environ à couvert.

4 Retirer le lard (le réserver pour un autre usage). Passer les légumes à la moulinette ou au mixeur et les remettre dans la soupe. Battre ensemble le jaune d'œuf et la crème pour lier la soupe. Ne plus faire bouillir.

5 Faire fondre le beurre dans une poêle et y faire dorer les tranches de pain. Les mettre au fond d'une terrine et verser la soupe dessus.

Pâté creusois aux pommes de terre

(Limousin)

Ingrédients pour 4 portions:

300 g de farine
150 g de beurre ramolli +
    beurre pour le moule
50-80 ml de lait
500 g de pommes de terre
    (farineuses)
1 bouquet de persil
200 g de crème fraîche
sel, poivre du moulin

Réalisation: 3 h 1/4
Par portion: 3 500 kJ/830 kcal

La Creuse est le département du Limousin d'où est originaire cette entrée chaude sans prétention mais tout à fait délectable. Dans cette contrée peu peuplée – même pour la France –, on fait une cuisine sans chichis, donc tout à l'opposée de ce qu'un étranger s'imagine être la cuisine française. Il importe toutefois que les quelques ingrédients – pratiquement réduits à des pommes de terre – soient de première qualité.

• Vin conseillé: un rosé frais et léger du Val de Loire limitrophe au nord, comme un vin gris de Saint-Pourçain-sur-Sioule. Un vin blanc frais de la région est tout aussi approprié.

1 Tamiser la farine au-dessus d'une terrine. Ajouter le beurre ramolli et le sel. Puis verser d'abord 50 ml de lait. Bien travailler la pâte. S'il manque du liquide, ajouter un peu de lait. Former une boule avec la pâte et la laisser reposer 1 h.

2 Entre-temps, éplucher et couper les pommes de terre en lamelles très fines ou les râper. Laver le persil, l'éponger et le hacher menu.

3 Sur un plan légèrement fariné, aplatir les 3/4 environ de la pâte au rouleau sur une épaisseur de 1/2 cm à peine. Beurrer un moule à tourte de 26 cm. Le foncer avec la pâte qui doit dépasser largement les bords du moule.

4 Répartir une mince couche de pommes de terre sur le fond de pâte. Assaisonner. Parsemer d'un peu de persil et recouvrir avec une partie de la crème fraîche. Procéder ainsi jusqu'à épuisement des pommes de terre. Terminer par une couche de crème fraîche.

5 Préchauffer le four à 200°
C. Abaisser le reste de la
pâte en un cercle au diamètre
du moule et la poser dessus.
Humidifier les bords. Rabattre
les bords par-dessus et pincer.

6 Faire un trou au milieu
du pâté. Y glisser un petit
tube, le tube en carton d'un
rouleau de papier ménager par
exemple, pour permettre à la
vapeur de s'échapper. Faire
dorer le pâté au four préchauffé (gaz: thermostat 3)
pendant 1 h 1/2 environ.
Servir chaud.

Truites à l'ail

(Auvergne)

Ingrédients pour 4 portions:

4 petites truites nettoyées
    (200 g pièce)
50 g de farine
120 g de beurre
8-10 gousses d'ail
1 petit bouquet de persil frisé
2-3 cs de jus de citron
sel, poivre du moulin

Réalisation: 30 minutes
Par portion: 1 800 kJ/430 kcal

1 Laver délicatement les truites à l'eau froide et les éponger. Saler. Les rouler dans la farine en faisant tomber l'excédent.

2 Chauffer 4-5 cs de beurre dans une poêle. Y faire cuire les truites 15 minutes environ à feu modéré. Les enlever et les placer sur un plat chaud. Lever les filets (facultatif).

3 Pendant ce temps, éplucher et hacher très fin l'ail. Laver le persil, l'éponger et le hacher fin également.

4 Saupoudrer le poisson avec l'ail et le persil hachés. Arroser du jus de citron.

5 Faire rapidement mousser le reste du beurre et le verser chaud sur les truites. Servir sans attendre avec du pain blanc.

• Astuce: cette recette est prévue pour des petites truites de rivière, malheureusement de plus en plus rares.

Saumon au vin rosé

(Auvergne)

Ingrédients pour 4 portions:

4 tranches de saumon (200 g
    pièce)
4 gros champignons
3 échalotes
80 g de beurre + beurre pour
    le plat
250 ml de rosé sec fin
    d'Auvergne,
    un corent par exemple
150 g de crème double
4 lamelles de truffe
12 fleurons en feuilletage
    (achetés tout faits)
sel, poivre du moulin

Réalisation: 1 h
Par portion: 3 300 kJ/790 kcal

1 Laver les tranches de saumon à l'eau froide et les essuyer. Nettoyer les champignons sans les laver, mais les frotter avec du papier ménager. Couper les pieds et les hacher finement, laisser les têtes entières. Eplucher les échalotes et les hacher menu.

2 Préchauffer le four à 180° C. Beurrer un plat à gratin. Y disposer également les champignons et les échalotes. Saler, poivrer. Assaisonner de même les tranches de saumon et les ranger par-dessus. Verser le vin. Faire fondre un peu de beurre et en enduire une feuille de papier sulfurisé. Recouvrir le plat avec ce papier sulfurisé.

3 Glisser le plat au four (gaz: thermostat 2) pour 25 minutes environ.

4 Retirer délicatement le saumon, le dresser sur un plat et le tenir au chaud.

5 Verser le jus de cuisson à travers un tamis dans une casserole et le faire réduire de moitié environ. Ajouter la crème double, faire réduire encore un peu. Oter la casserole du feu et incorporer peu à peu 50 g de beurre.

"Le déjeuner sur l'herbe"

Carpe forézienne

(Auvergne)

6 Rectifier l'assaisonnement de la sauce et en napper les tranches de saumon. Faire fondre le reste du beurre et faire dorer les lamelles de truffe. Décorer chaque tranche de saumon avec une lamelle de truffe. Disposer les fleurons tout autour et servir.

• Vin conseillé: un corent des côtes d'Auvergne s'impose naturellement, mais il ne sera pas facile à obtenir. Reportez votre choix sur un rosé sec et léger du Val de Loire.

Ingrédients pour 6 portions:

2 carottes
2 beaux oignons
1 bouquet de persil
3 branchettes de thym
2 feuilles de laurier
1 carpe nettoyée (1,5 kg)
beurre pour le plat à gratin
750 ml de vin rouge
  d'Auvergne
50 ml d'huile de noix
sel, poivre du moulin

<u>*Réalisation:*</u> *1 h 1/4*
Par portion: 1 600 kJ/380 kcal

1 Nettoyer et laver les carottes. Eplucher les oignons. Hacher les deux très finement. Laver, éponger et hacher menu le persil. Le mettre dans un bol. Effeuiller la branche de thym et mettre les feuilles avec le persil. Emietter la feuille de laurier et l'incorporer.

2 Laver la carpe à l'eau froide et l'essuyer avec du papier ménager. Saler, poivrer.

3 Beurrer un plat à gratin. Y répartir la moitié des dés de carottes et d'oignons. Poser la carpe dessus. La saupoudrer avec le mélange d'herbes et la recouvrir avec le reste des dés de carottes et d'oignons. Verser le vin. Arroser d'un filet d'huile.

4 Préchauffer le four à 180° C. Découper un morceau de papier-parchemin aux dimensions du plat. Faire fondre un peu de beurre pour en enduire le papier-parchemin au pinceau et en couvrir le plat.

5 Glisser la carpe au four (gaz: thermostat 2) pour 50 minutes environ. (Si les nageoires dorsales ou latérales se détachent légèrement, la carpe est cuite.)

6 Enlever le papier-parchemin, vérifier l'assaisonnement, lever éventuellement les filets, les couper en morceaux et servir.

• Cette recette vient du Forez en partie montagneux et en partie plat, une région du Massif central à l'est de Clermont-Ferrand. On y prépare aussi des tanches de cette façon.

• Vin conseillé: un vin rouge de pays auvergnat ou bien un rouge clair, léger et fruité de la Basse-Loire.

197

Escalopes de porc farcies

(Auvergne)

Ingrédients pour 4 portions:

150 g de champignons des prés (à défaut des champignons de couche)
1 bouquet de persil
80 g de châtaignes épluchées et cuites
4 belles fines escalopes de porc (125 g pièce)
du fil de cuisine
2 œufs
1 cs d'huile
50 ml de lait
80 g de farine
150 g de chapelure
huile ou beurre
sel, poivre du moulin

Réalisation: 45 minutes
Par portion: 2 500 kJ/600 kcal

1 Nettoyer les champignons et les essuyer avec du papier absorbant. Les hacher très fin. Laver, éponger et hacher fin le persil. Emietter les châtaignes entre les doigts. Mélanger tout ensemble dans un saladier.

2 Aplatir délicatement les escalopes. Poser au centre de chacune d'elle 1/4 de farce. Enrouler les escalopes comme des roulades et les ficeler avec du fil de cuisine.

3 Battre l'œuf, l'huile, le lait, le sel et le poivre à la fourchette. Tamiser la farine au-dessus d'une seconde assiette et mettre la chapelure dans une troisième. Passer d'abord les roulades dans la farine, puis dans le mélange œuf-huile-lait et enfin dans la chapelure en tapotant pour qu'elle adhère.

4 Chauffer l'huile dans une poêle. Y faire sauter les roulades à feu doux 15 minutes en tout des deux côtés. Veiller à ce qu'elles ne brunissent pas trop. Servir ces escalopes avec du chou rouge ou de la purée de lentilles.

Bœuf à la mode de Bellac

(Limousin)

Ingrédients pour 4 portions:

1 entrecôte à l'os (1 kg)
4 cs d'huile
1 oignon
100 ml de vin blanc sec
250 ml de bouillon ou de fond de viande
1 cc de moutarde forte
sel, poivre du moulin

Réalisation: 45 minutes
Par portion: 2 000 kJ/480 kcal

1 Passer la viande à l'eau froide et l'essuyer. L'enduire d'huile. Saisir la viande sur les deux faces à feu vif dans une poêle très chaude. Ajouter le reste de l'huile. Couvrir la poêle, baisser le feu et laisser cuire la viande 35 minutes environ en la retournant plusieurs fois.

2 Eplucher et émincer finement l'oignon. Garder la viande au chaud. Faire dorer les lamelles d'oignon dans le fond de cuisson. Mouiller avec le vin et le bouillon de viande. Ajouter peu à peu la moutarde.

3 Découper la viande en tranches et les disposer sur un plat préchauffé. Les napper avec la sauce. Servir chaud avec des pommes vapeur.

• Vin conseillé: un vin rouge léger du Bordelais, tel un bordeaux supérieur ou le vin blanc qui a servi à faire la sauce.

• Pour réaliser cette recette, du filet ou de l'aloyau conviennent également.

198

Ris de veau aux cèpes

(Auvergne)

Ingrédients pour 4 portions:

2 ris de veau (600 g),
à commander
éventuellement
2 petites carottes
1 petit oignon
150 g de beurre
2 cs de farine
200 ml de vin blanc sec
400 ml de fond de veau ou de
volaille
1 bouquet garni (thym, feuille
de laurier)
250 g de cèpes
1 échalote
4 belles tranches fines de
jambon cru
100 g de crème fraîche
sel, poivre du moulin

Réalisation: 1 h 1/2
(+ 2 h de dégorgement)
Par portion: 3 000 kJ/710 kcal

1 Mettre les ris de veau 2 h environ à dégorger dans de l'eau froide afin de les blanchir.

2 Ebouillanter rapidement les ris et retirer toutes les parties cartilagineuses. Les laisser refroidir entre deux planchettes.

3 Pendant ce temps, nettoyer les carottes, éplucher l'oignon. Les hacher menu.

4 Faire fondre 100 g de beurre dans une cocotte. Y mettre les ris de veau et les faire cuire environ 5 minutes à feu modéré en les retournant. Ajouter les carottes et l'oignon et les faire étuver un instant. Saupoudrer avec la farine jusqu'à ce qu'elle soit absorbée. Mouiller avec le vin blanc. Verser le fond, ajouter le bouquet garni. Assaisonner et faire cuire à petit feu et à couvert pendant 25 minutes environ.

5 Entre-temps, nettoyer les cèpes sans les laver, mais en les essuyant avec du papier absorbant humidifié. Les hacher très finement ou les passer au hachoir électrique. Eplucher et hacher menu les échalotes.

6 Faire fondre 50 g de beurre dans une casserole. Y faire rapidement revenir les échalotes et les cèpes. Saler, poivrer. Faire bouillir jusqu'à évaporation complète de l'eau de végétation des cèpes. Oter la casserole du feu.

7 Etaler les tranches de jambon sur un plan de travail. Les tartiner avec la duxelle de champignons. Retirer les ris de veau de leur jus de cuisson et les égoutter. Puis les couper en deux et les poser au centre des tranches de jambon. Enrouler ces dernières comme des roulades et les dresser sur un plat. Mettre de côté au chaud.

8 Verser la sauce à travers un chinois au-dessus d'une casserole. Incorporer la crème fraîche et faire un peu réduire au besoin. Rectifier l'assaisonnement. Napper les roulades avec la sauce. Servir aussitôt.

• Vin conseillé: un vin blanc sec des côtes d'Auvergne ou un vin blanc équivalent de la Loire.

• Astuce: vous pouvez joliment décorer ce plat avec quelques tranches de cèpes sautées dans un peu de beurre.

Poussins aux morilles

(Auvergne)

Ingrédients pour 4 portions:

50 g de morilles séchées
250 ml de lait
2 poussins ou petits poulets-
(600 g pièce)
100 g de beurre
10 cl de porto
300 g de crème fraîche
sel, poivre du moulin

Réalisation: 1 h
(+ 2-3 h de trempage)
Par portion: 3 200 kJ/760 kcal

1 Faire tremper les morilles 2-3 h dans du lait dilué avec 250 ml d'eau.

2 Laver l'intérieur et l'extérieur des poussins ou poulets à l'eau froide et les essuyer. Saler et poivrer.

3 Dans une cocotte, faire fondre la moitié du beurre. Y faire dorer les volailles de tous côtés. Baisser le feu et les faire cuire 30 minutes environ.

4 Retirer les poussins de la cocotte et les tenir au chaud. Jeter la graisse de cuisson. Remettre la cocotte sur le feu, déglacer le fond au porto et faire réduire de moitié. Verser la sauce à travers un tamis dans une casserole propre. Y mélanger la crème fraîche. Assaisonner. Faire réduire à nouveau.

5 Dans l'intervalle, égoutter les morilles dans une passoire et les faire étuver 10 minutes dans le reste du beurre. Mettre les morilles dans la sauce à la crème. Réchauffer quelques instants sans faire bouillir.

6 Découper les poussins en deux et les dresser sur un plat chaud. Servir les morilles à part.

Poulet aux marrons

(Limousin)

Ingrédients pour 4 portions:

24 châtaignes
1 branche de céleri
100 g de beurre
1 pincée de sucre glace
100 ml de bouillon ou de fond
de viande
250 g de hachis de veau cru
1/2 bouquet de persil
2 oignons
1 poulet nettoyé prêt à cuire
(1,2 kg)
sel, poivre du moulin

Réalisation: 2 h 1/4
Par portion: 2 600 kJ/620 kcal

1 Préchauffer le four à 250° C. Inciser en croix l'écorce des châtaignes côté fleur avec un couteau pointu et les glisser au four sur la tôle (milieu; thermostat 9/10). Après 15-20 minutes, l'écorce éclate et on peut la retirer ainsi que la peau qui est en dessous. Ramener le four à 200° C (thermostat 6/7).

2 Ranger les châtaignes serrées les unes contre les autres dans une casserole. Laver, essuyer et couper le céleri en tronçons de la longueur d'un doigt. Les ajouter avec 1 cc de beurre, du sel et 1 pincée de sucre glace. Mouiller à hauteur des châtaignes avec le bouillon, couvrir et laisser frémir le tout à feu doux pendant 30 minutes environ.

3 Pendant ce temps, mettre le hachis de veau dans une terrine. Laver le persil, l'éponger et le hacher fin. Eplucher et hacher fin les oignons. Faire fondre 1 cs de beurre environ dans une casserole, y faire suer les oignons et le persil environ 5 minutes avant de les ajouter au hachis.

4 Laver le poulet à l'eau courante, essuyer l'intérieur et l'extérieur et le garnir de la farce. Recoudre l'ouverture avec du fil de cuisine. Saler et poivrer.

Pintade à la limousine

(Limousin)

5 Faire dorer le poulet avec le reste du beurre dans une cocotte. Glisser la cocotte à découvert au four préchauffé (gradin central) pour 20 minutes. Ajouter alors les châtaignes avec la sauce et prolonger la cuisson de 55 minutes jusqu'à ce le poulet soit bien croustillant.

6 Retirer le poulet, ôter le fil de cuisine. Découper le poulet en quatre et dresser les morceaux sur un plat avec les châtaignes. Passer la sauce au tamis et la servir à part.

• Vin conseillé: un bordeaux rouge léger, comme un gaillac.

Ingrédients pour 4 portions:

1 petit chou blanc (1,2 kg)
20 châtaignes
150 g de lard maigre fumé
1 pintade nettoyée prête à cuire (1,1 kg)
4 bardes de lard gras frais
2 cs de saindoux ou de graisse d'oie
2 carottes
2 navets
beurre pour le plat
sel, poivre du moulin

Réalisation: 2 h 3/4
Par portion: 3 800 kJ/900 kcal

1 Laver le chou, le couper en quatre, enlever la partie centrale dure et le tailler en fine julienne. Blanchir le chou 3 minutes environ à l'eau bouillante, le rafraîchir et l'égoutter. Préchauffer le four à 250° C.

2 Inciser l'écorce des châtaignes du côté de la fleur.

Les mettre sur une tôle et la glisser au four (gaz: thermostat 5) pour 20 minutes environ jusqu'à l'éclatement de l'écorce. Les éplucher et retirer aussi la peau brunâtre.

3 Faire revenir le lard fumé entier dans une casserole. Ajouter le chou et répartir les châtaignes par-dessus. Couvrir et faire mijoter à petit feu pendant 40 minutes environ.

4 Laver la pintade à l'eau froide, essuyer l'intérieur et l'extérieur. L'assaisonner et la barder. Faire chauffer le saindoux dans une cocotte. Y faire revenir la pintade et la laisser cuire à couvert et à feu doux 45 minutes environ; la mettre au chaud.

5 Éplucher les carottes et les navets, les couper en minces rondelles. Les faire cuire brièvement à l'eau salée, les égoutter et les laisser refroidir.

Beurrer un plat creux allant au four. Y disposer en alternance les rondelles de carottes et de navets.

6 Retirer les châtaignes de la casserole et les tenir au chaud. Couper le lard en petits lardons. Egoutter le chou et le mélanger aux lardons. Les mettre dans le plat et appuyer. Remplir une casserole avec 5 cm d'eau, y placer le plat et faire cuire à couvert 20 minutes environ au bain-marie.

7 Disposer les légumes au centre d'un grand plat. Ranger les châtaignes tout autour. Enlever les bardes de la pintade, la découper en quatre et dresser les morceaux sur les légumes. Passer le fond de cuisson de la pintade, vérifier l'assaisonnement et le servir à part.

• Vin conseillé: un cahors rouge ou bordeaux rouge clair.

Petits pois et carottes

(Auvergne)

Ingrédients pour 4 portions:

*1 kg de petits pois en cosses
    ou 750 g de mange-tout
350 g de jeunes carottes
150 g d'oignons nouveaux
4 grandes feuilles de laitue
150 g de jambon cru
40 g de beurre
sel, poivre du moulin*

*Réalisation: 50 minutes
Par portion: 1 400 kJ/330 kcal*

1 Ecosser les petits pois ou laver et nettoyer les mange-tout. Laver les carottes et les gratter si nécessaire. Puis, selon leur grosseur, les laisser entières, les couper en deux ou en quatre en longueur. Nettoyer et laver les oignons nouveaux. Laver et sécher les feuilles de laitue, retirer les grosses côtes.

2 Couper le jambon en dés. Faire fondre le beurre dans une casserole. Y faire revenir le jambon. Ajouter les légumes et les faire étuver un instant en remuant. Ajouter de l'eau pour couvrir à peine les légumes. Mettre le couvercle et faire cuire le tout à feu doux pendant 20 minutes environ. Saler très peu, car le jambon est déjà salé. Poivrer et servir.

• Les pois mange-tout sont de très jeunes petits pois que l'on peut manger avec la cosse. S'ils sont très tendres, ne les ajoutez qu'à la moitié du temps de cuisson pour éviter qu'ils ne soient trop cuits.

Pommes de terre en pot

(Limousin)

Ingrédients pour 6 portions:

*1 kg de pommes de terre
    (à chair ferme)
1 très gros oignon
1 petite gousse d'ail
70 g de beurre
noix de muscade fraîchement
    râpée
sel, poivre du moulin*

*Réalisation: 1 h 1/2
Par portion: 910 kJ/220 kcal*

1 Eplucher et couper les pommes de terre en lamelles très fines. Eplucher l'oignon et le couper également en fines rondelles. Eplucher la gousse d'ail et la hacher menu.

2 Beurrer légèrement le fond d'une cocotte en fonte. Y mettre une couche de pommes de terre. Saler, poivrer, saupoudrer avec un peu de muscade et de l'ail. Garnir d'une mince couche de rondelles d'oignon. Mettre par-dessus une deuxième couche de pommes de terre. Assaisonner. Saupoudrer de muscade et d'ail. Mettre une autre couche d'oignons. Continuer ainsi jusqu'à épuisement des ingrédients. Terminer par une couche de pommes de terre.

3 Mouiller avec 100 ml d'eau environ. Répartir à la surface le reste du beurre coupé en petits morceaux. Couvrir la cocotte et laisser cuire à tout petit feu pendant 1 h environ.

• Astuce: l'idéal serait de prendre une cocotte dans laquelle les pommes de terre tiennent tout juste.

Châtaignes blanchies

(Limousin)

Ingrédients pour 6 portions:

1 kg de châtaignes
2 grosses pommes de terre
1 rutabaga ou 2 navets

Réalisation: 1 h 1/2
Par portion: 1 100 kJ/260 kcal

1 Préchauffer le four à 250° C. Avec un couteau pointu, inciser l'écorce des châtaignes du côté de la fleur. Mettre les châtaignes sur une tôle et la glisser au four (gaz: thermostat 5) pour 15-20 minutes jusqu'à l'éclatement des écorces. Retirer les écorces et les peaux qui sont en dessous.

2 Eplucher les pommes de terre et le rutabaga et les couper en quatre dans le sens de la longueur. Les mettre tous deux dans une marmite en fonte. Ranger les châtaignes par-dessus. Mouiller avec 50 ml d'eau environ. Bien fermer la casserole.

3 Faire cuire 1 h environ les châtaignes à couvert sur tout petit feu.

4 Retirer les châtaignes de la casserole. La couche de pommes de terre-rutabaga doit coller aux parois. On ne la consomme pas, elle sert uniquement de support aux châtaignes qui, grâce à elle, conservent leur arôme délicat puisqu'elles ne sont pas en contact avec l'eau.

• Dans le Limousin, les «marrons» font partie intégrante de la cuisine. Ils se marient avec beaucoup de plats de viande et de volaille. Avec un bol de lait ou de cidre, ils sont le repas du pauvre. Cela n'enlève rien au fait que cette manière simple d'accommoder des châtaignes est tout simplement délicieuse.

Truffade au fromage

(Auvergne)

Ingrédients pour 4 portions:

1 kg de pommes de terre
   (farineuses)
50 g de saindoux ou de beurre
250 g de cantal jeune
sel, poivre du moulin

Réalisation: 50 minutes
Par portion: 2 200 kJ/520 kcal

1 Eplucher et émincer très finement les pommes de terre. Sécher ces lamelles avec du papier absorbant sans les laver.

2 Chauffer le saindoux dans une poêle, y mettre les lamelles de pommes de terre et les cuire à découvert et à feu doux pendant 30 minutes environ sans qu'elles prennent couleur.

3 Pendant ce temps, couper le cantal en cubes. Une fois que les pommes de terre sont cuites, mettre le fromage dans la poêle. Assaisonner légèrement. Avec une spatule d'acier, mélanger le fromage en train de fondre aux pommes de terre qui doivent s'effriter un peu.

4 Pour finir, monter le feu afin que le mélange roussisse légèrement. Faire glisser la truffade comme une crêpe dans un plat de service. Servir chaud.

• Variante: la variante allégée de la truffade s'appelle aligot. Travailler des pommes de terre cuites en purée assez ferme. Y ajouter du cantal râpé ou coupé en fine julienne. Presser par-dessus une gousse d'ail. Saler, poivrer. Réchauffer jusqu'à ce que le fromage soit fondu.

Clafoutis

(Limousin)

Ingrédients pour 4 portions:

500 g de cerises noires
3 œufs
2 cs 1/2 de sucre glace
4 cs de farine
200 ml de lait
beurre pour le moule

Réalisation: 1 h
Par portion: 900 kJ/210 kcal

1 Laver et dénoyauter les cerises. Battre les œufs en omelette avec 2 cs de sucre glace. Tamiser la farine par-dessus. Verser le lait. Bien mélanger le tout pour obtenir une pâte quasi liquide. Préchauffer le four à 220° C.

2 Beurrer un moule plat allant au feu. Y répartir les cerises et verser la pâte par-dessus.

3 Enfourner (gaz: thermostat 4) pour 20 minutes environ. Saupoudrer avec le reste du sucre glace et remettre au four pour 15 minutes.

4 Laisser refroidir le clafoutis. Servir tiède ou froid.

• Vous pouvez également confectionner un clafoutis aux myrtilles, aux fraises, aux pommes acides ou à d'autres fruits. Evitez toutefois les fruits trop sucrés.

Fouace d'Auvergne

(Auvergne)

Ingrédients pour 6 portions:

500 g de farine
2 œufs
3 cs de sucre
50 ml de lait
15 g de levure
200 g de beurre ramolli
sel
sucre glace

Réalisation: 1 h
(+ 3 h de repos)
Par portion: 2 500 kJ/600 kcal

1 Tamiser la farine dans une terrine. Creuser une fontaine au centre. Y casser les œufs. Saler, sucrer. Réchauffer légèrement le lait et y délayer la levure. L'ajouter également.

2 Bien mélanger tous les ingrédients, puis travailler la pâte. Quand elle ne colle plus aux doigts, incorporer le beurre petit à petit. Faire une boule avec la pâte. Creuser un trou au milieu. Agrandir la couronne ainsi obtenue. La poser sur une tôle beurrée et la laisser reposer 3 h environ dans un endroit chaud.

3 Préchauffer le four à 180° C. Y faire dorer la couronne (gaz: thermostat 2) 40 minutes environ. Saupoudrer avec un peu de sucre glace.

• En France, on cuit des fouaces depuis des centaines d'années. Autrefois, on les cuisait dans les cendres du foyer – d'où leur nom. Dans son Gargantua, Rabelais vantait déjà la saveur des célèbres fouaces de Lernen dans le Val de Loire qui étaient tellement à la mode jusqu'au XVIIIe siècle que les marchands les transportaient en charrettes jusque dans les régions éloignées. Contrairement aux fouaces de la Loire, celles d'Auvergne ont la forme d'une couronne.

Poires aux macarons

(Auvergne)

Ingrédients pour 4 portions:

4 poires mûres
180 g de macarons
80 g de beurre
75 g de sucre
1 sachet de sucre vanillé
3 cs d'alcool de poire ou
    d'une autre eau-de-vie de
    fruits

Réalisation: 40 minutes
Par portion: 2 300 kJ/550 kcal

1 Peler et couper les poires en quatre. Retirer les pépins et couper la pulpe en dés. Piler les macarons dans un mortier.

2 Beurrer largement un plat à gratin. Y mettre les dés de poires. Les saupoudrer avec le sucre et le sucre vanillé.

Répartir les macarons par-dessus. Faire fondre le reste du beurre et en arroser les poires. Préchauffer le four à 180° C.

3 Faire cuire ce dessert 20 minutes environ au four préchauffé (gaz: thermostat 2). Pour terminer, faire flamber à l'eau-de-vie. Servir tiède.

Fraises au poivre

(Auvergne)

Ingrédients pour 4 portions:

600 g de fraises
120 g de sucre
200 g de crème fraîche
4 cl d'eau-de-vie de fraise
1,5 cl de liqueur de framboise
poivre du moulin

Réalisation: 20 minutes
*   (+ 4 h environ de marinade)*
Par portion: 1 600 kJ/380 kcal

1 Equeuter, laver et égoutter les fraises. Les mettre dans un saladier. Ajouter le sucre, la crème fraîche, l'eau-de-vie et la liqueur. Laisser macérer le tout pendant 4 h environ.

2 Répartir les fraises dans des coupes individuelles. Moudre un peu de poivre par-dessus. Servir immédiatement.

Pâtisseries et confiseries de tradition

A l'heure du dessert, nous sommes tous des enfants. Une fois que la partie «sérieuse» du menu est passée, les douceurs arrivent en conclusion sur la table. Oubliés les calories et autres scrupules. Le plaisir pur et déraisonnable prend le dessus. Il n'est donc pas étonnant que les gâteaux, les pâtisseries et les entremets sucrés aient défié les siècles et les modes culinaires.

La France a une jolie coutume: si, lors de grandes fêtes, on n'a pas la place, ni le personnel ou le temps pour inviter à manger toutes les personnes qui s'attendent à l'être, on les invite pour le dessert, ce point d'orgue enjoué. Au dessert, l'atmosphère est plus détendue, les conversations reprennent. Le café est accompagné d'un alcool pour les messieurs et d'une liqueur pour les dames, et les langues se délient. Ce n'est plus une fête, c'est un festin. Quand on pense aux desserts français, c'est immanquablement la mousse au chocolat ou la crème caramel, figurant sur toutes les cartes de bistrots, qui viennent à l'esprit. On peut aussi les acheter tout prêts dans tous les magasins d'alimentation. Dans la vie de tous les jours, ils facilitent la tâche de la ménagère qui se creuse les méninges pour apporter sur la table un dessert appétissant. Mais les jours fériés et les jours de fête, quand la famille se réunit, les innombrables pâtisseries reprennent leurs droits. Chaque région, chaque famille et chaque jour de fête est lié à un dessert ou à une pâtisserie d'antan.

Aux quatre coins de France, on connaît les tartes aux fruits de saison qu'à des occasions spéciales on décore de motifs en pâte correspondant à l'occasion. Un peu plus élaborées sont les charlottes, toutes différentes, dont la charlotte russe inventée par le célèbre cuisinier Carême est la plus connue. Elle se compose d'un moule garni de biscuits à la cuiller et rempli de bavarois. La charlotte aux pommes est plus ancienne et vraisemblablement la première en son genre. Au lieu d'être foncé avec des biscuits, le moule est garni de tranches de pain blanc trempées dans le beurre et rempli de compote de pommes. Cet ancêtre des charlottes est servi chaud. Même les crêpes sucrées de Bretagne à la farine de froment et servies avec du sucre ou de la confiture ont trouvé leur parachèvement grâce à un grand maître queux qui a dédié à une jolie femme les crêpes Suzette au jus d'orange et au grand-marnier.

Entre le plateau de fromages et les fruits frais de saison qui ne font jamais défaut sur aucune table, on trouve les modestes entremets. En font notamment

partie le far breton, l'ancêtre du pudding anglais, toutes les crèmes avec ou sans fruits, le clafoutis, les sorbets et les soufflés sucrés. Même les fruits pochés au vin entrent dans cette catégorie.

Après s'être donné bonne conscience avec les fruits frais, on peut en toute sérénité s'adonner aux plaisirs «coupables»,

En haut: chocolats joliment apprêtés.

A droite: cette vitrine de pâtisserie est amoureusement décorée dans un style un peu désuet.

aux petits gâteaux, aux chocolats, aux nougats, bref à toutes les «friandises» qui ravissent le palais. On pourrait remplir des volumes entiers si on voulait les énumérer tous et raconter les anecdotes qui leur sont liées. Deux d'entre elles, prises au hasard, vous donneront sans doute l'envie irrésistible de faire mieux connaissance avec la France et les Français.

La ville de Bayonne, surtout connue pour son fameux jambon, revendiquerait également la paternité du chocolat français. Les conquistadors espagnols ont apporté du Mexique en Espagne et au Portugal dans un premier temps le cacao et l'art de le transformer. Au début du XVIIe siècle, des juifs persécutés dans ces pays apportèrent le cacao dans le sud de la France et la boisson et les douceurs confectionnées à base de cacao conquirent rapidement le Tout-Paris et la cour. Mme de Sévigné, qui dans plus de 1500 lettres adressées à sa fille, a croqué un excellent portrait de la société de son époque, écrivait en 1659: «L'année dernière, alors qu'elle était enceinte, la marquise de Coëtlogon a bu tant de chocolat que le petit qu'elle mit au monde était aussi noir que le diable.»

Le Poitou est très réputé pour la multitude de ses confiseries de toutes sortes. A Niort, on fait non seulement un excellent nougat, mais on y trouve aussi les fameuses angéliques de Niort, ces bâtons de racine d'angélique confite. L'écrivain Austin Croze en a proposé une recette attrayante: les angéliques à la sybarite. Les ingrédients sont des brioches chaudes, une grande coupe pleine d'angéliques confites, une bouteille de liqueur d'angélique, une carafe d'eau glacée et des cigarettes orientales. Le scénario se déroule plus ou moins comme suit: on allume une cigarette, on boit une gorgée d'eau glacée, on mord dans un bâton d'angélique, puis dans une brioche toute chaude, on hume, on savoure, on trempe la langue dans la liqueur, on tire une bouffée de cigarette et on recommence depuis le début. Lorsque la pièce s'emplit lentement d'un parfum aromatique, dit l'auteur, on touche du doigt la vie sensuelle légendaire des Sybarites.

En haut: fruits confits et calissons sont des confiseries bien tentantes.

A gauche: ce pâtissier exhibe fièrement ses créations, des tartes que l'on déguste en France au dessert avec un café et un pousse-café.

Desserts vedettes suprarégionaux

Mousse au chocolat

Ingrédients pour 4 portions:

150 g de chocolat noir à cuire
4 blancs d'œufs
1 cc de sucre glace

Réalisation: 20 minutes
Par portion: 900 kJ/210 kcal

1 Couper le chocolat en petits morceaux au couteau ou le râper grossièrement. Le mettre à ramollir à feu très doux, soit au bain-marie, soit sur un chauffe-plat.

2 Battre les blancs d'œufs en neige ferme avec le sucre glace. Intégrer délicatement le chocolat fondu à la préparation précédente en soulevant délicatement le mélange sans le battre.

3 Répartir cette mousse dans des coupes individuelles et servir.

• Les œufs doivent être très frais!

• Vous pouvez décorer la mousse de chocolat râpé, de pistaches hachées ou d'un peu de chantilly. Vous pouvez aussi incorporer de la crème fouettée à la crème au chocolat.

Charlotte aux framboises

Ingrédients pour 6 portions:

1 kg de framboises au sirop
(en boîte ou en bocal)
5 cl d'eau-de-vie de framboise
200 g de biscuits à la cuiller

Pour la crème à la vanille:
1/2 l de lait
2 cs de sucre
5 jaunes d'œufs
2 cc de sucre vanillé

Réalisation: 1 h
(+ 14 h de refroidissement)
Par portion: 1 610 kJ/385 kcal

1 Mettre les framboises dans une passoire et récupérer le sirop dans un saladier. Le mélanger à l'eau-de-vie de framboise.

2 Tremper les biscuits à la cuiller un à un dans le sirop. En chemiser un moule à charlotte. Commencer par garnir le fond, puis les parois en plaçant les biscuits verticalement.

3 Remplir la charlotte: alterner les couches de framboises et les couches de biscuits et terminer par une couche de biscuits.

4 Couvrir la charlotte avec une assiette et placer un poids dessus. Mettre au réfrigérateur toute la nuit.

5 Le lendemain, pour la crème à la vanille, faire bouillir le lait avec le sucre. Y délayer les jaunes d'œufs. Verser le mélange dans une casserole propre et chauffer en tournant jusqu'à ce que la crème s'épaississe. Retirer la casserole du feu et incorporer le sucre vanillé. Laisser refroidir avant de mettre au réfrigérateur.

6 Démouler la charlotte avant de servir. Lisser la surface avec la crème à la vanille ou l'appliquer à la poche à douille.

Variantes:
• La charlotte aux cerises se prépare de la même manière. Utilisez du kirsch au lieu d'alcool de framboises.
• Remplissez le moule avec des couches de fruits et de crème vanille au lieu de couches de biscuits.
• Remplacez la crème à la vanille par de la Chantilly (après démoulage).
• Décorez la charlotte avec des fruits frais de saison.

Crème renversée au caramel

Ingrédients pour 4 portions:

20 g de beurre
6 cs de sucre
4 œufs
1 sachet de crème vanillée
400 ml de lait

Réalisation: 45 minutes
  (+ 1 h de refroidissement)
Par portion: 1 300 kJ/310 kcal

1 Faire fondre le beurre dans un poêlon. Ajouter 5 cs de sucre et 3 cs d'eau. Faire caraméliser le sucre à tout petit feu en tournant constamment avec une cuiller de bois. Verser ce caramel au centre d'un moule allant au four. Préchauffer le four à 180° C.

2 Battre ensemble les œufs et le reste du sucre et le sucre vanillé jusqu'à consistance mousseuse. Faire bouillir le lait et le verser peu à peu sur le mélange œufs-sucre sans cesser de remuer. Verser cette crème dans le moule.

3 Remplir d'eau une sauteuse. Y placer le moule avec la crème et faire pocher 25-30 minutes au bain-marie dans le four (milieu; thermostat 6). La crème est cuite quand elle offre une résistance sous la pression des doigts.

4 Laisser refroidir la crème, détacher les bords à l'aide d'un couteau et démouler. Déglacer sur le feu le caramel qui adhère au fond du moule avec un peu d'eau et le verser sur la crème.

• Si vous pochez la crème en moules individuels, elle se démoule plus aisément.

Petits choux à la crème

Ingrédients pour 10 pièces environ:

100 g de beurre (+ beurre pour
  la tôle à pâtisserie)
1 pincée de sel
1 cs de sucre
125 g de farine
5 œufs
2 cs d'amandes hachées
125 ml de crème fraîche
1 cc de sucre vanillé
sucre glace

Réalisation: 45 minutes
Par pièce: 895 kJ/215 kcal

1 Dans une casserole, porter à ébullition 250 ml d'eau avec le beurre, le sucre et le sel. Tamiser la farine et l'ajouter d'un seul coup. Tourner à la cuiller de bois jusqu'à ce que la pâte se détache du fond de la casserole.

2 Retirer la casserole du feu. Laisser refroidir un peu la pâte avant d'incorporer 4 œufs l'un après l'autre. La pâte doit avoir une consistance mi-ferme. Ajouter éventuellement 1 œuf suivant la grosseur des œufs.

3 Préchauffer le four à 220° C. Beurrer une tôle à pâtisserie. Y faire à la poche des demi-boules de pâte de 3 cm. Battre l'œuf restant dans une tasse. En dorer les petits choux et les parsemer d'amandes hachées.

4 Cuire à four chaud 12 minutes environ (gaz: thermostat 4). Laisser refroidir.

5 Fouetter la crème avec le sucre vanillé. Enlever les petits choux de la tôle. Faire un petit trou à la base avec un couteau pointu. Les fourrer de chantilly. Poudrer le dessus de sucre glace.

• Variante: fourrez les petits choux de crème vanille ou chocolat.

Poitou-Charentes, vallée de la Loire

La vallée des châteaux:
L'imposant château de Chambord se réfléchissant dans le Cosson, un affluent de la Loire

Les produits du terroir

La région actuelle de Poitou-Charentes, qui englobe aussi la Vendée, s'étend jusqu'à l'Atlantique à l'ouest, jusqu'à la Gironde au sud, jusqu'au Limousin à l'est et jusqu'à la Loire au nord. Elle est tout à fait hétérogène historiquement comme géographiquement, car, ici aussi, par un acte administratif, on a regroupé arbitrairement des entités très différentes.

Le Poitou, capitale Poitiers, est un plateau fertile haut de 150 mètres traversé en son milieu par les hauteurs de la Gâtine, assez peu élevées au demeurant. La partie occidentale de ce socle archéen appartient déjà à la Vendée qui descend en prairies mollement ondulées vers l'océan où surgissent brusquement de hautes dunes. L'enchaînement de plages de sable fin et de stations balnéaires populaires orne la façade maritime. Au sud du Poitou, aux environs de La Rochelle, la côte atlantique se poursuit avec l'Aunis, la plus petite ex-province française, qui s'ouvre sur le marais poitevin. L'ancienne province de Saintonge empiète déjà sur le Bordelais qui a été traité au chapitre précédent.

Dans l'arrière-pays, l'Angoumois, une ancienne province qui correspond à peu près au département de la Charente, fait la transition entre l'Aunis, la Saintonge et le Massif central. Si au sud de l'estuaire de la Gironde, ce sont les vins qui ont fait la renommée de la région au-delà des frontières, au nord c'est le cognac que l'on doit à un immigrant de Jersey, Jean Martell, qui a fondé ici en 1715 la première firme de cognac.

Les régions côtières sont surtout réputées pour l'ostréiculture et la mytiliculture. Le poisson et les fruits de mer sont à la base d'une cuisine saine où le lait, la crème et le beurre occupent une place prépondérante. La Vendée est une région où il fait bon vivre.

La Loire, le plus long des fleuves français avec ses quelque 1000 km, arrose avec ses affluents environ 22 % de la superficie totale du pays. La plaine alluviale fertile et le climat doux favorisent la viticulture, la culture fruitière et maraîchère. Une des curiosités de la région sont les ensembles troglodytes en tuffeau très ramifiés, des anciennes carrières reconverties à l'heure actuelle en excellentes caves à vin ou en champignonnières. Le seul et unique musée du champignon de France se trouve à Saumur.

La vallée de la Loire n'est pas une entité administrative contrairement au Val de Loire. Dans ce chapitre, nous décrirons sa partie médiane de Gien à l'est d'Orléans jusqu'à Ancenis à l'est de Nantes. Elle comprend l'Orléanais, le Blésois, la Touraine et l'Anjou. Le pays de Rabelais, ancienne résidence royale, est un paradis sur terre. Sandres, brochets et carpes foisonnent dans de nombreux cours d'eau, canards et lapins sont accommodés de mille façons appétissantes et les forêts regorgent de cervidés.

A droite: panneau publicitaire pour le célèbre fromage de chèvre de Chavignol, une localité sur le cours moyen de la Loire.

En bas: la criée du port de Noirmoutier.

Tout en bas: vue du port de Noirmoutier, une île ravissante avec de belles plages au sud de l'estuaire de la Loire.

A gauche: ostréiculteurs sur l'île d'Oléron, destination de vacances très prisée qui jouit aussi de la haute estime des gourmets en raison de ses bancs d'huîtres.

En bas à gauche: chais à Chinon, sur la Loire, où mûrissent les vins rouges fruités de la région.

En bas à droite: champignonnière dans des galeries creusées dans le tuffeau dans la Loire.

Tout en bas: paysage riant de la Loire avec ses coteaux plantés de vignes entre Angers et Nantes.

Les gens, les festivités, les curiosités

Là où, de nos jours, des cars entiers débarquent leur cargaison de touristes, régnait au XVe siècle une vie de cour animée après que Jeanne d'Arc eut libéré le pays des Anglais. Les rois de France et leur cour affectionnaient la douce vallée de la Loire. Le fleuve, encore navigable à l'époque, était une voie de communication idéale qui reliait entre eux plus de trois cents châteaux et demeures.

Chambord, l'imposant château de 440 pièces, fut édifié par François Ier qui voulait même détourner le cours de la Loire afin de rehausser la splendeur de l'architecture. L'histoire architecturale de Blois, une autre grande résidence des bords de Loire, se lit encore aujourd'hui à livre ouvert. Il fut construit en plusieurs stades entre le XIIIe et le XVIIe siècle. Azay-le-Rideau, le gracieux château Renaissance entouré d'eau, fut érigé par un riche financier, tout comme Chenonceaux, qui fut bâti à l'époque de Diane de Poitiers, la maîtresse d'Henri II. Le château de Villandry est surtout un but d'attraction touristique à cause de son jardin d'amour et de ses symboles de l'amour tendre, tragique, fou et éphémère. A Ussé se trouve le château de «La Belle au Bois Dormant» où a vécu Charles Perrault.

Impossible de mentionner, ne fût-ce que brièvement, tous les châteaux. Si vous allez à leur découverte, vous verrez que les plus modestes sont souvent les plus dignes d'intérêt. Certains d'entre eux sont habités par la même famille depuis des siècles. Ils sont malgré tout ouverts au public. On comprend à chaque pas qu'ici, la douceur de vivre n'est pas un vain mot.

Puisque les rois s'y plaisaient, le clergé vint lui aussi s'y installer. L'abbaye bénédictine de Saint-Benoît-sur-Loire, dont les origines remontent au VIIe siè-cle, est, à l'instar de Cunault, un bel exemple d'art roman.

Dans les villes le long du fleuve, des maisons à colombages encadrent les ruelles étroites. Partout les marchés débordent de produits du terroir et dans les restaurants on peut banqueter comme au temps de Rabelais ou de Rousseau.

Les spectacles «son et lumière» sont légion au pays des châteaux et des jardins. J'engage les gourmets à se rendre en été à Les-Corvées-les-Yys dans le département de l'Eure-et-Loir. Là, le visiteur aura un aperçu de la vie à la ferme au tournant du siècle précédé de «spécialités de l'ancien temps».

Si, dans la vallée de la Loire, ce sont surtout les châteaux qui ravissent les touristes, la région Poitou-Charentes offre, en plus de tours et de châteaux fortifiés qui témoignent d'une histoire mouvementée, un nom-bre appréciable de cathédrales et d'abbayes. Les chemins de Saint-Jacques-de-Compostelle passent par ici. On peut admirer de très belles églises romanes à Aulnay et à Melle. Parthenay, un joli bourg où les pèlerins faisaient étape, devrait sa création à la belle fée Mélusine.

La Rochelle, l'ancienne capitale de l'Aunis, était entre le XIVe et le XVIIIe siècle un des plus grands ports français et un lieu sûr où se réfugièrent les Hugue-nots. Les anciennes fortifications portuaires sont les témoins de cette époque. En face, on a l'île de Ré et l'île d'Oléron. Ces deux îles sont connues pour leurs parcs à huîtres. Ré et Oléron, la deuxième île de France en importance après la Corse, sont des lieux de vacances bien connus avec leurs forêts et leurs plages de sable. Un viaduc long de 3 km les relie au continent.

Saintes, l'ancienne capitale de la Saintonge, était déjà la capi-tale des Celtes Santones. L'arène du Ier siècle est parmi les plus vieilles du genre. C'est la ville natale du docteur Guillotin que son invention macabre rendit célèbre.

Poitiers, l'ancienne capitale du Poitou, est une des villes d'art et d'histoire les plus intéressan-tes de la région pour ses nom-breuses églises romanes. Au IIIe siècle, c'était déjà un lieu de rassemblement des pre-miers chrétiens et le baptistère est l'édifice chrétien le plus ancien de France. C'est ici qu'eut lieu un événement décisif pour l'histoire future de l'Occident: Charles Martel défit les Arabes à Tours et à Poitiers en 732 après J.-C., empêchant ainsi l'avancée de l'islam en Europe.

Les Vendéens ont influencé le destin de la France au XVIIIe et au XIXe siècle. Durant la Révolution française, en 1815 ainsi qu'en 1830, ils se mirent invariablement dans le camp des Bourbons. Il s'ensuivit des

A gauche: le château de Villandry est renommé pour ses merveilleux jardins Renaissance; ci-contre le jardins aux herbes aromatiques.

A droite: les ruines de l'abbaye de Saint-Pierre du Xe siècle au cœur du marais poitevin, à Maillezais.

Ci-dessous, à droite: paysage idyllique au bord de l'un des nombreux cours d'eau du marais poitevin.

Ci-dessous: un café typiquement français, le Café de la Paix dans la ville portuaire de La Rochelle.

batailles sanglantes qui dévastèrent le pays. On peut voir aujourd'hui encore au mont des Alouettes les sept moulins à vent qui donnèrent aux troupes tous les signaux de «danger» à «fin d'alerte» en fonction de la position de leurs ailes. Une fête originale bien plus paisible se déroule de nos jours à Royan: la finale du championnat du monde de billes sur sable.

Ci-dessus: le grand escalier à double révolution du château de Chambord est un joyau architectural du XVIe siècle.

A droite: la façade est du château de Brissac près d'Angers où l'on peut voir de précieux gobelins.

Les vins

Si le vin rouge-rosé suave à douceureux, qui a pour nom rosé d'Anjou et qui remplit les rayons de nos supermarchés, personnalise pour vous le vin de la Loire, vous vous trompez lourdement. Une grande partie des spécialités de tradition vraiment dignes d'intérêt ne franchit pas les frontières. On doit les goûter sur place.

Un peu à l'écart des grands vignobles, en amont de la Loire dans l'ancien comté du Berry, on trouve des vins blancs élégants. Le sancerre, très estimé des gourmets, est un vin sec dont la finesse s'accorde bien avec le poisson et les fruits de mer. Les vins de Pouilly, tout comme les sancerres, sont pressurés avec du sauvignon blanc et commercialisés sous l'appellation pouilly fumé.

Orléans, anciennement réputée pour ses vins rouges, se contente aujourd'hui de fabriquer un excellent vinaigre de vin. Mais c'est immédiatement à l'ouest que commence la Touraine viticole où l'on vinifie des blancs, des rouges et des rosés sous l'AOC de Touraine ou bien sous le nom de vignobles plus petits.

Le vouvray, élaboré avec du pineau de la Loire, est naturellement pétillant. C'est ce qui explique que les vins mousseux soient plus connus. Il existe toutefois du vouvray en version tranquille. Ils sont tous aromatiques et bouquetés.

Deux vins rubis foncé issus de cabernet franc portent les noms des communes de Chinon et de Bourgueil. Le chinon, un peu plus tendre et plus moelleux, et le bourgueil à l'arôme de framboise qui se boit un peu plus vieux accompagnent idéalement les plats de viande et de gibier locaux.

Dans l'Anjou limitrophe, Saumur surtout s'est fait un nom parmi les amateurs de vin. Le cabernet de Saumur est un rosé d'Anjou amélioré.

Il est sec et ne peut être élaboré qu'avec des cépages de cabernet franc et de cabernet sauvignon. Les mousseux sont néanmoins plus connus. Ils sont stockés, comme le vouvray au demeurant, dans des caves creusées dans le tuffeau qui offrent des conditions favorables similaires à celles des galeries crayeuses de Champagne.

Sur les coteaux du Layon, un affluent de la Loire, le pineau est souvent attaqué par la pourriture noble, ce qui permet d'élaborer des vins liquoreux les bonnes années. Quarts-de-chaume et bonnezeaux sont des appellations communales synonymes de haute qualité.

Enfin l'appellation générique de crémant de la Loire regroupe des vins mousseux rouges, blancs et rosés fabriqués selon la méthode champenoise.

La vigne s'épanouit également le long des affluents de la Loire, comme l'Aubance, et produit des vins fruités et élégants, généralement légers. Les vins du Poitou sont des spécialités locales qu'il faut acheter sur place. Ils ont une personnalité qui rappelle celle de leurs voisins angevins et tourangeaux.

La Charente et la Charente-Maritime sont deux autres départements intéressants. L'eau-de-vie la plus illustre du monde vient de la région de Cognac. Les meilleurs secteurs se trouvent à Segonzac et la région s'appelle Grande Champagne, ce qui risque de prêter à confusion. La Petite Champagne aux environs de Jozac, Barbezieux et Jarnac englobe les vignobles un peu moins bien cotés.

Une autre spécialité régionale est le pineau des Charentes. Il est préparé avec du moût non fermenté de raisins pineau additionné de cognac et est un apéritif estimé et renommé un peu partout.

En haut: Vouvray, village viticole sur la Loire, est surtout réputé pour ses vins pétillants qui, dans les caves creusées dans le tuffeau, trouvent des conditions de vieillissement optimales.

En bas: mise en bouteilles du mousseux dans une cave de Vouvray/Loire.

Recettes régionales

Salades et entrées

218   Salade poitevine
(Poitou)
218   Les cerneaux
(Touraine)
219   Rillettes du Mans
(Loire)
220   Pâté vendéen
(Vendée)

Poissons

222   Bouilleture d'anguilles
(Anjou)
222   Brochet au beurre blanc
(Anjou)
223   Saumon Val de Loire
(Touraine)
224   Colin aux cèpes
(Vendée)

Viandes

226   Biftecks à la poitevine
(Poitou)
226   Gigot à la solognote
(Orléanais)
227   Escalopes de porc aux
pruneaux
(Touraine)
228   Cul de veau à la mode du
vieux presbytère
(Anjou)

Volailles et gibier

230   Fricassée de poulet
(Anjou)
230   Canard aux navets
(Poitou)
231   Canard à la solognote
(Orléanais)
232   Cailles à la feuille de
vigne
(Orléanais)
232   Faisan au four
(Orléanais)
233   Escalopes de chevreuil
(Orléanais)

Pâtisseries et desserts

234   Tarte des demoiselles
Tatin
(Orléanais)
236   Crémets d'Angers
(Anjou)
236   Pudding aux noix
(Touraine)
237   Galette beauceronne
(Orléanais)

Salade poitevine

(Poitou)

Ingrédients pour 4 portions:

100 g de riz
125 g de champignons de
  Paris
4 petites tomates à chair ferme
2 oignons nouveaux
2-3 branches d'estragon
sel, poivre du moulin

Réalisation: 30 minutes
Par portion: 450 kJ/110 kcal

1 Faire cuire le riz à l'eau salée
20 minutes suivant la variété.

2 Pendant ce temps, nettoyer
et essuyer les champignons
avec du papier absorbant. Les
faire pocher 7 minutes en tout à
l'eau salée.

3 Egoutter les champignons,
les couper en deux ou en
quatre selon leur grosseur.
Laver et couper les tomates en
fines rondelles. Nettoyer, laver
et hacher très fin les oignons
nouveaux.

4 Egoutter le riz dans une
passoire. Le mettre dans un
torchon de cuisine et le sécher.

5 Mélanger tous les éléments
et répartir cette salade dans
quatre assiettes individuelles.
Laver l'estragon, le hacher
menu et en parsemer la salade.
Donner dessus un coup de
moulin à poivre.

• Variante: cette entrée sera
encore plus appétissante si
vous dressez les ingrédients
sans les mélanger dans des
assiettes et si vous les parse-
mez d'estragon et de poivre.
Mélangez au dernier moment.
Vous pouvez aussi garnir des
coupelles avec les rondelles de
tomates et disposer au centre
les ingrédients mélangés.

Les cerneaux

(Touraine)

Ingrédients pour 4 portions:

750 g de noix vertes
6 échalotes
10 cs de bon vinaigre de vin
1/2 l de vin rouge sec
gros sel
poivre du moulin

Réalisation: 25 minutes
(+ 2-3 jours de repos)
Par portion: 4 000 kJ/950 kcal

1 Ouvrir délicatement les noix
avec un couteau pointu.
Retirer les cerneaux avec la
peau et les mettre dans une
terrine avec beaucoup d'eau
pour empêcher leur décolo-
ration. Une fois le dernier
cerneau enlevé, les rincer
tous à l'eau courante. Les
saupoudrer d'un peu de gros
sel.

2 Eplucher et hacher très
fin les échalotes. Les
mélanger avec les cerneaux
de noix.

3 Mélanger le vinaigre avec
le vin rouge. Poivrer. Verser
ce mélange sur les cerneaux
et laisser macérer pendant
2-3 jours au moins.

4 Avant de servir ou à table,
ôter la fine peau blanche
des cerneaux.

• Ce hors-d'œuvre inhabituel
remonte aux temps anciens.
Alexandre Dumas écrivait dans
son Grand Dictionnaire de
cuisine: «Une chose exquise,
totalement inconnue hors de
France.» Dumas a dégusté les
noix vertes à Paris où on les
chercherait en vain aujourd'hui.
Mais en Touraine, leur région
d'origine, on peut peut-être
encore s'en faire servir dans
l'une ou l'autre auberge de
campagne. Le mieux est de
préparer vous-même cette
entrée.

• A l'origine, on préparait les
noix vertes au verjus qui, lui

Rillettes du Mans

(Loire)

aussi, est quasi introuvable en France. C'est le jus de raisins cueillis verts, un élément important de la cuisine tant auvergnate que périgourdine et angevine. De nos jours, on remplace le verjus par un bon vinaigre de vin.

• Les noix ne doivent être mûres en aucun cas. La meilleure saison pour les noix vertes est le plein été, vers la mi-août.

• Une version un peu plus édulcorée: renoncez aux échalotes, mélangez le vinaigre de vin avec de l'eau et, pour finir, saupoudrez les cerneaux de cerfeuil haché.

Ingrédients pour 10-12 portions:

400 g de porc maigre
600 g de lard gras frais
1 bouquet garni (persil, feuille de laurier, thym, clou de girofle)
sel, poivre du moulin

Réalisation: 4 h 1/2
  (+ 24 h de repos)
Pour 12 portions, par portion:
  1 600 kJ/380 kcal

1 Tailler le porc et le lard en petits dés. Emprisonner le bouquet garni dans un sachet de lin et le nouer.

2 Faire revenir le porc et le lard dans une cocotte. Mettre le sachet d'épices dans la cocotte. Saler, poivrer. Mouiller avec 100 ml d'eau environ.

3 Laisser cuire les rillettes à couvert à feu doux pendant environ 4 h en remuant souvent et en rajoutant de l'eau, si le mélange attache au fond.

4 Retirer le sachet de lin. Verser la graisse dans un saladier. Ecraser la viande au hachoir ou à la fourchette et la mettre dans un pot en terre. Verser assez de graisse pour recouvrir la viande. Couvrir d'un feuille de papier sulfurisé. Laisser refroidir et servir cette entrée avec du pain au plus tôt après 24 h.

• Les rillettes et les rillons sont toujours des viandes maigres cuites dans la graisse; dans le premier cas, on hache encore une fois la viande après la cuisson, dans le second non. Outre les rillettes de porc, il y a aussi les rillettes d'oie ou de lapin ainsi que les rillettes de plusieurs viandes.

Pâté vendéen

(Vendée)

Ingrédients pour 8 portions:

1 jeune lapin de garenne avec
   son foie, prêt à cuire
   (1,3 kg)
150 g de lard gras frais
1/2 bouquet de persil
1 gousse d'ail
mélange quatre-épices (3 parts
   de poivre, 1 part de noix de
   muscade râpée, poudre de
   girofle et gingembre moulu
   en parts égales)
4 cl de cognac
200 ml de vin blanc sec
1 oignon
5-6 clous de girofle
2 carottes
1 pied de veau, concassé par
   le boucher
1 bouquet garni (feuille de
   laurier, thym, persil)
500 g de filet de porc
1 crépine de porc (à commander chez le boucher)
sel, poivre du moulin

Réalisation: 4 h 1/2
   *(12 h de refroidissement et
   de repos)*
Par portion: 1 700 kJ/400 kcal

En Vendée, on emploie du lapin de garenne pour faire ce pâté, une espèce de lapin courante en France. L'auteur Fulbert-Dumonteil l'a appelé le «gibier du pauvre».

Les Français affectionnent la viande du lapin domestique et de garenne dans la mesure où sa chair délicate permet différents apprêts et assaisonnements, comme le poulet. Pour cette recette, vous pouvez aussi prendre un lapin domestique.

• La crépine s'achète chez le boucher, mais il est plus prudent de la commander à l'avance.

• Vin conseillé: un bourgueil ou un chinon rouges de la Loire.

• Accompagnement: des pruneaux ramollis et pochés dans du vin rouge.

1 Commencer par désosser le râble et les cuisses et par dénerver ces parties. Les escaloper en tranches de 1 cm d'épaisseur environ. Poivrer ces tranches et les mettre de côté.

2 Désosser et dénerver le reste du lapin. Passer les morceaux au hachoir électrique avec le foie. Tailler le lard en fins lardons. Laver, éponger et hacher menu le persil. Eplucher la gousse d'ail et l'écraser avec la lame d'un couteau.

3 Mélanger le tout avec la viande de lapin hachée. Saler et assaisonner avec les quatre-épices. Ajouter le cognac et la moitié du vin. Laisser reposer cette farce 1 h environ.

4 Eplucher l'oignon et le piquer avec les clous de girofle. Laver, nettoyer et couper les carottes en petits dés. Faire cuire l'oignon et les carottes avec le pied de veau, le reste du vin, 1/2 l d'eau, le bouquet garni, du poivre et du sel dans une marmite à couvert et à feu modéré pendant 1 h environ.

5 Ajouter le filet de porc, laisser frémir 30 minutes de plus. Retirer le filet, le concasser au hachoir électrique et le mélanger avec les chairs de lapin hachées (farce). Garder le bouillon. Faire tremper la crépine dans de l'eau chaude, l'exprimer et en foncer une terrine.

6 Habiller la terrine en alternant les couches de farce et de tranches de viande. La première et la dernière sont des couches de farce. Replier la crépine par-dessus. Préchauffer le four à 180° C.

7 Bien refermer la terrine. La faire cuire au bain-marie au four préchauffé (gaz: thermostat 2) pendant 2 h environ. Durant la cuisson, faire réduire le bouillon de moitié environ, ce qui prend 30 minutes. Puis le passer au tamis et le dégraisser.

8 Enlever la terrine du four, ôter l'excès de graisse. Verser dessus le bouillon réduit. Laisser refroidir la terrine, puis la mettre une nuit au réfrigérateur pour gélifier la réduction. Servir en entrée avec du pain.

Bouilleture d'anguilles
(Anjou)

Ingrédients pour 4 portions:

1 kg d'anguille fraîche nettoyée
    prête à cuire
2 oignons
2 échalotes
1 bouquet garni (persil, feuille
    de laurier, vert de fenouil)
1/2 l de bon vin rouge de la
    Loire, un chinon par
    exemple
2 cl d'eau-de-vie de fruit
1 cs de beurre
1 cs de farine
sel, poivre du moulin

Réalisation: 45 minutes
Par portion: 3 600 kJ/860 kcal

1 Laver l'anguille à l'eau
fraîche et la couper en tronçons de 5 cm environ. Éplucher
les oignons et les échalotes et
les hacher fin. Les mettre ensemble avec le bouquet garni
dans une casserole. Disposer
dessus les morceaux d'anguille.
Assaisonner. Mouiller avec le vin
rouge à hauteur de l'anguille.

2 Porter à ébullition. Quand
le vin commence à bouillir,
chauffer l'alcool dans une
louche à la flamme d'une
bougie, l'enflammer et le
verser dans la casserole.

3 Faire cuire à découvert et à
feu modéré pendant 20
minutes environ. Retirer le
bouquet garni. Enlever les
tronçons d'anguille et les tenir
au chaud. Travailler le beurre
avec la farine et l'ajouter petit à
petit à la sauce en fouettant
pour la lier. Servir l'anguille
dans la sauce.

• Accompagnez de tranches
de pain grillées au beurre.

• Vin conseillé: un vin rouge
fruité de la Loire, tel un chinon
ou un bourgueil, de préférence
le même vin que celui qui a
servi dans la recette.

Brochet au beurre blanc
(Anjou)

Ingrédients pour 4 portions:

1 brochet prêt à cuire (1,5 kg)

Pour le court-bouillon:
5 cl de vinaigre de vin
100 ml de vin blanc sec
2 carottes
2 oignons
4 clous de girofle
1 gousse d'ail
1 bouquet garni (persil, feuille
    de laurier, vert de fenouil)
sel, poivre du moulin

Pour le beurre blanc:
4 petites échalotes
4 cs de vinaigre de vin
250 g de beurre
sel, poivre du moulin

Réalisation: 1 h 3/4
Par portion: 3 000 kJ/710 kcal

1 Passer le brochet à l'eau
courante et l'essuyer avec
précaution. Pour le court-bouillon, mettre 2 l d'eau dans une
marmite. Ajouter le vinaigre de

vin et le vin. Nettoyer, laver et
émincer les carottes. Hacher
finement 1 oignon, piquer
l'autre avec les clous de girofle.
Éplucher et couper la gousse
d'ail en deux.
Mettre le tout dans la marmite
avec le bouquet garni. Saler,
poivrer et chauffer.

2 Laisser frémir le court-
bouillon à couvert et à feu
modéré pendant 30 minutes
environ. Laisser refroidir.

3 Plonger le brochet dans le
court-bouillon tiède et le
faire pocher à découvert et à
tout petit feu pendant environ
25 minutes.

4 Entre-temps, préparer le
beurre blanc: éplucher les
échalotes et les hacher très fin
au hachoir électrique. Les
mettre dans une casserole.
Verser le vinaigre et
assaisonner.

Saumon Val de Loire

(Touraine)

5 Faire réduire le liquide à feu modéré jusqu'à consistance crémeuse. Baisser le feu. Ajouter le beurre peu à peu et l'incorporer en remuant. Oter la casserole du feu à intervalles réguliers pour éviter que la sauce ne devienne trop chaude. Elle ne doit pas bouillir!

6 Retirer le poisson du court-bouillon, lever les filets, ôter la peau et les détailler en morceaux avant de les dresser sur un plat. Verser la sauce dans une saucière chaude et la servir à part.

• Pour éviter que le beurre blanc ne devienne trop chaud, mieux vaut le préparer au bain-marie.

• Vin conseillé: un muscadet sec de la Loire.

Ingrédients pour 4 portions:

1 kg de saumon frais
125 g de lard maigre fumé
150 g d'échalotes
125 g de beurre
4 cl de bon vinaigre de vin
1 cs de farine
sel, poivre du moulin

Réalisation: 1 h
Par portion: 3 800 kJ/900 kcal

1 Passer le saumon à l'eau froide et l'éponger. Retirer la peau. Détailler le lard fumé en fine julienne. Larder le saumon à l'aide d'un couteau pointu. Préchauffer le four à 220° C.

2 Eplucher et hacher très fin les échalotes. Les mettre dans le fond d'un plat à gratin. Poser le saumon sur ce lit d'échalotes. Répartir 100 g de beurre en tranches sur le saumon. Assaisonner.

3 Glisser au four préchauffé (gaz: thermostat 4) pour 15 minutes environ. Mouiller avec le vinaigre de vin. Achever la cuisson pendant 15 minutes en arrosant en permanence avec le jus de cuisson.

4 Disposer le poisson sur un plat. Mélanger la farine et le reste du beurre à la fourchette. Former des boulettes et les incorporer à la sauce juste avant de servir. Servir avec du pain blanc.

• Vin conseillé: un sauvignon corsé de Touraine.

• Astuce: si larder le saumon vous paraît trop fastidieux, bardez-le simplement de fines tranches de lard maigre fumé.

• Ce plat se marie très bien avec des épinards en branches rapidement blanchis, passés au beurre et assaisonnés.

Colin aux cèpes

(Vendée)

Ingrédients pour 4-6 portions:

1,5 kg de colin nettoyé prêt à cuire (à défaut de filets de colin)

Pour le court-bouillon:
1 l 1/2 de muscadet (ou un autre vin blanc sec de la Loire)
1 beau bouquet garni (persil, vert de fenouil, basilic, thym, feuille de laurier)
1 pincée de safran
sel, poivre mignonnette

Pour la fricassée de cèpes:
800 g de cèpes
1 échalote
1/2 gousse d'ail
1 branche d'estragon
2 branches de persil
40 g de beurre
4 cs d'huile d'olive
sel

Pour la sauce:
100 ml de muscadet
100 ml de vinaigre de vin blanc
1/2 gousse d'ail
2 échalotes

4 branches d'estragon
4 branches de vert de fenouil (facultatif)
2 branches de cerfeuil
1 pincée de safran
4 jaunes d'œufs
125 g de beurre
4 cs de concentré de tomates
100 g de crevettes cuites
2-3 cs de jus de citron
sel, poivre du moulin

Réalisation: 3 h 1/2
Pour 6 portions, par portion:
  3 000 kJ/710 kcal

• Astuce: si vous ciselez les herbes aux ciseaux, les feuilles donneront moins de jus.

• Cette sauce prieuré d'Azay est une des préparations traditionnelles de la région. Elle est longue à faire, mais vous ne serez pas déçu.

• Vin conseillé: un muscadet ou un vin blanc sec de Saintonge.

1 Couper le colin en darnes de 3 cm d'épaisseur ou les filets en tranches. Les laver à l'eau froide et les éponger. Pour le court-bouillon, verser le vin dans une marmite, ajouter le bouquet garni et les épices. Laisser frémir le tout pendant 30 minutes environ, puis laisser tiédir.

2 Plonger les tranches de poisson dans le court-bouillon et les faire pocher à couvert et à tout petit feu pendant 20 minutes. Retirer du feu. Réserver le poisson au chaud dans un peu de court-bouillon. Garder le reste.

3 Dans l'intervalle, nettoyer les cèpes et les émincer en lamelles de 1/2 cm. Eplucher l'échalote et l'ail et les hacher menu. Laver, éponger et ciseler l'estragon et le persil aux ciseaux.

4 Chauffer le beurre et l'huile dans une casserole, y mettre le reste des ingrédients. Faire mijoter le tout à couvert et à feu vif pendant 10 minutes environ, puis faire cuire 30 minutes à feu modéré. Egoutter et garder au chaud. Passer le jus de cuisson au tamis et le mettre de côté.

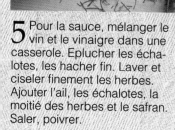

5 Pour la sauce, mélanger le vin et le vinaigre dans une casserole. Eplucher les échalotes, les hacher fin. Laver et ciseler finement les herbes. Ajouter l'ail, les échalotes, la moitié des herbes et le safran. Saler, poivrer.

6 Couvrir et faire bouillir le tout 6 minutes environ à feu vif. Ajouter 8 cs de jus de cuisson des cèpes et 4 cs de court-bouillon, remuer. Couvrir et faire cuire 12 minutes de plus à feu modéré. Transvaser à travers un tamis dans une autre casserole et faire réduire quelque peu.

7 A tout petit feu – éteindre la plaque électrique –, incorporer peu à peu les jaunes d'œufs en fouettant pour obtenir une sauce épaisse. Ajouter aussi le beurre petit à petit. Relever avec le concentré de tomates.

8 Ajouter les crevettes dans la sauce. Finir avec le jus de citron et le reste des herbes. Vérifier encore une fois l'assaisonnement et verser la sauce sur les tranches de poisson. Servir les champignons à part.

Biftecks à la poitevine

(Poitou)

Ingrédients pour 4 portions:

*3 grosses tranches de pain
    blanc écroûté de la veille
1/2 l de lait
2 os à moelle de bœuf
500 g de hachis de bœuf
noix de muscade fraîchement
    râpée
3 œufs
1 cs de semoule fine
1 oignon
1 cs de beurre
200 ml de vin blanc sec
2-3 cs de jus de citron
1/2 bouquet de persil
sel, poivre du moulin*

Réalisation: 1 h 3/4
Par portion: 2 400 kJ/570 kcal

1 Faire tremper le pain dans le lait. Ecraser à la fourchette le contenu des deux os à moelle. Le mélanger avec le hachis. Assaisonner de sel, de poivre et de muscade. Casser les œufs et les mélanger ainsi que la semoule. Enlever le pain du lait, le presser et le mélanger au hachis.

2 Eplucher l'oignon et le hacher très fin. Le faire revenir dans 1 cc de beurre sans le laisser roussir. L'ajouter au hachis. Laisser reposer 1 h environ au frais.

3 Avec le hachis, former des petits biftecks d'une épaisseur de 2-3 cm. Chauffer le reste du beurre dans une poêle. Y faire cuire les biftecks à feu modéré pendant 15 minutes environ des deux côtés. Dresser sur un plat et tenir au chaud.

4 Déglacer la poêle avec le vin. Arroser les biftecks avec le jus de citron. Laver le persil, l'éponger et le hacher menu. En parsemer les biftecks et napper avec la sauce. Servir très chaud.

Gigot à la solognote

(Orléanais)

Ingrédients pour 4 portions:

Pour la marinade:
*150 g de lard maigre fumé
2 carottes
2 oignons
2 échalotes
100 ml de vinaigre de vin
3750 ml de vin blanc sec
2-3 gousses d'ail
5 clous de girofle
noix de muscade fraîchement
    râpée
2-3 branches de thym
2-3 feuilles de laurier
1-2 branches de romarin
sel, poivre du moulin*

Autres ingrédients:
*1 kg de gigot d'agneau
    désossé
1 cs de beurre*

Réalisation: 1 h 1/4
    (+ 24 h de marinade)
Par portion: 4 300 kJ/1 000 kcal

1 Pour la marinade, couper le lard en julienne; nettoyer et couper les carottes en julienne; éplucher les oignons et les échalotes et les couper en quatre.

2 Diluer le vinaigre de vin avec 100 ml d'eau et y ajouter le vin blanc. Y mettre les carottes, les oignons et les échalotes. Eplucher l'ail et le presser par-dessus. Incorporer les épices et les herbes à cette marinade. Assaisonner.

3 Laver et éponger le gigot et le mettre à mariner 24 h environ en le retournant de temps en temps.

4 Le lendemain, retirer le gigot de la marinade et l'essuyer avec du papier absorbant. Repêcher les petits lardons et en larder l'agneau. Faire réduire la marinade des 2/3 environ à découvert.

Escalopes de porc aux pruneaux

(Touraine)

5 Pendant ce temps, préchauffer le four à 220° C. Faire fondre le beurre dans un plat allant au four. Y faire revenir le gigot sur toutes ses faces avant de le glisser au four préchauffé (gaz: thermostat 4) pour 50 minutes environ. Arroser petit à petit avec la marinade.

6 Dresser la viande sur un plat. Passer la sauce au tamis, rectifier l'assaisonnement et la servir à part.

• Astuce: ce gigot s'accompagne de haricots verts.

Ingrédients pour 4 portions:

250 g de pruneaux dénoyautés
250 ml de vouvray ou d'un
    autre vin blanc demi-sec
4 escalopes de porc (120 g
    pièce)
2-3 cs de farine
2 cs de beurre
2 cs de purée de tomates
3 cs de crème fraîche
sel, poivre du moulin

Réalisation: 30 minutes
    (+ 3-4 h de gonflement)
Par portion: 2 300 kJ/550 kcal

1 Faire tremper les pruneaux 3-4 h dans 100 ml de vin.

2 Passer les escalopes éventuellement à l'eau courante, les éponger, les assaisonner et les rouler dans la farine. Faire tomber l'excès de farine.

3 Faire fondre le beurre dans une grande poêle. Y faire sauter les escalopes 5 minutes environ de chaque côté. Saler et poivrer.

4 Entre-temps, faire cuire les pruneaux 10 minutes dans le reste du vin. Les retirer et les disposer au centre d'un plat. Ranger les escalopes tout autour. Garder au chaud.

5 Déglacer le fond de cuisson des escalopes avec le vin dans lequel ont cuit les pruneaux. Incorporer la purée de tomates et la crème fraîche, saler et poivrer. Verser la sauce sur les pruneaux et les escalopes. Servir sans attendre.

• Ce plat s'accompagne de riz croquant.

• Vin conseillé: un vin rouge de Touraine, tel un bourgueil.

Cul de veau à la mode du vieux presbytère
(Anjou)

Ingrédients pour 8-10 portions:

500 g de morilles fraîches ou
    50 g de morilles séchées
250 ml de lait (facultatif)
2 kg de cuisseau de veau
    désossé
1 cc de curry en poudre
125 g de lard gras frais en
    fines bardes
2 oignons
2 carottes
150 g de lard maigre fumé
50 g de beurre
3 cs de farine
250 ml de vin blanc sec
250 ml de bouillon ou de fond
    de viande
1 botte d'estragon
1 jaune d'œuf
150 g de crème
sel, poivre blanc du moulin

Réalisation: 3 h
    (le cas échéant + 2 h de
    trempage)
Pour 10 portions, par portion:
    2 100 kJ/500 kcal

Les recettes françaises de cuisine de presbytère ont très bonne réputation. Les ecclésiastiques s'entendaient fort bien à choisir parmi leurs ouailles celles qui s'occuperaient le mieux de leur confort matériel.

• Une recette de veau originale. Ce sont surtout les morilles qui rehaussent admirablement la saveur délicate de la viande. Ces délicieux champignons poussent principalement dans le Jura français. Chez nous, on les trouve dans le commerce à l'état sec pour la plupart. Cette méthode de conservation préserve néanmoins leur arôme exquis. Au lieu de morilles, cette recette s'accommode également de cèpes frais ou séchés.

• Vin conseillé: un muscadet frais et pétillant ou un rosé fin d'Anjou comme un cabernet de Saumur.

1 Faire tremper les morilles séchées 2 h environ dans 250 ml de lait dilué à l'eau. N'employer que les têtes des morilles fraîches. Les laver plusieurs fois à grande eau, car elles sont habituellement pleines de sable.

2 Saler, poivrer et saupoudrer la viande d'un peu de curry. Barder la viande et fixer les bardes avec du fil de cuisine. Retirer les champignons du lait, les égoutter et bien les laver. Couper en deux les grosses têtes.

3 Eplucher les oignons et les hacher fin. Nettoyer, laver et couper les carottes en tout petits dés. Couper le lard fumé en lardons. Faire fondre le beurre dans une cocotte. Y faire dorer les lardons, les enlever et les mettre de côté.

4 Saisir la viande de tous côtés dans la graisse. Ajouter les oignons et les carottes, épicer avec le reste du curry. Saupoudrer avec la farine, faire suer un instant. Mouiller avec le vin et le bouillon de viande. Faire cuire à couvert à feu très doux (minimum) pendant 1 h 1/2 environ.

5 Mettre les lardons et les champignons dans la casserole. Laver, éponger l'estragon et couper les feuilles aux ciseaux. En parsemer la viande. Couvrir et achever la cuisson pendant 1 h environ.

6 Ôter la viande de la cocotte. Retirer le fil de cuisine et les bardes de lard. Mettre la viande au chaud à couvert.

7 Fouetter ensemble le jaune d'œuf et la crème; lier la sauce avec ce mélange. Chauffer la sauce une dernière fois sans faire bouillir. Escaloper la viande. Napper les tranches avec une partie de la sauce et verser le reste tout autour. Servir très chaud avec du pain ou des pâtes.

Fricassée de poulet
(Anjou)

Ingrédients pour 4 portions:

1 gros poulet à rôtir (1,3 kg)
12 oignons nouveaux
125 g de champignons de
Paris très frais
2 cs de beurre
200 ml de vin blanc sec
d'Anjou, ainsi un coteaux-
de-la-Loire ou un muscadet
1 bouquet de persil frisé
100 ml de crème double
sel, poivre du moulin

Réalisation: 45 minutes
Par portion: 2 200 kJ/520 kcal

1 Passer le poulet à l'eau
froide, l'éponger et le
découper en huit morceaux.

2 Nettoyer et laver les
oignons nouveaux et
couper la partie verte. Nettoyer
et frotter les champignons à
sec sans les laver. Laisser
entiers les petits, couper les
gros en quatre.

3 Faire fondre le beurre dans
une casserole. Y faire
revenir les morceaux de poulet,
les oignons et les champignons. Mouiller avec le vin.

4 Couvrir la casserole et
laisser cuire 40 minutes
environ à feu doux. Pendant ce
temps, laver le persil, l'égoutter
et le hacher très fin.

5 Incorporer la crème double.
Saler, poivrer et servir très
chaud parsemé de persil avec
du pain blanc.

• Vin conseillé: le même vin
d'Anjou que celui qui a servi à
confectionner la sauce.

Canard aux navets
(Poitou)

Ingrédients pour 4 portions:

1 canard nettoyé prêt à cuire
(1,8 kg)
100 g de lard maigre fumé
1 échalote
1 branche de thym
1 feuille de laurier
2 branches de persil
100 g de beurre
1 cs de farine
250 ml de bouillon ou de fond
de viande
1 kg de petits navets
250 g d'oignons
1 cs de sucre
10 cl de cognac
sel, poivre du moulin

Réalisation: 2 h
Par portion: 4 500 kJ/1100 kcal

1 Laver et essuyer le canard,
saler et poivrer l'intérieur.
Tailler le lard en petits lardons.
Éplucher et hacher menu

l'échalote. Remplir le canard
avec les lardons, l'échalote et
les herbes. Recoudre l'ouverture avec du fil de cuisine.

2 Faire fondre un tiers du
beurre dans une marmite
ou une braisière. Ajouter la
farine et faire légèrement
roussir. Y faire bien dorer le
canard de toutes parts.
Mouiller avec le bouillon de
viande. Assaisonner. Couvrir et
laisser braiser le canard 1 h 1/2
environ à chaleur modérée.

3 Dans l'intervalle, éplucher
et couper en quatre les
navets et les oignons. Dans
une deuxième casserole, faire
colorer en remuant avec le
reste du beurre les petits
navets et les oignons. Ajouter
le sucre et laisser caraméliser
en tournant pendant 5 minutes
environ. Verser un peu de fond
de cuisson du canard et faire
cuire 15 minutes. Ils doivent
rester croquants.

Canard à la solognote

(Orléanais)

4 Dresser la garniture sur un plat de service et déposer le canard dessus. Débrider le canard. Déglacer le fond de cuisson avec le cognac, vérifier l'assaisonnement et verser un peu de sauce sur le plat. Servir le reste de la sauce à part.

Ingrédients pour 4 portions:

100 g de pain blanc écroûté de la veille
1 canard avec son foie (1,8 kg)
1 oignon
1 œuf
1 branche de romarin
1 branche de thym
1 branche de sarriette
1 gousse d'ail
noix de muscade fraîchement râpée
4 cl d'armagnac
sel, poivre du moulin

Réalisation: 2 h 1/2
 (+ 24 h de repos)
Par portion: 2 900 kJ/690 kcal

1 Faire ramollir le pain dans l'eau chaude, le presser et le mettre dans une terrine.

2 Passer le foie du canard au hachoir électrique. Eplucher l'oignon et le hacher très fin. Amalgamer ensemble le foie, l'œuf et le pain. Laver les herbes. Les effeuiller un peu, émietter ces feuilles entre les doigts au-dessus de la terrine. Eplucher l'ail et le presser par-dessus, ajouter la noix de muscade. Parfumer à l'armagnac. Travailler encore une fois cette farce et l'assaisonner.

3 Laver l'intérieur et l'extérieur du canard. Saler et poivrer l'intérieur. Le farcir et le brider. Mettre le canard au frais 24 h environ.

4 Préchauffer le four à 220° C. Cuire d'abord le canard sur le ventre au four préchauffé (gaz: thermostat 4) pendant 2 h environ. Le retourner après une heure. L'arroser fréquemment d'eau froide.

5 Dresser le canard sur un plat, le débrider. Déglacer le fond de cuisson avec un peu d'eau et servir la sauce à part.

• Astuce: la sarriette est une herbe très aromatique du sud de la France. On la trouve séchée ou fraîche dans les magasins de primeurs et certaines grandes surfaces. Il vaut la peine d'en rapporter d'un voyage en France! Sinon, vous pouvez la remplacer par des herbes de Provence.

• Si vous ajoutez à la farce du cognac au lieu d'armagnac, elle sera légèrement plus amère.

• Servir avec des petits oignons nouveaux étuvés au beurre et du pain blanc.

• Vin conseillé: un vin rouge ordinaire léger de la Bourgogne voisine, un irancy par exemple.

Cailles à la feuille de vigne
(Orléanais)

Faisan au four
(Orléanais)

Ingrédients pour 4 portions:

8 cailles
8 feuilles de vigne (en boîte)
8 fines bardes de lard gras
frais ou fumé
75 g de beurre
1/2 l de bouillon de viande
sel, poivre du moulin

Réalisation: 1 h
Par portion: 3 700 kJ/880 kcal

1 Passer les cailles à l'eau froide et les essuyer. Assaisonner. Envelopper chaque caille dans une feuille de vigne. Puis les entourer d'une barde de lard et les maintenir en place avec du fil de cuisine.

2 Faire fondre le beurre dans une cocotte en fonte ou une casserole en terre à feu, où les cailles prennent tout juste place. Les faire revenir à feu vif de tous côtés jusqu'à ce que les bardes soient bien dorées.

Mouiller à mi-hauteur des cailles avec le bouillon.

3 Couvrir et cuire les cailles à feu modéré pendant 20 minutes environ. Les retirer de la casserole. Enlever les bardes et les feuilles de vignes.

4 Faire réduire le liquide de braisage à feu vif pour qu'il reste environ 8 cs. Remettre les cailles dans la casserole. Réchauffer et servir.

• S'accompagne de toasts rissolés au beurre.

• Vin conseillé: un rosé délicat de la Loire ou de la Bourgogne voisine.

Ingrédients pour 2 portions:

1 jeune faisan nettoyé
prêt à cuire (900 g)
250 g de carottes
1 gros oignon
1 branche de céleri
3 cs de beurre
1 cs de farine
2 branchettes de thym
1 feuille de laurier
2 gousses d'ail
3 cl d'armagnac
300 ml de vin rouge sec
5 cs de bouillon ou de fond de
viande
10 petits champignons de Paris
10 oignons nouveaux
125 g de lard maigre fumé
1 truffe noire
sel, poivre du moulin

Réalisation: 2 h
Par portion: 5 000 kJ/1200 kcal

1 Passer le faisan à l'eau froide, l'essuyer, le découper en quatre ou en huit. Nettoyer et couper les carottes

en tout petits dés. Eplucher l'oignon et le hacher menu. Nettoyer le céleri et l'émincer finement.

2 Faire fondre 2 cs de beurre dans une casserole. Y faire suer les dés de carottes et d'oignon. Y faire revenir également les morceaux de faisan. Saupoudrer de farine, bien remuer. Effeuiller la branche de thym et ajouter les feuilles avec le laurier et le céleri dans la casserole. Eplucher l'ail et le presser par-dessus. Ajouter le cognac flambé puis mouiller avec le vin et le bouillon de viande. Saler, poivrer et faire braiser à feu très doux et à couvert pendant 45 minutes environ.

3 Nettoyer et frotter les champignons à sec. Nettoyer et laver les oignons nouveaux. Couper le lard en bâtonnets. Les faire fondre dans le reste du beurre, les égoutter.

Escalopes de chevreuil
(Orléanais)

Emincer la truffe en lamelles ultrafines. Préchauffer le four à 180° C.

4 Retirer les morceaux de faisan de la casserole, les égoutter et les ranger dans un plat à gratin. Saupoudrer avec les champignons, les oignons et le lard. Décorer avec les lamelles de truffe et couvrir le plat.

5 Remplir d'eau un grand récipient de 8-10 cm. Placer une assiette au fond et poser dessus le plat avec le faisan. Faire cuire 40 minutes environ au bain-marie au four (gaz: thermostat 2). L'eau doit toujours rester juste en dessous du point d'ébullition. Ajouter de l'eau froide au besoin. Servir le faisan dans le plat.

• Vin conseillé: un vin rouge pas trop lourd, ainsi un mâcon de Bourgogne.

Ingrédients pour 4 portions:

Pour la sauce poivrade:
1 carotte
1 oignon
2 cs d'huile
250 g de ragoût de chevreuil ou de restes de rôti de gibier
1 bouquet garni (feuille de laurier, thym, persil)
3-4 cs de vinaigre de vin
1/2 l de fond de gibier
1/2 cc de poivre concassé
sel

Pour les escalopes de chevreuil:
500 g de céleri-rave
5-6 cs de crème double
4 escalopes de chevreuil
1 cs de beurre
1 cs d'huile d'olive
4 tranches de pain blanc
sel, poivre du moulin

Réalisation: 1 h 1/2
Par portion: 2 900 kJ/690 kcal

1 Pour la sauce, nettoyer et laver la carotte. Eplucher l'oignon. Les couper tous deux en petits dés.

2 Chauffer l'huile dans une casserole, y saisir vivement le ragoût de gibier. Ajouter la mirepoix de carotte et d'oignon et la faire également revenir en remuant. Mettre le bouquet garni. Mouiller avec le vinaigre. Verser le fond de gibier. Relever avec le poivre. Laisser frémir la sauce à couvert pendant 1 h environ.

3 Pendant ce temps, éplucher le céleri, le couper en huit et le cuire dans un peu d'eau salée. Puis l'égoutter et le réduire en purée. Y incorporer la crème double, saler, poivrer. Mettre cette purée au chaud.

4 Passer la sauce poivrade à l'étamine, la saler et la tenir aussi au chaud.

5 Passer les escalopes de chevreuil sous l'eau froide, les essuyer et les aplatir délicatement. Chauffer la moitié du beurre et l'huile d'olive dans une poêle. Y faire sauter les escalopes 5 minutes environ sur chaque face. Assaisonner.

6 Faire rissoler les tranches de pain dans le reste du beurre. Répartir dessus la purée de céleri.

7 Emincer les escalopes en aiguillettes et les dresser sur des assiettes individuelles. Garnir avec les croûtons et servir la sauce poivrade à part.

• Les cuisiniers professionnels préparent la sauce poivrade avec de la demi-glace (vendue aussi dans le commerce). Elle a un goût plus prononcé que le fond de gibier.

• Vin conseillé: un délicat vin rouge de la Loire.

Tarte des demoiselles Tatin

(Orléanais)

Ingrédients pour 4-6 portions:

Pour la pâte:

*250 g de farine + farine pour le
    plan de travail*
125 g de beurre en pommade
1 œuf
1 pincée de sel
1 cs de sucre glace

Pour la garniture:

12 cs de sucre glace
*1 kg de pommes acidulées à
    chair ferme*
120 g de beurre

*Réalisation: 1 h 1/4
    (+ 1 h de repos)
Pour 6 portions, par portion:
    2 300 kJ/550 kcal*

C'est de Lamotte-Beuvron, une petite localité du Loir-et-Cher, que la renommée de cette tarte aux pommes cuite «à l'envers» est parvenue jusqu'à Paris. On doit cette succulente invention aux sœurs Tatin qui choyaient ainsi les clients de leur auberge de campagne. Les patrons parisiens l'ont toutefois oublié en présentant cette invention provinciale à la clientèle exigeante de la capitale tout bonnement sous le nom de «tarte du chef».

• Le moule utilisé anciennement était un épais moule de cuivre galvanisé, mais qui possède encore un tel ustensile dans son ménage? On réussit le mieux cette tarte dans une poêle à bords épais en acier inoxydable (acier spécial ou téflon). Assurez-vous qu'elle entre dans le four avec le manche. Sinon, achetez de préférence un moule à tarte profond adapté à ce savoureux dessert, car on s'y fait vite!

1 Pour la pâte, tamiser la farine dans un saladier et faire une fontaine au centre. Y mettre le beurre et l'œuf. Humidifier avec 2 cs d'eau. Saler, sucrer. Mélanger ensemble les éléments du bout des doigts sans trop travailler la pâte.

2 Pour finir, appuyer très fort sur la pâte deux fois du plat de la main (fraiser). Envelopper le pâton dans un linge et le laisser reposer 1 h minimum dans un endroit frais.

3 Pendant ce temps, répartir 10 cs de sucre glace au fond d'une poêle sur une épaisseur de 1 cm environ. Humidifier avec 100 ml d'eau environ.

4 Eplucher et couper les pommes en quartiers. Les épépiner. Disposer également les quartiers de pomme sur le sucre. Faire fondre 100 g de beurre et le verser sur les pommes.

234

5 Mettre la poêle sur le feu et réchauffer lentement le contenu à feu doux en retournant constamment les pommes afin qu'elles n'absorbent pas tout le caramel en formation. Quand les pommes sont cuites à demi, retirer la poêle du feu.

6 Soulever un peu les pommes avec une spatule pour y glisser le reste du beurre. Ranger de nouveau les pommes dans le fond de la poêle et les saupoudrer du reste du sucre glace.

7 Préchauffer le four à 200° C. Abaisser la pâte en un disque fin sur un plan fariné. En recouvrir les pommes. Faire dorer au four préchauffé (gaz: thermostat 3) pendant 25 minutes environ.

8 A la fin de la cuisson, démouler la tarte sur une assiette ou un couvercle en la retournant pour que la pâte se trouve en dessous. Aplatir les pommes à la spatule ou au couteau à large lame. Servir chaude, tiède ou froide.

Crémets d'Angers
(Anjou)

Ingrédients pour 4 portions:

2 blancs d'œufs
350 g de crème
80 g de sucre
2 sachets de sucre vanillé

Réalisation: 20 minutes
(+ 2 h de repos)
Par portion: 1 700 kJ/400 kcal

1 Battre les œufs en neige. Fouetter 250 g de crème dans un autre récipient. Mélanger délicatement les deux au fouet.

2 Garnir un grand chinois avec une fine mousseline et le fixer au-dessus d'un saladier. Y mettre le mélange et laisser égoutter 2 h au réfrigérateur.

3 Mélanger le sucre avec le sucre vanillé dans un bol.

4 Retirer la mousse du réfrigérateur, la renverser et la surmonter avec le reste de la crème. Servir le sucre à part.

• Ce dessert est très appétissant si vous mettez la mousse dans des petits moules que vous démoulez après et que vous décorez d'un mélange de fruits, comme des framboises, des groseilles et des myrtilles.

• Astuce: ce plat simple est servi en France avec du café et des liqueurs. Vous pouvez aussi vous contenter de l'arroser de quelques gouttes de liqueur, d'orange par exemple.

Pudding aux noix
(Touraine)

Ingrédients pour 4 portions:

Pour le pudding:
200 g de cerneaux de noix
6 œufs
200 g de sucre glace
2 cs de chapelure
2 cs de fécule
1 citron non traité
beurre et farine pour le moule

Pour la crème anglaise:
1/2 l de lait
1 gousse de vanille
1 cc de fécule
4 jaunes d'œufs
80 g de sucre glace

Réalisation: 1 h 1/2
Par portion: 3 900 kJ/930 kcal

1 Hacher les noix. Faire bouillir de l'eau dans une grande casserole pouvant contenir le moule à pudding à côtes.

2 Casser les œufs en séparant les blancs des jaunes. Battre les jaunes additionnés du sucre en crème mousseuse. Saupoudrer avec la chapelure, la fécule et les noix. Mélanger le tout au fouet. Ajouter un peu de zeste de citron râpé.

3 Battre les œufs en neige et les incorporer délicatement.

4 Beurrer un moule et le saupoudrer de farine. Verser l'appareil à pudding dans le moule, couvrir et mettre dans un bain-marie; le moule doit baigner aux 3/4 de sa hauteur. Faire cuire dans l'eau frémissante pendant 1 h environ.

5 Entre-temps, chauffer le lait pour la crème. Entailler la gousse de vanille en longueur et l'ajouter. Quand le lait est sur le point de bouillir, le retirer du feu. Y laisser infuser la vanille 15 minutes de plus environ.

Galette beauceronne

(Orléanais)

6 Délayer la fécule dans les jaunes d'œufs et incorporer le sucre glace. Tourner vivement pendant 10 minutes jusqu'à ce que le mélange soit lisse et coule de la cuiller sans figer.

7 Réchauffer le lait sans le laisser bouillir. Le verser en le délayant dans la crème et remettre le tout dans la casserole du lait. Chauffer à petit feu sans cesser de remuer mais sans faire bouillir, en raclant le fond de la casserole avec la cuiller de bois. La crème est prête quand la cuiller est enduite d'une couche de crème. Retirer du feu et continuer à tourner un court moment. Laisser refroidir en remuant fréquemment pour éviter la formation d'une peau.

8 Enlever le pudding du bain-marie et le laisser refroidir. Le démouler sur un plat et le napper de la sauce.

Ingrédients pour 6 portions:

Pour la pâte:
125 g de beurre
125 g de sucre glace
2 œufs
250 g de farine + farine pour le plan de travail

Pour la garniture:
250 g de fromage blanc
2 cs de crème fraîche
50 g de sucre en poudre
30 g de farine
50 g de beurre + beurre pour le moule
3 œufs
100 g de raisins de Corinthe

Réalisation: 1 h
*   (+ 2 h de repos)*
Par portion: 2 800 kJ/670 kcal

1 Pour la pâte, mettre le beurre dans une terrine et tourner à la cuiller de bois pour obtenir une crème lisse. Ajouter le sucre en mélangeant jusqu'à consistance mousseuse.

Casser dessus les œufs un à un. Remuer jusqu'à obtention d'un mélange homogène. Ajouter la farine en dernier lieu et d'un seul coup. Bien mélanger les ingrédients mais sans battre la pâte pour ne pas la durcir.

2 Aplatir la pâte sur un plan de travail fariné et la replier trois fois. L'envelopper dans un torchon et la laisser reposer 2 h minimum au réfrigérateur.

3 Dans l'intervalle, laisser égoutter le fromage blanc 1 h 1/2 environ dans une étamine. Le mélanger avec la crème fraîche, le sucre glace et la farine. Faire fondre le beurre et l'ajouter. Casser les œufs en séparant les blancs des jaunes. Incorporer les jaunes à la garniture et ajouter les raisins de Corinthe. Battre les blancs en neige ferme et les intégrer délicatement.

4 Préchauffer le four à 200° C. Abaisser la pâte et en foncer un moule beurré de 26 cm. Y répartir la garniture. Glisser au four préchauffé (gaz: thermostat 3) pour 45 minutes environ. Servir tiède ou froid.

• Astuce: si l'on veut, on peut aussi saupoudrer le gâteau de sucre glace.

Le cognac & Cie – les fins spiritueux

Que serait un menu français et tous ses plaisirs variés solides et liquides sans son couronnement, le digestif, comme on l'appelle? On le sert au café avec des biscuits ou une pâtisserie. Le climat est à la bonne humeur car cette dernière gorgée ne répand pas uniquement un bien-être physique après un repas copieux.

Parmi tous les spiritueux faits avec les éléments de base les plus divers, le cognac est le roi. Connu et apprécié dans 150 pays du monde, c'est l'eau-de-vie par excellence. Qu'est-ce qui le distingue ainsi?

Le cognac est originaire des Charentes, des environs de la ville qui a donné son nom à cette boisson. C'est là que l'on trouve des conditions idéales pour la culture du cépage ugni blanc, qui donne actuellement 98 % des vins de base, ainsi que de la folle blanche et du colombard, ce dernier étant pratiquement insignifiant. C'est là également que fut découvert par hasard, comme c'est souvent le cas, le secret du cognac. D'après la chronique, un gentilhomme campagnard de la région aurait oublié un fût de chêne rempli de distillat de vin et ne l'aurait retrouvé qu'après des années. Après en avoir goûté le contenu, il fut tout ébahi: il avait bu son premier cognac et il était ravi.

Les vignerons avaient déjà découvert la distillation du vin. C'était une simple méthode de conservation en vue de faire supporter au vin de longs voyages en mer sans l'altérer. Dans le pays de destination, on dégustait ce distillat à l'état dilué. Ce n'était certes pas un breuvage très délicat, il avait un goût plutôt âpre et grossier. C'est donc le vieillissement en fût de chêne qui participa à la naissance du cognac et aujourd'hui encore, sa qualité dépend de cette composante majeure.

La moindre eau-de-vie de vin ou de fruit, le moindre alcool de plante sont le produit d'une distillation. C'est pourquoi une courte explication n'est pas inutile. Nous prendrons l'exemple du cognac.

On commence par les vendanges, suivies d'un pressurage délicat et d'une fermentation naturelle sans adjonction de sucre ou de soufre. Dans le cas du cognac, les fabricants sont tenus de ne distiller que du vin jeune, à savoir boucler le processus pour la fin mars.

Le vin est chauffé lentement dans l'alambic. Les légères vapeurs d'alcool montent pour parcourir un mince tuyau, appelé «col de cygne», sont refroidies et condensées à la manière de la vapeur d'eau qui se condense en gouttelettes à l'envers d'un couvercle. Cette eau-de-vie brute subit une seconde distillation où, pour des raisons de qualité, on sépare l'avant-coulant et l'après-coulant appelés «tête» et «queue». Seul le «cœur» sert à la fabrication du cognac. Ce distillat titre entre 60 et 72° d'alcool. Il a fallu 800 l de vin environ pour donner 100 l de distillat. Or, ce n'est pas fini, c'est seulement maintenant que va naître le cognac. Cette eau-de-vie limpide est mise dans des fûts en chêne provenant des forêts du Limousin voisin, où il vieillira de nombreuses années avant de donner un cognac couleur d'ambre jaune. L'air traverse les parois des fûts mais le cognac se dissipe aussi par là dans l'atmosphère. Chaque année, le pourcentage d'évaporation, que l'on appelle la «part des anges» probablement parce qu'elle est plus acceptable ainsi, à la charge des maisons de cognac est estimé à quelque 3 %.

L'art de produire une qualité constante d'année en année, un produit de marque donc, à partir de distillats de maturités différentes et de vins issus de vignobles et de raisins divers, relève du maître de chais, l'homme qui procède au fameux assemblage. C'est l'opération la plus délicate de tout le processus et cet art se transmet ordinairement de père en fils.

Pour finir, le titre du cognac est abaissé à 40° par addition d'eau distillée. On y mélange parfois des doses infimes de caramel pour rectifier la couleur du produit qui n'est pas toujours constante et satisfaire ainsi aux exigences du consommateur. Un cognac foncé n'est donc pas forcément un très vieux cognac.

L'âge du cognac est indiqué sur l'étiquette. Le trois étoiles et

Les fûts en chêne donnent au cognac son goût typique. Les tonneliers sont des artisans très qualifiés qui travaillent le bois de façon traditionnelle.

Ces douves partiellement cintrées sur le feu pour devenir des tonneaux d'une capacité de 270 à 350 litres.

*En haut à gauche:
le cycle du cognac
débute par des raisins
parvenus à maturité.*

*A gauche au centre:
distillerie de cognac.
A droite la bouilloire de
distillation à chapiteau
et col de cygne, au
centre le récipient
renflé qui sert à
chauffer le vin et à
gauche l'appareil de
refroidissement.*

*Ci-dessus et ci-contre:
vieillissement du
cognac en fûts de
chêne.*

En haut à gauche: le calvados plus clair, eau-de-vie de pomme ou de cidre, et le cognac plus foncé, distillat de vin, dans leurs verres respectifs.

Ci-contre: cueillette des pommes.

le VS sont des distillats qui ont vieilli au moins trois ans et demi en fûts, le VSOP au moins quatre ans et demi et le XO, le napoléon et l'extra au moins six ans et demi. En réalité, la durée moyenne de vieillissement est nettement supérieure.

La mention «fine champagne» n'a rien à voir avec du mousseux, mais avec le fait que les raisins proviennent au moins pour moitié du secteur central de la zone de Cognac, la Grande Champagne.

Armagnac

On compare souvent l'armagnac au cognac. C'est la deuxième grande eau-de-vie de France et elle provient de la Gascogne. Les vignes d'armagnac poussent sur des sols sableux, celles de cognac sur des sols calcaires. L'armagnac est distillé en une seule opération, et il vieillit dans des fûts de chêne noir des Pyrénées. L'armagnac mûrit plus vite que le cognac et peut, mais ne doit pas, être le produit de coupages. Il est généralement un peu plus rustique et grossier comparé au brillant et à la finesse du cognac.

Calvados

Le calvados est une boisson originale de Normandie. Il est plus ancien que le cognac, car c'est en 1552 déjà que fut accordée la première concession de bouilleur de cru pour le cidre, ce vin de pomme normand. Sire Gilles de Gouberville, le premier détenteur de cette concession royale, serait aussi l'«inventeur» du «trou normand», une coutume typiquement normande: en effet, en Normandie, on a l'habitude de boire un alcool fort pour faire digérer non seulement après le repas mais aussi entre les mets. Et cet interlude s'appelle «trou normand».

En Normandie, où il y a autant de pommes que de grains de sable dans la mer, on mélange des pommes douces et des pommes acides pour faire du cidre. Quand celui-ci titre 4° d'alcool, il est distillé, parfois additionné d'une faible quantité de vin de poire (poiré), soit selon la méthode employée pour le cognac, auquel cas il a droit à l'appellation «calvados du pays d'Auge», soit selon celle utilisée pour l'armagnac et alors il s'appelle simplement «calvados». Le calvados mûrit 2 ans minimum, le plus souvent 3-5 ans, dans des fûts de chêne. Les indications d'âge figurant sur l'étiquette, correspondant à celles du cognac, portent obligatoirement sur le distillat le plus jeune. Le trois étoiles certifie un vieillissement de 2 ans, l'extra, le napoléon ou l'âge inconnu garantissent plus de 6 ans d'âge.

En France, le calvados se boit avec le café, en grog ou comme ingrédient d'un cocktail. On le verse volontiers dans la tasse de café vidée et encore chaude pour qu'il développe tout son arôme.

Bénédictine

La bénédictine, cette célèbre liqueur à base de plantes, vient également de Normandie et plus précisément de Fécamp. Elle doit son nom et son origine à des moines bénédictins qui vinrent ici vers l'an mille et qui vécurent à l'abbaye de Fécamp jusqu'à la Révolution française. Au XVIe siècle, un moine vénitien, dom Bernardo Vincelli, créa dans l'enceinte de l'abbaye un élixir cardiotonique, qui par la suite fut

Ci-contre: entreposage des plantes qui serviront à préparer la bénédictine d'après d'anciennes recettes.

développé par ses frères. A la Révolution, la vie conventuelle prit fin, mais au cours de la deuxième moitié du siècle dernier, un négociant en vins et en spiritueux ingénieux du nom de Le Grand exhuma les recettes de cet élixir et mit au point la fameuse liqueur.

Pas moins de 27 plantes médicinales entrent dans la fabrication de la bénédictine, qui donnent divers extraits alcoolisés de plantes après leur passage dans la distillerie. Ces alcools de plantes sont stockés 3 mois dans des celliers avant d'être coupés et de vieillir en fûts de chêne. Après un an d'entreposage, les fabricants y ajoutent un mélange d'alcool pur, d'eau, de sirop, d'une infusion de safran, de miel et de caramel. Après deux années au total, la liqueur est prête à être expédiée. Sur l'étiquette, on peut encore lire la devise des bénédictins: DOM (Deo optimo maximo).

Ci-contre: salle de distillation de l'infusion de plantes. Au fond, l'alambic.

Ci-dessous: le palais Bénédictine à Fécamp. Il abrite un musée ainsi qu'une distillerie où on explique aux visiteurs la fabrication de cette fameuse liqueur de plantes.

Eaux-de-vie de fruit

Dans maintes régions riches en fruits de qualité, on fabrique des alcools blancs, et en France, citons surtout l'Alsace et la Lorraine. Les classiques sont la mirabelle, la prune bleue (quetsche), le kirsch, la poire Williams et la baie de houx, mais on peut toujours faire confiance à des esprits inventifs pour produire les créations les plus diversifiées à base d'autres fruits, baies et plantes, voire même de légumes comme l'asperge, et qui valent le détour.

Encore une chose: en passant en revue les alcools français, n'oublions pas qu'ils font aussi partie intégrante des plats régionaux, flambés ou non. Les recettes de ce livre en sont les vivants exemples.

Bretagne, Normandie, le Nord

Un rocher dans la mer:
Le Mont Saint-Michel et son abbaye bénédictine fortifiée

Les produits du terroir

La péninsule de Bretagne et ses côtes sauvages et déchiquetées longues de plus de 1 000 km s'enfonce profondément dans l'océan Atlantique. Elle est le bastion le plus occidental de la France, battu par la forte houle des marées que l'on perçoit même loin à l'intérieur des terres. Ici l'écart entre les niveaux de basse mer et de haute mer atteint parfois 18 mètres! La péninsule est née d'une montagne que l'érosion a rabotée au fil du temps et qui de 4 000 mètres est passée à moins de 400 mètres.

Le littoral est romantique avec ses pointes, des caps pointus plongeant dans la mer, tandis que l'intérieur ondulant douce-ment est serein et paisible.

La cuisine bretonne a une personnalité bien affirmée. Les huîtres de Belon, les coquillages, les homards, les coquilles Saint-Jacques, les tourteaux viennent de la pêche côtière, tandis que la pêche hauturière rapporte des mulets, des soles, des saint-pierre et bien d'autres poissons. Les algues servent de matières premières à l'industrie chimique.

L'excellence de la viande d'agneau est indirectement influencée par la mer, car les animaux paissent dans des prés-salés ce qui donne à leur chair une saveur spéciale très estimée. Pourtant, l'élevage porcin vient en tête. Le porc breton est vendu dans toute la France. La moitié de la produc-tion nationale globale d'œufs est fournie par la Bretagne et le beurre, salé ou non, est de première qualité.

A l'intérieur du pays, l'essentiel des terres est voué à la culture de céréales. Le gruau de sarrasin était naguère la base de l'alimentation; de nos jours, il sert à confectionner des crêpes et des galettes. Les polders fertiles fournissent les deux tiers de toute la récolte de pommes de terre du pays. Les choux-fleurs, les artichauts, les petits pois, les haricots verts et les oignons recouvrent des champs entiers. Les fraises du Morbihan et de Plougastel-Daoulas brillent sur les marchés de la capitale, et les pommes sont peu vendues comme fruits de table, car on les transforme surtout en cidre. Les pommiers donnent égale-ment un autre produit d'exportation: à Noël, la Bretagne exporte en Grande-Bretagne les branches de gui arrachées à ces arbres.

Son voisin oriental, la Normandie, fait la transition entre la Bretagne et la Picardie. La région fut conquise au IXe siècle par les Normands danois – d'où son nom. La frange littorale de la Normandie occidentale ou Basse-Normandie est d'ordinaire plate et sablonneuse. A l'arrière s'étendent des espaces de bocages et de forêts. La Suisse normande dans le département de l'Orne possède un charme romantique et sauvage.

La façade maritime de la Haute-Normandie, la partie orientale, est dominée par de hautes falaises de craie. Le Calvados avec le pays d'Auge redevient plat et se couvre à nouveau de prairies, une région idéale pour l'élevage de bovins et de chevaux.

L'industrie est très discrète en Normandie, l'agriculture est reine. Les bovins élevés dans les bocages verdoyants donnent une viande de premier choix. Le lait et la crème de même que le beurre délicat au goût de noisette sont les éléments de base de la cuisine locale. Le célèbre camembert est originaire de la ville du même nom. La viande et le poisson sont souvent accom-modés avec des pommes, du cidre et du calvados, une eau-de-vie distillée à base de cidre. Sans oublier la bénédictine, liqueur aux plantes de Fécamp, autre spécialité normande.

Les régions de Picardie, d'Artois et de Flandre sont encore peu touristiques, bien que le paysage côtier ne manque pas de charme. En Picardie, dont la capitale est Amiens, on cultive le blé et la betterave sucrière; les meilleu-res endives viennent de ces trois régions septentrionales. En Artois, (capitale Arras), le houblon et le tabac s'ajoutent à la liste des produits agricoles ci-dessus. Comme dans les autres régions du Nord, la bière est plus qu'une boisson, elle participe aussi à la cuisine locale. Les charbonnages du Nord-Est reculent au profit d'une industrie textile en expansion.

Tout en haut: formations rocheuses surprenantes des falaises d'Etretat en Normandie.

Ci-dessus: on trouve une multitude de coquillages au marché de Concarneau/Bretagne.

A droite: place du Général de Gaulle à Lille.

A gauche: belle maison ancienne à colombages du pays d'Auge en Normandie.

Au centre à gauche: les tourteaux sont une spécialité de la côte septentrionale.

Au centre: moulin de Muzillac/Bretagne.

Au centre à droite: de nombreuses fermes bretonnes ont des toits de chaume qui exigent beaucoup de soins.

Ci-dessus: livraison du lait dans une fromagerie du pays d'Auge/Normandie dont provient le livarot entre autres.

Les gens, les festivités, les curiosités

La Bretagne, habitée à l'origine par les Celtes, puis conquise par Jules César et recolonisée au Ve siècle par les Celtes chassés de Grande-Bretagne, a conservé une culture propre. De nombreux Bretons parlent encore aujourd'hui de la «Marche de la France» et plus d'un tiers de la population pratique encore le breton, une langue apparentée au gaélique.

Les légendes et les mythes de jadis sont profondément enracinés dans la culture. C'est le pays de Parsifal et de Merlin l'enchanteur ainsi que de Tristan et Yseult. La christianisation a mué les croyances païennes en vénération des saints et maintenant encore, les pardons, des processions, rythment l'année. Ils ont lieu entre mai et décembre dans toutes les localités d'importance. A l'occasion des processions et des offices, pour lesquels on porte encore le costume traditionnel, les croyants demandent à leur saint patron le pardon de leurs péchés.

Le principal saint est saint Yves, le défenseur des pauvres et des opprimés.

La cérémonie religieuse est suivie de danses et de musiques, même si la gavotte a fait place à des danses plus modernes. Mais la lutte bretonne est toujours pratiquée selon la tradition.

La Bretagne est un paradis pour les amoureux de culture et de nature. C'est ainsi que sur l'ensemble de la presqu'île, on peut encore admirer les nombreux témoins des temps préhistoriques. Les menhirs et les dolmens gigantesques remontent aux IIIe et IVe siècles avant J.-C. rien que dans la région de Carnac on en dénombre environ 3000. Ce sont des lieux de culte où les ancêtres des Bretons venaient adorer le soleil.

Les très curieux enclos paroissiaux, typiques de la région,

sont des cours d'église entourées de hauts murs avec grands portails, ossuaire et calvaires. Ces calvaires sont les successeurs des menhirs christianisés. Les plus anciens, préservés jusqu'à nos jours, datent du XVe siècle, le plus beau et le plus riche est à voir à Plougastel-Daoulas. Il remonte au XVIIe siècle et s'orne de 180 personnages.

Tout aussi impressionnantes et typiquement bretonnes sont les curiosités naturelles. La pointe du Raz par exemple, un éperon rocheux haut de 70 mètres qui avance loin dans l'océan tumultueux est déconseillée à ceux qui ont le vertige. Toute la côte ouest est ceinturée de «pointes» moins importantes. Elles offrent des panoramas splendides.

Les moins intrépides préféreront les merveilleuses grèves comme celles de la Côte d'Emeraude avec ses belles stations balnéaires telles que Biarritz au nord ou La Baule au sud. L'île la plus importante et la plus belle est Belle-Ile avec sa merveilleuse plage et sa grotte idyllique.

Les maisons de granit des petites villes ourlent des ruelles étroites et pittoresques. On se croirait revenu 300 ans en arrière. La plus grande ville, Nantes, est située au confluent de l'Erdre avec la Loire qui à son tour se jette dans la mer 50 km plus loin. C'est là que fut signé l'édit de Nantes qui accordait la liberté de culte tant désirée aux protestants.

Le centre culturel et économique de la région est l'ancienne capitale Rennes, cité moderne, qui fut incendiée en 1720 et reconstruite selon une urbanisation homogène à angles droits. Brest, le deuxième port de guerre de France, qui fut presque entièrement détruit durant la Seconde Guerre mondiale et reconstruit en style moderne, ne manque pas d'intérêt.

Les villes côtières de Normandie ont encore davantage souffert des effets de guerres à répétition. Là, ce sont les beautés naturelles au premier chef qui attirent une foule de gens.

Le Mont Saint-Michel est à la fois le monument artistique et naturel le plus imposant. C'est là qu'au temps des Normands fut érigée une forteresse au sommet d'un îlot rocheux proche de la côte, à un endroit où l'amplitude des marées atteint parfois 14 mètres. On peut faire le tour de l'îlot à pied à marée basse, et les voitures sur le parking sont menacées à marée haute. En septembre a lieu ici la fête de Saint-Michel et en octobre, une procession en son honneur. D'après la légende, ce saint serait apparu en 708 à l'archevêque de l'endroit. Ce dernier fonda une abbaye et fit venir les reliques du saint de Gargano/Italie. Ce lieu de pélerinage très fréquenté depuis le Moyen Age ne cessa de s'agrandir jusqu'au XVIe siècle. Après leur sécularisation, les bâtiments servirent de prison d'Etat jusqu'au moment où Napoléon III les loua à l'Eglise. Le Mont ne fut jamais conquis par la force.

Quand on parle de beautés naturelles, on songe surtout aux vastes plages et aux falaises crayeuses le long du littoral. L'une des plus ravissantes stations balnéaires est Honfleur, sur l'embouchure de la Seine. Sur la rive opposée, on a Tancarville et son impressionnant pont suspendu à 51 mètres au-dessus du fleuve. Les plages de Dieppe et d'Etretat doivent leur attrait aux falaises crayeuses offrant de superbes points de vue. A l'intérieur des terres, les boucles de la Seine de Vernon au Havre en passant par Rouen sont ponctuées par une myriade de paysages enchanteurs, dont le dernier tronçon au départ de Rouen et sa route des abbayes présente un

Ci-dessus: les entassements de granit rose de Ploumanach sur la Manche.

Ci-contre: le phare de Camaret-sur-Mer.

Ci-dessous: hôtel de style normand à Deauville, l'une des stations balnéaires favorites des Français.

Ci-dessus à gauche: pas de costume breton sans la coiffe blanche qui trahit par sa forme l'origine de celle qui la porte. Les petites coiffes sur la photo sont de Quimper.

Ci-dessus: calvaire artistiquement sculpté de Guimiliau, cap Finistère.

Ci-contre: joyeux ébats sur la ravissante plage de sable de Deauville.

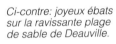

Ci-dessus: les Bretons sont nombreux à allier dans la pêche détente et occupation utile.

intérêt certain pour les amateurs d'art.

Rouen, une ville florissante à l'époque romaine, fut elle-même ravagée à la faveur des nombreux conflits. Cependant, on peut encore admirer la cathédrale, l'une des plus grandes et des plus belles de France. La ville doit sa prospérité à l'industrie textile en voie d'expansion depuis le XVIIIe siècle.

Bayeux, une petite ville située non loin de la côte, doit sa renommée à l'art textile. C'est ici que les tapisseries du XIe siècle de la reine Mathilde représentant la conquête de l'Angleterre par les Normands attirent tant de visiteurs chaque année. Caen, un peu à l'est, vaut une visite pour ses maisons à pans de bois. C'est là que Guillaume le Conquérant est enterré. Un monument a été érigé en souvenir de Jeanne d'Arc.

Les deux principaux ports sont Cherbourg, troisième base de la flotte et grand port commercial, et Le Havre, important pour ses liaisons maritimes avec l'Amérique.

Le nord de la France, un peu moins connu, vaut surtout pour ses villes et ses cathédrales. Ainsi se trouve à Amiens la plus grande cathédrale de France datant du XIIIe siècle avec une superficie de 7 700 m² et un portail richement orné. Jules Verne y a habité et travaillé.

Non loin d'Amiens, les rives de la Manche portent les délicieux hortillonnages, ces jardins maraîchers flottants irrigués par les canaux de la Somme et auxquels on ne peut accéder qu'en barque.

A Arras, une ville de commerce typiquement flamande et anciennement la capitale de l'Artois, on peut admirer des tapisseries. En Italie, on les appelle arrazzi, un mot dont l'étymologie renvoie à la ville d'Arras.

Boulogne, ville balnéaire et port important, de pêche surtout, se trouve à l'embouchure de la Liane. Calais, à l'endroit le plus étroit de la Manche et non loin du tunnel, est le point de liaison le plus important avec l'Angleterre. Des caps Blanc-Nez et Gris-Nez, on peut apercevoir la Grande-Bretagne par beau temps. A l'extrême nord se trouve un autre port important, Dunkerque.

Les vins

A cet endroit s'insérait habituellement dans les autres chapitres une petite balade dans les vignobles des terroirs traités. Or, nous voici au nord du pays, où la vigne est plutôt rare et où le cidre est roi.

Le dernier vin dont nous allons parler dans ce chapitre est issu de Bretagne. Les vignobles en question font certes partie de la vallée de la Loire, mais sont si près de l'estuaire, c'est la Loire bretonne, ce qui nous arrange bien pour conclure notre tour des vins de France.

Pétillant, juvénile, fruité – tels sont les adjectifs appropriés au vin blanc sec à la robe jaune pâle très populaire en France commercialisé sous le nom de muscadet. Le cépage unique est le melon, une variété de raisin bourguignonne qui s'appelle ici muscadet et qui trouve des conditions idéales. Malgré son nom, il n'a rien de commun avec le muscat. Les vendanges sont précoces, car si les raisins sont trop mûrs, il faut renoncer à la fraîcheur. Il doit son léger pétillement à sa vente sur lie (en fût avant soutirage) prescrite par la loi, qui maintient dans le vin une partie du gaz carbonique dégagé par la fermentation. Le muscadet se boit jeune car ce n'est pas un vin de garde. D'après la loi, on distingue trois appellations: le muscadet générique, le muscadet des Coteaux de la Loire et le muscadet de Sèvre-et-Maine. Ce dernier donne les vins les plus souples et les plus parfumés. Ils arrosent tous les fruits de mer et les poissons.

Une spécialité de Normandie et de Bretagne est le *cidre* à base de pommes ou de poires. Ce sont surtout les pommes peu acides des deux régions qui donnent ce breuvage fruité et rafraîchissant qui se marie si bien avec les crêpes et d'autres spécialités. On obtient du cidre avec du jus de pomme pur. La teneur alcoolique ne dépasse pas 3 à 5 %, les cidres bruts étant un peu plus forts que les doux. Le cidre se fabrique depuis le Moyen Age et jouit depuis quelque temps d'une popularité en hausse.

La Normandie a le bonheur de posséder d'excellentes pommes. On en fait du jus, du cidre et également des eaux-de-vie. Aussitôt après la récolte, les fruits sont transformés en moût.

Recettes régionales

Potage et entrées

250 Potage aux meuniers
(Normandie)
252 Moules à la
fécampoise
(Normandie)
252 Artichauts à la
caillebotte
(Bretagne)

Poissons et fruits de mer

253 Moules aux herbes
(Normandie)
254 Thon à la cocotte
(Bretagne)
254 Matelote normande
(Normandie)
255 Maquereaux à la mode
de Quimper
(Bretagne)
256 Cotriade
(Bretagne)
256 Sole à la normande
(Normandie)
257 Soufflé de turbot
(Bretagne)

Viandes et abats

258 Ris de veau à la
normande
(Normandie)
258 Tripes à la mode de
Caen
(Normandie)
259 Pieds de veau à la
rouennaise
(Normandie)
260 Gigot à la bretonne
(Bretagne)

Volailles

260 Coq à la bière
(Nord)
261 Lapin aux pruneaux
(Normandie)
262 Canard nantais
(Bretagne)
262 Pigeons au vin blanc
(Nord)
263 Oie en daube à la
normande
(Normandie)

Pâtisseries et desserts

264 Far breton
(Bretagne)
264 Pasten de Châteaulin
(Bretagne)
265 Bourdelots
(Normandie)
265 Omelette normande
(Normandie)
266 Crêpes au blé noir
(Bretagne)

Potage aux meuniers

(Normandie)

Ingrédients pour 4-6 portions:

*1/2 l de bouillon de poule
250 g de blancs de poulet
50 g de beurre
2 cs de farine
1 l 1/4 de lait
noix de muscade fraîchement
    râpée
350 g de champignons de
    Paris ou des prés
1 bouquet de persil
1 cc de jus de citron
2 cs de calvados
2 jaunes d'œufs
200 g de crème double
sel, poivre du moulin*

*Réalisation: 1 h 1/2
Pour 6 portions, par portion:
    1 800 kJ/430 kcal*

Le nom de ce potage ne fait allusion ni au goût du meunier ni à la vache du meunier qui donne son lait pour le réaliser. Les meuniers sont en fait les champignons qui étaient employés à l'origine pour confectionner ce potage. C'est un petit clitocybe blanc que vous pouvez remplacer sans problème par des champignons des prés frais ou encore par des champignons de couche.

Tout vaut mieux que se passer de ce potage.

La Normandie produit le meilleur lait, la meilleure crème et le beurre le plus fin. Ainsi que du calvados aromatique distillé à base de pommes. Tous ces éléments contribuent à la saveur de ce potage exquis.

Si vous n'aimez pas le bouillon de poule en cubes, cuisez à l'avance une poule entière avec des légumes et prélevez la quantité de blanc nécessaire à la recette; vous utiliserez le reste le lendemain pour une salade ou une fricassée de volaille.

1 Amener le bouillon de poule à ébullition dans une petite casserole. Laver les blancs de poulet et les faire cuire 20 minutes environ dans le bouillon. Retirer la viande avec une écumoire et la détailler en cubes.

2 Faire fondre 2 cs de beurre dans un poêlon. Saupoudrer avec la farine, incorporer le beurre et mouiller avec 200 ml de lait. Bien mélanger au fouet. Laisser cuire à feu doux 15 minutes environ jusqu'à obtention d'une béchamel épaisse. Epicer avec la noix de muscade.

3 Bien nettoyer les champignons, les frotter avec du papier absorbant sans les laver. Les hacher au hachoir électrique.

4 Passer le persil sous le robinet d'eau froide et le mettre entier avec 1 cs de beurre et le jus de citron dans une casserole. Ajouter les champignons hachés. Chauffer le tout en remuant fréquemment jusqu'à réduction complète de l'eau des champignons. Assaisonner.

5 Verser la sauce béchamel et réchauffer le tout en tournant. Retirer le poêlon du feu et ôter le persil. Couvrir et mettre de côté.

6 Chauffer le reste du lait. Passer le blanc de poulet et le calvados à la moulinette. Y ajouter 250 ml de lait chaud et passer le tout au chinois au-dessus de la purée de champignons dans le poêlon. Ajouter le reste du lait et réchauffer lentement. Saler et poivrer.

7 Fouetter ensemble les jaunes d'œufs et la crème. Répartir le reste du beurre en noisette au fond d'une terrine.

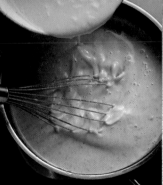

8 Retirer le potage du feu et intégrer le mélange jaunes d'œufs-crème. Réchauffer encore une fois mais sans laisser bouillir. Verser sur les noisettes de beurre dans la terrine. Servir sans attendre.

Moules à la fécampoise

(Normandie)

Ingrédients pour 4 portions:

400 g de pommes de terre
200 g de céleri-rave
1,5 kg de moules
4 échalotes
100 ml de vin blanc sec
8 cs de mayonnaise
1 cs de moutarde forte
1 bouquet de persil
sel, poivre du moulin

Réalisation: 1 h
Par portion: 1 800 kJ/430 kcal

1 Laver les pommes de terre et le céleri. Les faire cuire 20 minutes environ non épluchés à l'eau salée.

2 Gratter et laver abondamment les moules à l'eau fraîche. Ecarter les moules ouvertes. Eplucher et couper en deux les échalotes. Chauffer les moules dans une marmite avec le vin et les échalotes pendant 5 minutes environ; assaisonner. Retirer les moules de leurs coquilles. Jeter les moules fermées. Garder le jus de cuisson.

3 Peler et couper les pommes de terre en deux ou en quatre. Eplucher et tailler le céleri en gros dés. Les mélanger tous les deux avec les moules. Dresser sur un plat de service.

4 Mélanger la mayonnaise avec la moutarde et 1 louche de jus de moules. Le verser sur les moules. Laver le persil, le hacher fin et en parsemer le plat. Servir tiède ou froid.

• Une spécialité de la station balnéaire et du port de pêche de Fécamp, sur la Manche. C'est là aussi qu'il y a près de 500 ans la liqueur de bénédictine fut fabriquée pour la première fois avec les plantes riches en iode de la côte rocheuse.

Artichauts à la caillebotte

(Bretagne)

Ingrédients pour 4 portions:

jus de 2 citrons
4 beaux artichauts
1 cs de farine
125 g de fromage blanc
50 g de crème fraîche
1 échalote
1 bouquet d'herbes diverses
   (persil, cerfeuil, estragon,
   ciboulette)
feuilles de salade pour décorer
sel, poivre du moulin

Réalisation: 1 h
Par portion: 650 kJ/150 kcal

1 Préparer environ 2 l d'eau citronnée dans un saladier. Passer les artichauts à l'eau courante. Arracher la queue afin de détacher les fibres dures de la base.

2 A l'aide d'un couteau coupant, couper net environ les deux tiers des feuilles. Retirer le «foin» avec une petite cuiller ou une cuiller à pommes.

Plonger aussitôt les fonds d'artichaut dans l'eau citronnée pour qu'ils ne noircissent pas.

3 Porter à ébullition environ 3 l d'eau salée dans une grande casserole. Dans une tasse, délayer la farine avec de l'eau et la verser dans la casserole pour qu'ils conservent leur belle couleur verte. Mettre les fonds d'artichaut dans l'eau bouillante et les faire cuire 20 minutes. Egoutter dans une passoire et laisser refroidir.

4 Pendant ce temps, battre ensemble le fromage blanc et la crème fraîche au fouet en fouettant plus légèrement à la fin. Eplucher et couper en tout petits dés les échalotes. Laver les herbes, les égoutter et les hacher menu. Mêler ces deux éléments au fromage blanc. Saler, poivrer.

Moules aux herbes

(Normandie)

5 Garnir les fonds avec le fromage blanc. Les dresser sur des feuilles de salade. Servir froid.

Ingrédients pour 6 portions:

1 kg d'oseille
1 kg d'épinards
2 kg de moules
2 jaunes d'œufs
100 g de crème fraîche
100 g de beurre
150 g de lard maigre fumé
1 cs de chapelure
sel

Réalisation: 1 h
Par portion: 2 200 kJ/480 kcal

1 Trier, nettoyer et bien laver l'oseille et les épinards à grands renforts d'eau froide.

2 Dans une grande casserole, faire bouillir de l'eau salée. Y faire cuire l'oseille et les épinards 10 minutes environ à feu modéré.

3 Entre-temps, laver les moules à l'eau courante froide, les gratter et enlever les «barbes». Ecarter les coquilles ouvertes. Mettre les autres dans une marmite sans adjonction de liquide et les chauffer 5 minutes environ à couvert jusqu'à ce qu'elles s'ouvrent. Retirer la chair des coquilles.

4 Egoutter l'oseille et les épinards dans une passoire. Hacher grossièrement les feuilles et les mettre dans un saladier. Fouetter ensemble les jaunes d'œufs et la crème fraîche et les ajouter. Couper la moitié du beurre en petits morceaux et les incorporer.

5 Tailler le lard en petits lardons. Les faire étuver dans une casserole. Y ajouter les moules et chauffer un instant. Enlever la casserole du feu. Préchauffer le four à 250° C.

6 Ranger l'oseille et les épinards dans un plat à gratin. Disposer dessus les moules et les lardons en appuyant un peu pour les enfoncer dans le lit de légumes. Saupoudrer avec la chapelure et répartir des noisettes du beurre restant sur le dessus.

7 Faire gratiner 3 minutes environ au four préchauffé (gaz: thermostat 5). Servir sans attendre.

• L'oseille et l'épinard sont un délicieux mélange. Si vous voulez cueillir vous-même de l'oseille, assurez-vous d'abord que la prairie ne borde pas une route très fréquentée. Si vous avez un jardin, plantez-en. Sinon, achetez-en au marché.

• Vin conseillé: un vin blanc frais de la Loire ou d'un de ses affluents, un sauvignon blanc de préférence.

253

Thon à la cocotte

(Bretagne)

Ingrédients pour 4 portions:

4 oignons
6 tomates
750 g de thon frais
60 g de beurre
1 bouquet garni (persil, thym,
*   feuille de laurier)*
sel, poivre du moulin

Réalisation: 50 minutes
Par portion: 2 600 kJ/620 kcal

1 Eplucher et hacher très fin les oignons. Ebouillanter les tomates, les peler et les couper en deux. Retirer les graines, tailler la pulpe en tout petits dés.

2 Laver le poisson à l'eau froide et l'éponger. Faire fondre le beurre dans une cocotte en fonte. Y faire revenir le poisson de tous côtés. Ajouter les oignons, les tomates et le bouquet garni. Assaisonner. Mettre le couvercle, mais sans fermer la cocotte hermétiquement.

3 Faire étuver le poisson à tout petit feu pendant 30 minutes environ. Ajouter de l'eau au besoin, mais juste assez pour éviter aux oignons de roussir.

4 Disposer le poisson sur une assiette avec les tomates et les oignons.

• Pour une fois, laissez l'éternel pain de côté et accompagnez ce poisson d'une purée de pommes de terre.

• Vin conseillé: un rouge frais et léger de la Loire, comme un chinon ou un bourgueil.

Matelote normande

(Normandie)

Ingrédients pour 4 portions:

2 kg de moules
7 gros oignons
2 bouquets de persil
1 branche de thym
35 g de beurre
1 barbue ou 1 turbot nettoyés
*   prêts à cuire (1,2 kg)*
100 ml de cidre
1/2 cc de farine
jus de 1 citron
250 g de crevettes cuites
sel, poivre du moulin

Réalisation: 1 h
Par portion: 1 800 kJ/430 kcal

1 Bien gratter les moules sous le robinet d'eau froide. Ecarter les coquilles ouvertes. Mettre les autres dans une grande casserole. Eplucher 1 oignon, le couper en quatre et l'ajouter. Laver le persil. Mettre 1 bouquet et le thym dans la casserole. Verser 100 ml d'eau et faire cuire les moules 5 minutes environ

jusqu'à ce qu'elles s'ouvrent. Retirer la chair des coquilles au-dessus de la casserole pour recueillir le jus. Enlever les herbes. Réserver le fond de cuisson et la chair des moules.

2 Eplucher le reste des oignons et les hacher très fin. Hacher le reste du persil. Faire fricasser les oignons sans colorer 20 minutes avec environ 25 g de beurre et 1 cc de persil haché dans une casserole.

3 Passer la barbue à l'eau froide. Verser le jus des moules et les oignons dans un plat allant au four. Poser le poisson dessus. Mouiller avec le cidre et ajouter autant d'eau qu'il en faut pour couvrir le poisson à mi-hauteur. Préchauffer le four à 250° C.

4 Couvrir et chauffer le plat jusqu'au seuil de l'ébullition. Glisser 20 minutes environ le

Maquereaux à la mode de Quimper

(Bretagne)

plat découvert au four (gaz: thermostat 5) pour qu'il achève de cuire. Arroser souvent avec le jus de cuisson.

5 Travailler ensemble le reste du beurre, la farine et le jus de citron. Former une boulette.

6 Enlever le plat du four. Y ajouter les moules et les crevettes. Incorporer la boulette de beurre manié. Saler, poivrer. Donner un dernier coup de bouillon. Servir très chaud avec du pain.

• Vin conseillé: un blanc sec de la Loire, comme un muscadet.

Ingrédients pour 6-8 portions:

3 maquereaux frais, nettoyés prêts à cuire (350 g pièce)
250 g de champignons de Paris
3 cs de beurre
1/2 l de vin blanc sec
1 cc de poivre blanc concassé
2-3 échalotes
1 feuille de laurier
2 jaunes d'œufs très frais
1 cs de moutarde de Dijon
2 cs de vinaigre de vin
1 bouquet de persil
sel, poivre du moulin

Réalisation: 1 h
(+ 1 h de refroidissement)
Pour 8 portions, par portion:
1 100 kJ/260 kcal

1 Préchauffer le four à 200° C. Ecailler éventuellement les maquereaux et bien les laver à l'eau fraîche. Nettoyer les champignons et les frotter à sec avec du papier absorbant; couper les gros en lamelles, les

petits en quartiers. Faire revenir les champignons avec 1 cs de beurre dans une poissonnière.

2 Mouiller avec le vin et porter à ébullition. Epicer avec le poivre concassé. Eplucher les échalotes et les émincer finement, les ajouter avec la feuille de laurier.

3 Placer les poissons dans la poissonnière. Verser de l'eau pour mouiller les poissons à hauteur.

4 Glisser la poissonnière pour 20 minutes environ au four préchauffé (gaz: thermostat 3). Retirer les poissons et les laisser refroidir.

5 Pour la sauce, mettre les jaunes d'œufs dans un bol. Y mélanger la moutarde. Verser le vinaigre. Assaisonner. Bien mélanger le tout. La sauce doit avoir la consistance d'une mayonnaise. Faire fondre sans

qu'il chauffe le reste du beurre sur un chauffe-plat. L'ajouter tiède. Laver le persil et l'éponger. Hacher fin une moitié et l'ajouter dans la sauce. Vérifier l'assaisonnement.

6 Oter la peau des maquereaux et lever les filets. Dresser les filets avec les champignons sur un plat. Verser la sauce au centre. Décorer avec le reste du persil.

• Ce plat se sert en entremets à la place du plat chaud de poisson ou en entrée.

Cotriade
(Bretagne)

Ingrédients pour 6 portions:

*2 kg de poissons de mer divers
(maquereau, lotte, congre,
merlan, grondin) nettoyés
prêts à cuire
1 kg de pommes de terre
2 échalotes
2 oignons
100 g de beurre
1 bouquet garni (feuille de
laurier, thym, persil)
6 tranches de pain de campagne blanc de la veille
sel, poivre du moulin*

Réalisation: 1 h 1/4
Par portion: 2 700 kJ/640 kcal

1 Bien laver les poissons à
l'eau froide. Les couper en
tronçons.

2 Eplucher les pommes de
terre et les couper en rondelles de 1/2 cm environ
d'épaisseur. Eplucher et
hacher fin les échalotes et les
oignons.

3 Faire fondre le beurre dans
une marmite. Y faire blondir
les échalotes et les oignons.
Mouiller avec 2 l d'eau. Ajouter
le bouquet garni et les rondelles de pommes de terre. Saler,
poivrer. Laisser cuire 15 minutes environ à découvert et à feu
vif.

4 Ajouter les poissons dans la
marmite. Réduire le feu et
laisser frémir 15 minutes
environ.

5 Faire griller le pain au
grille-pain ou à sec dans
une poêle. Le répartir dans six
assiettes creuses.

6 Sortir les poissons et les
pommes de terre à l'aide
d'une écumoire. Les dresser
sur un plat. Verser le bouillon
de cuisson sur les tranches de
pain au fond des assiettes
creuses. Servir très chaud avec
les poissons et les légumes.

Sole à la normande
(Normandie)

Ingrédients pour 4 portions:

*3 échalotes
1 gros oignon
2 carottes
1/2 l de vin blanc sec
1 bouquet garni (feuille de
laurier, persil, thym)
16 filets de sole (800 g)
1 kg de moules
200 g de champignons de
Paris
1 cs de beurre
200 g de crème fraîche
200 g de crevettes cuites
décortiquées
2 jaunes d'œufs
jus de 1/2 citron
sel, poivre du moulin*

Réalisation: 1 h 1/2
Par portion: 2 700 kJ/640 kcal

1 Pour le court-bouillon,
éplucher les échalotes et
l'oignon et les hacher fin.
Nettoyer, laver et tourner les
carottes en bâtonnets. Mettre le
tout dans une marmite et verser
le vin et 1/2 l d'eau. Ajouter le
bouquet garni. Assaisonner.
Faire cuire le tout 15 minutes
environ à couvert et à feu
modéré.

2 Pendant ce temps, laver les
filets de sole à l'eau courante. Les éponger, les enrouler individuellement et les
fixer avec une pique en bois.
Les mettre dans le court-bouillon. Réduire la chaleur et faire
pocher les filets 15 minutes au
court-bouillon.

3 Dans l'intervalle, gratter et
laver les moules. Ecarter
celles qui sont fermées.
Chauffer les autres avec un
peu d'eau dans une large
casserole à couvert jusqu'à ce
qu'elles s'ouvrent. Retirer les
moules de leurs coquilles.
Jeter les coquilles fermées.
Réserver le jus de cuisson.

4 Nettoyer et frotter les champignons avec du papier

Soufflé de turbot

(Bretagne)

absorbant et les laisser entiers ou les couper en deux suivant leur grosseur. Dans une casserole, les faire suer avec 1 cs de beurre. Enlever les champignons et garder le jus qu'ils ont rendu à la cuisson.

5 Retirer les piques des filets de sole, les dresser sur un plat. Tenir au chaud. Mélanger au court-bouillon les jus de cuisson des champignons et des moules. Passer au tamis.

6 Chauffer la crème fraîche dans une casserole avec 2 louches de court-bouillon. Y ajouter les champignons, les moules et les crevettes. Laisser frémir 2 minutes. Oter la casserole du feu. Battre les jaunes d'œufs avec un peu de sauce puis les incorporer à la sauce. Ne plus faire bouillir. Ajouter un filet de jus de citron et en napper les filets de sole. Servir.

Ingrédients pour 2 portions:

150 ml de lait
2 cs de beurre + beurre pour le moule
2 cs de farine
noix de muscade fraîchement râpée
250 g de filets de turbot
1-2 cs de jus de citron
3 jaunes d'œufs
4 blancs d'œufs
sel, poivre du moulin

Réalisation: 1 h 1/2
Par portion: 2 100 kJ/500 kcal

1 Chauffer le lait. Faire fondre le beurre dans une casserole. Saupoudrer avec la farine en remuant bien à la cuiller de bois. Verser le lait chaud. Faire réduire 20 minutes environ à frémissements sur feu doux jusqu'à épaississement de la sauce en tournant régulièrement. Assaisonner avec la muscade, saler et poivrer. Laisser refroidir.

2 Laver les filets et les faire pocher 10 minutes environ dans un peu d'eau citronnée sans la laisser bouillir. Retirer les filets et les laisser refroidir.

3 Broyer finement le poisson à la moulinette ou au hachoir électrique. Le mélanger avec les jaunes d'œufs dans un saladier. Ajouter la béchamel et l'incorporer. Saler et poivrer généreusement.

4 Monter les blancs en neige ferme et les intégrer délicatement au reste.

5 Préchauffer le four à 200° C. Beurrer un moule à soufflé et y verser le tout. Egaliser la surface.

6 Glisser le soufflé au four (gaz: thermostat 3) et le faire dorer pendant 20 minutes environ. Servir sans attendre.

• A part le turbot, la barbue, la sole et d'autres poissons à chair fine conviennent également à ce soufflé qui se prête bien à un léger souper en tête à tête ou à une entrée d'un repas de fête.

• Vin conseillé: un blanc sec de la Loire, tel un fin muscadet par exemple.

Ris de veau à la normande

(Normandie)

Ingrédients pour 4 portions:

600 g de ris de veau
4 pommes acidulées
5 cs de beurre
noix de muscade fraîchement
    râpée
2 cs de calvados
150 g de crème
sel, poivre du moulin

Réalisation: 1 h
    (+ 3 h de dégorgeage)
Par portion: 2 300 kJ/550 kcal

1 Faire dégorger les ris de veau 3 h environ à l'eau froide. Puis les enlever et les faire blanchir 3-4 minutes à couvert sur feu doux dans une casserole remplie d'eau froide salée.

2 Egoutter les ris de veau, les rafraîchir à l'eau froide, supprimer la peau et les essuyer avec du papier absorbant.

3 Laver les pommes, les couper en quartiers (avec la peau), les épépiner. Les faire mijoter 1 h environ avec la moitié du beurre dans une casserole à fond épais.

4 Faire fondre le reste du beurre dans une casserole. Y mettre les ris de veau et les assaisonner avec la muscade, le sel et le poivre. Les faire cuire 8-10 minutes à couvert sur feu doux.

5 Quand les ris de veau sont à point, chauffer le calvados dans une louche à la bougie et l'enflammer. Verser sur les ris de veau. Les détailler en escalopes et les dresser sur un plat. Affiner la sauce avec la crème. Réchauffer et faire éventuellement réduire. En napper les ris de veau et disposer les pommes tout autour.

• Vin conseillé: un hermitage blanc des côtes du Rhône.

Tripes à la mode de Caen

(Normandie)

Ingrédients pour 6 portions:

1 kg de tripes cuites
    (gras-double)
2 pieds de veau, concassés
    par le tripier
125 g de couenne de lard
2 carottes
4 oignons
2 gousses d'ail
4 clous de girofle
1 gros bouquet garni (feuilles
    de laurier, thym, persil)
350 ml de cidre brut
2 cl de calvados
sel, poivre du moulin

Réalisation: 2 h 3/4
Par portion: 1 100 kJ/260 kcal

1 Bien laver les tripes à l'eau froide et les couper en lanières d'environ 3 cm de large. Laver également les pieds de veau. Les désosser et hacher la chair.

2 Blanchir la couenne de lard à l'eau bouillante.

3 Laver et gratter les carottes. Couper les très grosses en deux dans le sens de la longueur. Eplucher et couper les oignons en quartiers. Eplucher les gousses d'ail et les tailler en bâtonnets.

4 Garnir une daubière en terre ou en fonte avec la couenne. Déposer dessus les os des pieds de veau, les légumes, les clous de girofle et le bouquet garni. Ranger au-dessus les tripes et la chair des pieds de veau. Saler et poivrer chaque couche. Mouiller avec le cidre et le calvados (le liquide doit recouvrir les tripes).

5 Couvrir hermétiquement la braisière. Mettre à cuire à feu doux pendant 2 h environ.

6 Après la fin de la cuisson, enlever les os et le bouquet garni. Dégraisser la sauce et servir les tripes dans la daubière.

Pieds de veau à la rouennaise

(Normandie)

• Les tripes à la mode de Caen sont célèbres dans toute la France. On peut même acheter cette préparation toute prête. Il vaut tout de même la peine de réaliser la recette soi-même. Ce plat est encore meilleur si on prolonge sa cuisson de 2 h afin que les arômes s'interpénètrent encore davantage.

• Vin conseillé: un bon cidre brut de Normandie.

Ingrédients pour 4 portions:

2 pieds de veau
1 carotte
1 oignon
1 bouquet garni (feuille de laurier, persil, thym)
2 crépines de porc (à commander à l'avance chez le boucher)
300 g de farce charcutière de veau
1 cs de beurre
sel, poivre du moulin

Pour la sauce:
2 échalotes
1 cc de beurre
100 ml de vin rouge
200 ml de fond de viande
3 branches de persil
2 foies de canard
sel, poivre du moulin

Réalisation: 4 h 3/4
(dont 4 h de cuisson)
Par portion: 1 700 kJ/400 kcal

1 Porter à ébullition les pieds de veau largement recouverts d'eau froide et verser l'eau. Rafraîchir les pieds de veau. Les remettre dans la casserole. Les recouvrir d'eau une deuxième fois.

2 Gratter, laver et couper la carotte dans le sens de la longueur. Eplucher l'oignon et le couper en quartiers. Ajouter le bouquet garni aux pieds de veau, assaisonner. Incorporer la farine pour que les pieds de veau restent bien blancs. Faire cuire 4 h environ à couvert sur feu doux.

3 Pendant ce temps, faire tremper les crépines de porc dans de l'eau tiède.

4 40 minutes avant la fin de la cuisson, éplucher et hacher menu les échalotes. Dans une casserole, faire fondre le beurre sans le laisser roussir. Verser le vin. Faire fortement réduire.

Ajouter le fond de viande et le persil. Saler, poivrer et laisser frémir 10 minutes.

5 Passer la sauce au tamis. Réduire les foies de canard en purée. Les ajouter à la sauce et laisser infuser 15 minutes environ à tout petit feu, mais sans laisser bouillir.

6 Retirer les pieds de veau et les désosser en partageant la chair de chaque pied en deux. Couper les crépines en deux et les garnir avec la moitié de la farce charcutière. Placer dessus la chair des pieds de veau et la recouvrir avec le reste de la farce. Refermer les crépines par-dessus. Préchauffer le four ou le gril (thermostat maximum).

7 Faire fondre le beurre et en enduire les crépines. Glisser 10 minutes environ à four ou à gril très chaud. Napper avec la sauce et servir.

Gigot à la bretonne
(Bretagne)

Ingrédients pour 4-6 portions:

400 g de haricots blancs secs
7 gousses d'ail
2 gros oignons
3-4 clous de girofle
1,5 kg de gigot d'agneau non
*   désossé*
2 cs de beurre
4 cs de concentré de tomates
125 ml de vin blanc sec
1 bouquet de persil frisé
sel, poivre du moulin

Réalisation: 2 h 1/2
*   (+ 12 h de trempage)*
Pour 6 portions, par portion:
*   2 900 kJ/690 kcal*

1 La veille, faire tremper les haricots dans une grande quantité d'eau. Le lendemain, éplucher l'ail. Eplucher 1 oignon et le piquer avec 1 gousse d'ail et les clous de girofle. Le mettre dans une casserole avec les haricots. Mouiller avec une bonne quantité d'eau froide et faire cuire 1 h 1/2.

2 Préchauffer le four à 220° C. Piquer le gigot avec le reste de l'ail, assaisonner. Le mettre dans la lèchefrite, mouiller avec de l'eau à hauteur de 1 cm environ. Faire cuire 1 h 1/4 environ au four (gaz: thermostat 4). Arroser à l'eau.

3 Eplucher l'oignon restant et le hacher fin. Quand les haricots sont cuits, faire revenir l'oignon au beurre dans une casserole sans colorer. Incorporer le concentré de tomates et le vin. Ajouter les haricots avec 4-5 cs de jus de cuisson. Laisser frémir 20 minutes environ. Saler, poivrer. Laver le persil, le hacher fin et l'ajouter.

4 Augmenter la chaleur du four (250° C). Faire gratiner 5-10 minutes les haricots et le gigot dans un plat à gratin. Servir dans le plat. Réchauffer le fond de cuisson, rectifier l'assaisonnement et servir à part.

Coq à la bière
(Nord)

Ingrédients pour 4 personnes:

1 coq (1,2 kg)
750 ml de bière brune
4-5 échalotes
10 oignons nouveaux
50 g de saindoux ou de beurre
5 cl de genièvre
1 cs de farine
3 baies de genévrier
10 grains de poivre
250 g de champignons de
*   Paris*
100 g de crème fraîche
1 bouquet de persil
sel

Réalisation: 1 h 3/4
*   (+ 2 h de marinade)*
Par portion: 2 200 kJ/520 kcal

1 Laver, essuyer et découper le coq en quatre. Réserver 100 ml de bière environ. Verser le reste dans un saladier et y faire mariner les morceaux de coq 2 h environ.

2 Eplucher et hacher très fin les échalotes. Nettoyer, laver et laisser les oignons entiers.

3 Retirer les oignons de la marinade, les égoutter et les éponger. Faire fondre le saindoux dans une cocotte. Y faire dorer les morceaux de coq. Ajouter les échalotes et les oignons et les faire revenir quelques minutes. Chauffer le genièvre dans une louche, allumer et verser sur le poulet.

4 Saupoudrer avec la farine en remuant. Mouiller avec la marinade. Ajouter les baies de genévrier et les grains de poivre, saler. Faire cuire 1 h environ à petit feu et à couvert.

5 Dans l'intervalle, nettoyer et frotter les champignons à sec. Les couper en deux ou en quatre. Les mettre dans la cocotte 15 minutes environ avant la fin de la cuisson.

Lapin aux pruneaux

(Normandie)

6 Oter les morceaux de coq de la cocotte et les garder au chaud. Mettre le reste du beurre dans la sauce. Incorporer la crème fraîche et donner un rapide coup de bouillon.

7 Laver et hacher fin le persil. Verser la sauce sur le coq. Parsemer de persil haché.

• Cette recette de l'extrême nord de la France a des analogies avec la cuisine belge. La bière forte et l'alcool de genièvre remplacent ici le vin et le cognac auxquels nous a habitués la cuisine française. Il y aurait près de 300 (!) recettes à la bière originaires de cette région de France. Raison de plus pour en essayer une.

• Ce plat original se marie le mieux avec une bière forte.

Ingrédients pour 4 portions:

1 l de vin rouge de pays léger
1/2 l de bon vinaigre de vin
1 bouquet garni (feuille de laurier, thym, persil)
2 cs 1/2 d'huile
1 petite carotte
1 lapin domestique ou de garenne prêt à cuire (1,5 kg)
500 g de pruneaux dénoyautés
1 cs 1/2 de beurre
1 cs de farine
1 cc de gelée de groseille
sel, poivre du moulin

Réalisation: 2 h 1/2
(+ 12 h de marinade)
Par portion: 3 400 kJ/810 kcal

1 Mélanger la moitié du vin avec le vinaigre. Ajouter le bouquet garni et 1 cs d'huile. Assaisonner. Nettoyer, laver, émincer les carottes et les ajouter. Laver le poulet et le découper en 8 morceaux. Les mettre à mariner 12 heures

en les retournant de temps à autre. Faire également tremper les pruneaux pendant 12 h.

2 Enlever les morceaux de lapin de la marinade, les égoutter et les essuyer avec du papier absorbant.

3 Passer la marinade au tamis au-dessus d'une casserole et la faire réduire pendant 30 minutes environ.

4 Entre-temps, égoutter les pruneaux dans une passoire.

5 Chauffer le reste de l'huile et le beurre dans une marmite. Y faire bien dorer les morceaux de lapin de toutes parts. Saupoudrer avec la farine. Mouiller avec le reste du vin et 250 ml de la marinade réduite. Ajouter les pruneaux. Couvrir et faire doucement cuire le lapin pendant 1 h 1/2 environ.

6 Dresser le lapin sur un plat. Lier la sauce avec la gelée de groseille. Vérifier l'assaisonnement. Napper le lapin de la sauce et servir avec du pain.

• On peut très bien remplacer les pruneaux par des raisins blancs frais, du muscat de préférence. Ou encore: moitié raisins, moitié pruneaux.

• On peut relever la sauce avec 125 g de petits lardons maigres que l'on aura fait revenir à l'huile et au beurre.

• Vin conseillé: un léger vin rouge de pays, de préférence celui qui a servi dans la marinade.

Canard nantais

(Bretagne)

Ingrédients pour 4 portions:

75 g de raisins secs
1 canard (1,6 kg)
50 g de beurre
200 ml de muscadet (à défaut,
    un autre vin blanc jeune
    très sec)
sel, poivre du moulin

Réalisation: 2 h 3/4
Par portion: 3 300 kJ/790 kcal

1 Faire tremper 2 h environ les raisins secs dans l'eau. Laver l'intérieur et l'extérieur du canard et l'essuyer. Assaisonner à l'intérieur et à l'extérieur. Eplucher la moitié des pommes, les couper en quartiers et les épépiner.

2 Faire fondre 25 g de beurre dans une casserole. Y faire dorer les pommes. Garnir le canard avec ces pommes. Recoudre l'ouverture avec du fil de cuisine. Préchauffer le four à 220° C.

3 Placer le canard dans un plat allant au four. Répartir sur le dessus des noisettes du beurre restant.

4 Faire rôtir le canard 15 minutes environ au four préchauffé (gaz: thermostat 4) avant de mouiller avec le vin. Continuer de cuire pendant 30 minutes en arrosant souvent avec le fond.

5 Pendant ce temps, éplucher, couper en quartiers et épépiner le reste des pommes. Les ranger tout autour du canard. Egoutter les raisins secs et les ajouter.

6 Achever de cuire le canard en 45 minutes. Dégraisser éventuellement la sauce et rectifier l'assaisonnement.

7 Découper le canard et dresser les morceaux sur un plat. Disposer les pommes et les raisins secs tout autour.

Pigeons au vin blanc

(Nord)

Ingrédients pour 4 portions:

2 pigeons nettoyés prêts à
    cuire (400 g pièce)
125 g de lard maigre fumé
100 ml de vin blanc sec
1/2 l de bouillon de viande
1 bouquet garni (feuille de
    laurier,thym, persil)
175 g de riz long grain
8 chipolatas
3 cs de beurre
sel, poivre du moulin

Réalisation: 1 h 1/4
Par portion: 4 900 kJ/1 200 kcal

1 Laver les pigeons à l'eau froide à l'intérieur et à l'extérieur, et les essuyer. Les brider. Détailler le lard en dés.

2 Faire fondre le lard dans une casserole. Retirer les lardons, baisser le feu et faire dorer les pigeons dans cette graisse. Verser le vin et faire réduire; il ne doit rester que 2 cs environ. Verser assez de bouillon pour recouvrir les pigeons à demi. Mettre les lardons et le bouquet garni dans la casserole. Assaisonner. Couvrir et faire cuire 10 minutes environ à feu modéré.

3 Passer le riz sous le robinet. L'ajouter dans la casserole avec les pigeons. Faire cuire 25 minutes environ à couvert et à feu modéré jusqu'à ce que le riz soit cuit. Rajouter au besoin un peu de bouillon.

4 Pendant ce temps, faire griller ou poêler les chipolatas. Dresser le riz au centre d'un plat. Faire fondre le beurre et le verser par-dessus. Couper les pigeons en deux et les poser sur le riz. Ranger les chipolatas tout autour. Servir.

Oie en daube à la normande

(Normandie)

Ingrédients pour 6 portions:

250 g de filet de porc
250 g de lard maigre fumé
1 jeune oie avec ses abats,
    prête à cuire (3,5 kg)
4 oignons
2 cc de beurre
2 œufs
6 petites pommes
3 cl de calvados
2 carottes
2 poireaux
1 branche de céleri
2 couennes de lard
15 cl de cidre brut
1 beau bouquet garni (feuilles
    de laurier, thym, persil)
1/2 l de bouillon ou de fond de
    viande
sel, poivre du moulin

Réalisation: 3 h 1/4
Par portion: 5 500 kJ/1 300 kcal

1 Pour la farce, laver, éponger, tailler en dés et passer le filet de porc au hachoir électrique. Le mettre dans une terrine. Couper le lard en tout petits lardons et les ajouter. Passer au hachoir électrique le foie de l'oie avec un peu de graisse d'oie. Eplucher 2 oignons et les hacher menu.

2 Faire fondre le beurre dans une casserole. Y faire étuver sans colorer les oignons hachés. Les ajouter dans la terrine avec les œufs battus. Eplucher les pommes, les épépiner, les couper en petits dés et les ajouter. Saler, poivrer. Verser le calvados. Bien mélanger ensemble tous les éléments. Préchauffer le four à 240° C.

3 Laver l'oie à l'intérieur et à l'extérieur. La garnir de la farce et recoudre l'ouverture avec du fil de cuisine.

4 Faire rôtir l'oie à la broche au-dessus de la lèchefrite au four préchauffé (gaz: thermostat 4).

5 Entre-temps, laver et hacher gros le reste des abats de l'oie. Laver, nettoyer et couper les carottes en quatre dans le sens de la longueur. Eplucher et couper en quartiers le reste des oignons. Nettoyer, laver et hacher gros les poireaux et le céleri. Garnir une cocotte avec les tranches de lard. Y mettre les abats et la garniture de légumes. Mouiller avec le cidre, ajouter le bouquet garni. Faire braiser à feu vif dans le cidre en faisant réduire.

6 Mettre les légumes dans une daubière à oie. Sortir l'oie du four. Ramener la chaleur du four à 200° C. Poser l'oie sur le lit de légumes. Mouiller avec assez de bouillon pour que l'oie y baigne à moitié environ. Couvrir.

7 Glisser l'oie au four (bas) pour 2 h environ. A la fin, ôter le couvercle pour laisser dorer l'oie 15 minutes supplémentaires. Dresser l'oie sur un plat et tenir au chaud. Dégraisser le fond de cuisson. Le réchauffer avant de le servir très chaud avec l'oie.

• En Normandie, on accompagne ce plat d'une compote de pommes non sucrée.

• Vin conseillé: un vin blanc demi-sec, tel un coteaux-de-la-loire ou un sauternes. Un bon cidre de la vallée d'Auge convient également.

Far breton
(Bretagne)

Ingrédients pour 6 portions:

10 cl de rhum
125 g de raisins de Malaga
6 œufs
150 g de sucre
1 cc de sucre vanillé
sel
250 g de farine + farine pour
*   le moule*
1 l de lait
beurre pour le moule

Réalisation: 1 h 1/4
*   (+ environ 1 h de*
*   macération)*
Par portion: 2 300 kJ/550 kcal

1 Verser le rhum et 1 dl d'eau dans un grand bol et y mettre les raisins secs à macérer 1 h environ.

2 Dans une terrine, battre ensemble les œufs, le sucre, le sucre vanillé et une pincée de sel jusqu'à consistance mousseuse. Verser la farine tamisée par-dessus et travailler le mélange. Délayer la pâte avec le lait chaud que l'on verse peu à peu.

3 Préchauffer le four à 200° C. Beurrer un moule à flan de 26 cm et le poudrer de farine. Y verser un quart de la préparation. Faire cuire au four préchauffé (gaz: thermostat 3) pendant 10 minutes.

4 Egoutter les raisins. Retirer le moule du four. Répartir les raisins sur la pâte et verser dessus le reste de la préparation.

5 Remettre au four (milieu) et faire dorer pendant 40 minutes environ. Laisser refroidir un peu avant de servir.

• Le far est l'ancêtre du pudding anglais. Cette recette est la version de Brest. A Quiberon, on prépare ce dessert traditionnel avec des pruneaux.

Pasten de Châteaulin
(Bretagne)

Ingrédients pour 6 portions:

500 g de farine + farine pour le
*   plan de travail*
300 g de beurre ramolli
7 jaunes d'œufs
250 g de sucre glace
3 sachets de sucre vanillé
5 cl de rhum ou de calvados
sel
18 cs de compote de pommes
18 pruneaux dénoyautés

Réalisation: 1 h 1/4
Par portion: 4 400 kJ/1 000 kcal

1 Tamiser la farine dans un saladier. Creuser une fontaine au centre. Y mettre le beurre, les 6 jaunes d'œufs, le sucre glace et le sucre vanillé. Verser l'alcool. Saler légèrement. Amalgamer délicatement ces ingrédients du bout des doigts sans trop les travailler.

2 Diviser la pâte en 6 parts. Etendre chaque part en un disque de 20 cm de diamètre environ sur un linge fariné.

3 Etaler 3 cs de compote de pommes sur chaque demi-disque de pâte en laissant les bords libres. Poser 3 pruneaux dessus. Refermer les disques pour obtenir des demi-cercles. Presser fortement les bords. Battre le jaune restant dans une jatte et en dorer les chaussons au pinceau. Les piquer à la fourchette. Préchauffer le four à 200° C.

4 Garnir une tôle de papier sulfurisé. Y poser les chaussons et les faire dorer 40 minutes environ au four préchauffé (gaz: thermostat 3). Servir froid.

• Saupoudrez éventuellement de sucre glace.

Bourdelots

(Normandie)

Ingrédients pour 6 portions:

6 carrés de pâte feuilletée
surgelée
6 pommes
3 cc de sucre
1-2 pincées de cannelle
1 jaune d'œuf
4 cl de calvados
100 g de crème fraîche

Réalisation: 1 h 1/4
Par portion: 1 700 kJ/400 kcal

1 Faire décongeler la pâte feuilletée 15 minutes. Etirer les carrés de pâte à la main et non au rouleau. Suivant la taille des pommes, découper 6 triangles.

2 Eplucher les pommes. Evider le centre au vide-pomme ou au couteau pointu. Laisser les pétioles. Mélanger le sucre avec la cannelle. En remplir les centres évidés. Refermer l'ouverture avec un peu de pâte.

3 Placer les pommes droites sur les triangles de pâte. Replier les coins sur les pommes. Humecter un peu les raccords. Dorer la pâte à l'œuf délayé avec quelques gouttes d'eau. Préchauffer le four à 200° C.

4 Ranger les bourdelots sur une tôle humide et les faire dorer 45 minutes au four environ (gaz: thermostat 3).

5 Laisser un peu refroidir les bourdelots avant de les arroser de calvados. Servir avec de la crème fraîche.

• En Normandie, on prépare aussi des chaussons aux poires suivant la même recette. On les appelle des douillons.

Omelette normande

(Normandie)

Ingrédients pour 4 portions:

3 pommes acides
100 g de beurre
3 cl de calvados
6 œufs
sel
1 cs de sucre glace

Réalisation: 45 minutes
Par portion: 1 600 kJ/380 kcal

1 Eplucher les pommes, retirer le cœur et les couper transversalement en tranches fines.

2 Faire fondre 1 cs de beurre dans une casserole. Y faire rissoler les tranches de pommes. Les parfumer avec quelques gouttes de calvados. Retirer la casserole du feu.

3 Casser les œufs dans un saladier et les battre vigoureusement avec 1 pincée de sel et 1/2 cs de sucre glace.

4 Faire vivement chauffer le reste du beurre dans une poêle. Y verser les œufs. Ajouter les pommes quand l'omelette commence à prendre. Retourner l'omelette. La faire cuire rapidement sur l'autre face. Préchauffer le four à 250° C.

5 Faire glisser l'omelette sur un plat allant au four et l'enrouler. La saupoudrer avec le reste du sucre glace.

6 Chauffer 3-4 minutes l'omelette au four (gaz: thermostat 5). Chauffer le reste du calvados dans une louche, l'allumer et le verser sur l'omelette. Servir aussitôt.

• Ce dessert sera encore plus aromatique si, avant de les faire rissoler, vous laissez macérer les tranches de pommes 1-2 h dans 2-3 cl de calvados.

Crêpes au blé noir
(Bretagne)

Ingrédients pour 18 crêpes ultrafines:

250 g de farine de sarrasin
2 œufs
sel
200 ml de lait
1 couenne de lard fraîche ou
1 cc de beurre

Réalisation: 30 minutes
(+ 2 h de repos)
Par crêpe: 280 kJ/70 kcal

I l y a des crêpes en Bretagne depuis le Moyen Age. C'est une des bases de la cuisine bretonne. Les jeunes fiancées bretonnes font aujourd'hui encore la démonstration de leurs compétences culinaires en cuisant une crêpe dans les règles de l'art le jour de leur mariage. Si elles réussissent particulièrement bien à la faire sauter, c'est de bon augure pour la future union.

• Partout en Bretagne, des crêperies vous invitent à choisir entre des crêpes à la farine de froment ou de sarrasin; ensuite, un autre dilemme vous assaille: des crêpes oui, mais avec quelle garniture? En général, les crêpes salées sont au sarrasin, les crêpes sucrées au froment.

• De nos jours, les crêpes sont sorties des frontières de l'Hexagone pour aller coloniser les snacks et les restaurants de l'Europe entière. La recette de leur succès: elles se conjuguent pratiquement à l'infini. En entrée salée fourrées aux légumes, aux crustacés ou à la viande ou bien en délicieux dessert au sucre, à la confiture, au chocolat, au cognac, au calvados ou au rhum, à la vanille ou encore flambée au Cointreau comme dans les crêpes Suzette, une spécialité parisienne.

• La recette développée ici n'est qu'une recette de base parmi beaucoup d'autres, mais elle est traditionnelle. Quelques suggestions de variantes:
On peut remplacer la farine de sarrasin par de la farine de froment ou même employer moitié l'une et moitié l'autre. L'adjonction d'un peu de beurre fondu dans la pâte la rend encore plus croustillante. Sucrer la pâte avec du sucre glace.
Pour des crêpes salées, ajouter du bouillon à la pâte au lieu de lait.

• Que boire avec des crêpes? Un repas de crêpes authentiquement breton ne s'accorde pas avec du vin, seulement avec un cidre mi-doux de préférence.

1 Tamiser la farine au-dessus d'un saladier. Casser les œufs par-dessus. Saler et ajouter assez d'eau (200 ml environ) pour obtenir une pâte liquide. Verser le lait. Mélanger le tout. Mettre cette pâte au frais 2 h environ.

2 La cuisson des crêpes se fait idéalement sur une plaque chauffante ronde en fer, la «galetière», mais une lourde poêle en fonte fait très bien l'affaire. Chauffer très fort la plaque ou la poêle. La frotter avec la couenne ou y faire fondre un peu de beurre.

3 Déposer 1 cs de pâte sur la plaque et l'étaler aussitôt à l'aide d'une spatule d'acier ou d'un long couteau à lame large. Ou bien la répartir dans la poêle en agitant celle-ci par saccades.

4 Dès que la pâte est prise, la retourner avec une palette et la faire cuire quelques instants de l'autre côté. Procéder ainsi avec le reste de la pâte.

5 Superposer les crêpes cuites les unes sur les autres sur une assiette maintenue au chaud au-dessus d'une casserole d'eau bouillante. Servir avec du beurre et/ou du lait caillé.

Le poisson
et les fruits de mer

La France est un pays où l'eau est abondante, tant autour qu'à l'intérieur du pays. Aussi beaucoup de Français vont-ils le dimanche sur les bords des cours d'eau pour rapporter à madame le poisson le plus frais possible. Mais monsieur n'est pas forcément tributaire de la pêche à la ligne s'il veut manger du poisson. Au plus tard 24 h après leur capture, tous les poissons reposent sur un lit de glace chez le poissonnier. Des camions frigorifiques les transportent à l'étranger où ils sont mis en vente après 48 h.

La pisciculture et la pêche sont pour l'essentiel aux mains de petites entreprises familiales. Dans les ports de pêche, une organisation très perfectionnée s'occupe du fonctionnement bien huilé de la criée, du commerce de gros et du transport, de manière à pouvoir satisfaire les palais les plus exigeants même aux endroits relativement éloignés des côtes.

Les poissons sont pêchés à la ligne ou capturés par des petits chalutiers, ces «petits bateaux» qui sortent en mer tous les jours et qui assurent l'essentiel des prises dans les eaux côtières, ou bien par les bateaux de haute mer. Les zones de pêche vont de la Manche au nord jusqu'au littoral méditerranéen en passant par la côte atlantique de la Bretagne à la Gascogne.

Il faut y ajouter les innombrables cours d'eau à l'intérieur des terres. Impossible ici d'énumérer la totalité des poissons très diversifiés, c'est pourquoi je me bornerai ci-dessous à présenter les variétés les plus fines et les plus familières.

La *daurade ou dorade* est pêchée dans l'Atlantique. On la reconnaît à son front bandé d'or. Sa chair blanche est très savoureuse et se prête à de nombreuses préparations.

Le *grondin rouge (rouget grondin)* est pêché à la fois dans l'Atlantique et dans la Méditerranée. Ce petit poisson à chair ferme émet réellement des grondements. C'est un élément indispensable de la bouillabaisse.

La *lotte* (son vrai nom est la *baudroie*) fait partie intégrante de la fine cuisine. Ce poisson à l'énorme gueule d'une laideur repoussante est apprécié de tous les fins gastronomes d'Europe. Il a une chair maigre, n'a pas d'arêtes, si ce n'est un cartilage central et son goût rappelle la langouste.

Le *loup de mer* ou bar est un rare délice. La finesse de sa chair et sa saveur parfumée en font un poisson exquis indissociable de la gastronomie européenne. La variété de l'Atlantique est malheureusement de capture difficile et son prix s'en ressent.

Le *rouget barbet* est très bon grillé, braisé, ou au four, mais

Panneau sur le marché aux poissons. Tout est axé sur le tourisme.

Ci-dessus: Etal du marché aux poissons. L'assortiment est fabuleux. En haut à gauche, la marchande a réuni des poissons pour la soupe.

Tout en haut à gauche: qui peut rester insensible devant cet étalage appétissant de fruits de mer et de légumes aux couleurs vives?

Tout en haut: les marchés reçoivent des arrivages quotidiens de coquillages et d'huîtres.

aussi en papillote. Il est très parfumé et facile à préparer dans la mesure où il est dépourvu d'amer.

Le *saint-pierre* est un étrange poisson à l'air grotesque. Ses flancs présentent une tache sombre où la légende voit l'empreinte des doigts de saint Pierre qui voulut tirer les clefs du paradis de la bouche du poisson. Sa chair maigre est un régal, mais elle est rare et par conséquent coûteuse.

Les *sardines* sont meilleures quand elles sont encore petites. La cuisine régionale, la provençale surtout, n'est pas avare de recettes pour accommoder savoureusement ce poisson peu cher. Cuite au four ou grillée, la sardine se mange souvent en entrée.

L'un des poissons plats les plus fins, la *sole*, est à la fois une espèce de la Méditerranée et de l'Atlantique. On la cuit meunière dans sa peau ou on poche les filets afin de préserver la quintessence de son goût.

De la même famille que la sole, le *turbot*, ou mieux encore le turbotin de 1-2 kg, se pêche également en Méditérranée ou dans l'Atlantique.

Une composante essentielle de la bouillabaisse est la *rascasse*.

Le *maquereau* est un poisson peu coûteux estimé, à la chair un peu grasse, qui se grille et se cuit au four en priorité.

Une spécialité du Sud est la *morue*. Ce n'est rien d'autre que du cabillaud salé et séché. Quand elle est fraîche, la morue s'appelle *cabillaud*. Cette méthode de conservation est l'une des plus anciennes. Ce poisson dessalé à l'eau fraîche convient à de délicieuses préparations.

A côté des poissons, les coquillages et les crustacés sont un autre pilier de la cuisine française.

On consommait déjà des *huîtres* à l'âge de la pierre, et les Romains en pratiquaient l'élevage. En entrée d'un repas de fête ou en petite restauration, ce bivalve, que l'on déguste le plus souvent cru avec un peu de citron et un verre de vin blanc sec, est incomparable. Grâce aux méthodes modernes de réfrigération, elles sont vendues toute l'année. On élève les huîtres dans les parcs à huîtres de la côte atlantique, de la Normandie et de la côte méditerranéenne. On distingue deux espèces: les huîtres plates et les huîtres creuses de forme irrégulière qui sont majoritaires à l'heure actuelle. Les «huîtres vertes» de Marennes-Oléron sont très estimées par les connaisseurs pour leur saveur particulière. Leur chair a de légers reflets verdâtres du fait qu'elles se nourrissent d'une espèce d'algue bleue bien définie.

En France, les *moules* sont élevées sur les côtes du Nord mais aussi de la Méditerranée. Elles constituent la base de nombreux plats traditionnels et sont un ingrédient incontournable des soupes de poisson, matelotes et autres pot-au-feu de la mer.

Très raffinées sont les *coquilles Saint-Jacques* à la coquille caractéristique en éventail, qui au Moyen Age servaient de récipient à boire aux croisés. D'où son nom.

Par ailleurs, tout au long du littoral, on sert des petites variétés de coquillages, des bulots et des calmars en entrée à moins qu'ils n'entrent dans des préparations de poisson.

Le roi des crustacés est sans nul doute le *homard*, qui a sa place dans la haute cuisine. La chair de son impressionnante paire de pinces et de sa queue est inestimable. Même le coffre est utilisable en cuisine: pour la bisque de homard ou la sauce américaine.

Les *langoustes* et les *langoustines*, un crustacé plus petit, valent bien le homard. On les mange froides en entrée, mais en sauces et accompagnées de légumes, elles donnent des plats de résistance sublimes.

Une spécialité typiquement bretonne sont les gros *tourteaux* dont la chair des pinces se déguste d'ordinaire simplement avec du pain.

Parmi toutes ces bestioles for-

mant le gratin des crustacés, il ne faudrait pas oublier les *crevettes* en tous genres. Grises ou roses, petites ou grandes, elles enrichissent la table française de manière unique, puisqu'elles conviennent à une infinité de préparations et de combinaisons. Dans les soupes ou les sauces, en salades ou pour farcir des fonds d'artichauts – elles sont les points sur les i et font d'un mets modeste un plat de fête.

Restent enfin les nombreux poissons d'eau douce. En premier lieu les *truites*, qui de nos

Pêcheur en train de peser des homards vivants.

Tout en haut: pêcheurs triant des bigorneaux qui, sur le littoral, font souvent partie des ingrédients utilisés pour réaliser des soupes de poisson.

Ci-dessus: les moules et les autres crustacés arrivent directement de la mer ici.

jours sont presque toutes d'élevage. Dans toutes les régions de France, on les apprête habituellement avec du vin, même rouge, en d'innombrables variantes. A l'est, c'est surtout le *brochet* qui alimente la fine cuisine. Les tanches, les carpes, l'anguille, le saumon et bien d'autres sont tranformés en délicieuses terrines de poisson, soupes et plats principaux.

Dans le grand menu français, les poissons et les crustacés précèdent le potage comme hors-d'œuvre sous forme d'assiette froide composée, de soupe ou d'entremets chaud. Si les services sont réduits, le poisson peut également former le plat de résistance. En France, outre du vin blanc, on boit également du rosé et même le cas échéant du rouge avec le poisson.

Tout en haut: les jeunes huîtres, enfermées dans des sacs en plastique à grosses mailles, grandissent dans les parcs à huîtres jusqu'à ce qu'elles atteignent leur taille commerciale.

Les «claires» ou «fines de claire» sont ensuite engraissées et affinées dans des bassins peu profonds très riches en plancton mais à l'eau moins salée, jusqu'au moment où leur qualité est optimale.

Les bancs de moules sont très prolifiques.

Index des recettes de A à Z

A

Abats
Caillettes de Valence 89
Foie de veau à la briarde 30
Ris de veau à la normande 258
Ris de veau aux cèpes 199
Tripes à la mode de Caen 258
Tripes frites 96
Agneau
Gigot à la bretonne 260
Gigot à la solognote 226
Stufatu 135
Ail
Aïgo-boulido 116
Escalopes à la cajarçoise 170
Grand aïoli 126
Truites à l'ail 196
Anchoïade 125
Anguilles: Bouilleture d'anguilles 222
Armagnac 240
Gâteau à l'armagnac 176
Artichauts à la caillebotte 252
Aubergines farcies 125

B

Baba au rhum 70
Baeckeofe 60
Bar 268
Basilic
Soupe au pistou 116
Veau aux fines herbes 135
Bénédictine 240
Beurre blanc: Brochet au beurre blanc 222
Biftecks à la poitevine 226
Bœuf
Bœuf à la mode 31
Bœuf à la mode de Bellac 198
Bœuf bourguignon 94
Bouillabaisse 128
Bouilleture d'anguilles 222
Bouquet garni 148
Bourdelots 265
Brandade de morue 131
Brochet 271
Brochet au beurre blanc 222
Matelote de brochet 59
Quenelles de brochet 92
Suprême de brochet 26

C

Cabillaud 269
Cabri en ragoût 138
Cailles à la feuille de vigne 232
Cailles aux myrtilles 66
Caillettes de Valence 89
Calissons d'Aix 143
Calvados 240
Canard
Canard à la provençale 136
Canard aux navets 230
Canard nantais 262
Canard sauvage à la sauce infernale 67
Confit de canard 172
Carpe forézienne 197
Cassoulet de Castelnaudary 134
Cèpes
Cèpes à la bordelaise 162
Cèpes Côte d'Argent 162
Colin aux cèpes 224
Ris de veau aux cèpes 199
Champagne 18
Sorbet au champagne 38
Champignons
Champignons aux tomates 55
Perdrix aux champignons 98
Potage aux meuniers 250
Salade poitevine 218
Chanterelles: Poularde aux chanterelles 64
Charcuteries
Andouilles 73
Andouillettes 73
Boudin blanc 74
Boudin noir 74
Chipolatas 74
Jésus 73
Rosette 73
Saucisses de Strasbourg 73
Saucisson d'Arles 73
Saucisson de Lyon 73
Saucissons 73
Charlotte aux framboises 208
Châtaignes/marrons
Châtaignes blanchies 203
Cousinat 193
Poulet aux marrons 200
Chipirons à la basquaise 164

Choucroute
Choucroute et charcuteries 72
Choucroute garnie 62
Faisan à l'alsacienne 66
Oie en choucroute 63
Soupe à la choucroute 55
Cidre 248
Civet de lièvre 141
Clafoutis 204
Cognac & Cie 238
Colin aux cèpes 224
Confit de canard 172
Coq
Coq à la bière 260
Coq à la comtoise 64
Coq au vin 96
Coquillages
Coquilles Saint-Jacques à la bordelaise 165
Mouclade 164
Moules à la fécampoise 252
Moules aux herbes 253
Coquilles Saint-Jacques 269
Coquilles Saint-Jacques à la bordelaise 165
Côtes de veau 62
Cotriade 256
Coulis de tomates 138
Courge/potiron
Gratin de potiron 101
Millassou 178
Soupe de courge 192
Court-bouillon 222
Cousinat 193
Crème à la vanille: Pudding aux noix 236
Crème Bourdaloue 39
Crème champenoise 38
Crème renversée au caramel 209
Crémets d'Angers 236
Crêpes au blé noir 266
Crevettes 270
Croustade 142
Croûte aux morilles 54
Cuissot de marcassin 140
Cul de veau à la mode du vieux presbytère 228

D

Daurade 268
Daurade farcie au merlan 26
Dessert de Noël: Les 13 desserts de Caléna 144
Dinde: Dinde de Noël 137

E

Endives
Endives à l'ardennaise 37
Entrecôte à la bordelaise 170
Epinards
Caillettes de Valence 89
Moules aux herbes 253
Omelettes aux épinards 123
Escalopes
Escalopes à la cajarçoise 170
Escalopes de chevreuil 233
Escalopes de porc aux pruneaux 227
Escalopes de porc farcies 198
Essences 148

F

Fabrication du fromage 40
Faisan
Faisan à l'alsacienne 66
Faisan au four 232
Far breton 264
Faux-filet à la landaise 171
Filets de porc à la moutarde 94
Flamusse 102
Flan à la bourguignonne 88
Flaugnarde 176
Foie
Caillettes de Valence 89
Foie de veau à la briarde 30
Foies de volaille
Salade champenoise 23
Fouace d'Auvergne 204
Friands périgourdins 178
Fricassée de poulet 230
Fritelle 142
Fraises au poivre 205
Fritelles 142

Fromage
Fromage fort et poireaux à la vinaigrette 91
Soufflé au fromage 54
Tourain 158
Truffade au fromage 203
Fromage (le) – un miracle de diversité 40
Fromages (variétés)
Beaufort 42
Bleu d'Auvergne 42
Bleu des Causses 42
Brebis Pyrénées 42
Brie 41
Camembert 41
Cantal 42
Chaource 41
Chèvre 42
Comté 42
Fourme d'Ambert 42
Gruyère de Comté 42
Laguiole 42
Livarot 41
Maroilles 41
Munster 41
Neufchâtel 41
Ossau-Iraty 42
Reblochon 42
Roquefort 42
Saint-nectaire 42
Salers 42
Vacherin du Haut-Doubs 41
Fromages à pâte dure 42
Fromages à pâte molle 41
Fromages à pâte persillée 42
Fruits de mer
Homard à l'américaine 28
Matelote normande 254

G

Galette
Galette beauceronne 237
Galette lyonnaise 100
Gâteau
Gâteau à l'armagnac 176
Gâteau au chocolat 68
Gâteau des rois 177
Gibelotte de lapin 34
Gigot
Gigot à la bretonne 260
Gigot à la solognote 226
Grand aïoli 126
Gratin
Gratin dauphinois 100
Gratin de potiron 101
Grondin rouge 268

H

Haricot de lièvre 35
Haricots
Cassoulet de Castelnaudary 134
Gigot à la bretonne 260
Soupe aux haricots et à l'oseille 159
Herbes de Provence 148
Homard 269
Homard à l'américaine 28
Huiles essentielles 148
Huîtres 269

J

Jambon
Jambon d'Ardenne 75
Jambon d'Armorique 75
Jambon de Bayonne 75
Jambon de Paris 75
Jambon persillé 86
Pipérade 163
Quiche lorraine 57
Rigodon 88

L

Lapin
Gibelotte de lapin 34
Lapin à la bressane 98
Lapin aux pruneaux 261
Pâté vendéen 220
Lard
Pissenlits au lard 23
Omelette au lard 123
Légumes 180
Le mourtaïrol 158
Les cerneaux 218
Les 13 desserts de Caléna 144
Lièvre
Civet de lièvre 141
Haricot de lièvre 35
Lièvre en cabessal 174
Râble de lièvre 99
Lotte
Lotte 268
Lotte à la bergeraçoise 168
Loup
Loup au fenouil 130
Loup de mer 268

M

Maquereau 269
Maquereaux à la mode de Quimper 255
Marrons (voir Châtaignes)
Matelote de brochet 59
Matelote normande 254
Mesclun 121
Millassou 178
Mirabelles: Tarte aux mirabelles 68
Morilles
Croûte aux morilles 54
Poussins aux morilles 200
Moules 269
Mouclade 164
Moules à la fécampoise 252
Moules aux herbes 253
Mousse au chocolat 208
Myrtilles
Cailles aux myrtilles 66

N

Navet
Canard aux navets 230
Haricot de lièvre 35
Noix: Les cerneaux 218

O

Œufs
Œufs au lait 179
Œufs en meurette 90
Œufs frits à la gasconne 160
Oie
Oie en choucroute 63
Oie en daube à la normande 263
Oignons
Galette lyonnaise 100
Oignons marinés 118
Omelette aux oignons 123
Pommes de terre en pot 202
Purée d'oignons 37
Soupe à l'oignon 22
Tarte aux oignons 56
Olives 146
Poulet aux olives 136
Tapenade 118

Omelette
Omelette au lard 123
Omelette aux épinards 123
Omelette aux oignons 123
Omelette aux tomates 123
Omelette normande 265
Omelettes provençales 122
Oseille
Moules aux herbes 253
Soupe aux haricots et à l'oseille 159

P

Pain d'épice 103
Pâté
Pâté au ris de veau 24
Pâté creusois aux pommes de terre 194
Pâté lorrain 56
Pâté vendéen 220
Perdrix à la vigneronne 34
Perdrix aux champignons 98
Petits choux à la crème 209
Petits pois et carottes 202
Pieds de veau à la rouennaise 259
Pigeons au vin blanc 262
Pintade à la limousine 201
Pipérade 163
Pissaladière 120
Pissenlits au lard 23
Plats mijotés
Baeckeofe 60
Cassoulet de Castelnaudary 134
Cotriade 256
Poireaux
Flan à la bourguignonne 88
Fromage fort et poireaux à la vinaigrette 91
Poires
Poires au vin rouge 102
Poires aux macarons 205
Poires Belle Dijonnaise 103
Poisson et fruits de mer 268
Poivrons: Pipérade 163
Pommes
Canard nantais 262
Flamusse 102
Ris de veau à la normande 258
Tarte aux pommes 69
Tarte des demoiselles Tatin 234
Pommes de terre
Galette lyonnaise 100
Gratin dauphinois 100

Friands périgourdins 178
Moules à la fécampoise 252
Pâté creusois aux pommes de terre 194
Pommes de terre en pot 202
Pommes soufflées 36
Truffade 101
Truffade au fromage 203
Potiron (voir courge)
Poularde aux chanterelles 64
Poularde demi-deuil 97
Poule à la mode de Gray 65
Poule en hochepot 33
Poulet
Fricassée de poulet 230
Poulet au champagne 32
Poulet aux marrons 200
Poulet aux olives 136
Poulet Célestine (variante) 97
Poussins aux morilles 200
Pruneaux
Escalopes de porc aux pruneaux 227
Flaugnarde 176
Lapin aux pruneaux 261
Pruneaux au vin rouge 179
Pudding aux noix 236
Purée Crécy 36
Purée d'oignons 37

Q

Quiche lorraine 57
Quenelles de brochet 92
Queues de bœuf à la vigneronne 95

R

Râble de lièvre 99
Raisins: Queues de bœuf à la vigneronne 95
Rascasse 269
Ratatouille niçoise 124
Régions culinaires 8
Rigodon 88
Rillettes du Mans 219
Ris de veau
Pâté au ris de veau 24
Ris de veau à la normande 258
Ris de veau aux cèpes 199
Rouget barbet 268

Rouget grondin 268
Rouille 128
Roquefort: Scarole au roquefort 120

S

Saint-pierre 269
Salade
Salade champenoise 23
Salade niçoise 119
Salade poitevine 218
Salade verte: Mesclun 121
Sanglier en marinade 139
Sardines 269
Sardines gratinées 130
Sauce à la crème
Lapin à la bressane 98
Mouclade 164
Sauce au vin
Biftecks à la poitevine 226
Bouilleture d'anguilles 222
Canard sauvage à la sauce infernale 67
Entrecôte à la bordelaise 170
Matelote de brochet 59
Œufs en meurette 90
Sauce moutardée
Bœuf à la mode de Bellac 198
Filets de porc à la moutarde 94
Maquereaux à la mode de Quimper 255
Sauce poivrade: Escalopes de chevreuil 233
Sauce tomate
Cèpes Côte d'Argent 162
Lotte à la bergeraçoise 168
Saumon au vin rosé 196
Saumon Val de Loire 223
Scarole
Salade champenoise 23
Scarole au roquefort 120
Sole 269
Sole à la gasconne 168
Sole à la normande 256
Sorbet au champagne 38
Soufflé au fromage 54
Soufflé de turbot 257
Soupe
Soupe à la choucroute 55
Soupe à la reine 22
Soupe à l'oignon 22
Soupe au cantal 192
Soupe au pain de seigle 193
Soupe au pistou 116

Soupe aux haricots et à l'oseille 159
Soupe aux pois chiches 117
Soupe de courge 192
Spécialités
Ail et olives 146
Choucroute et charcuterie 72
Cognac & Cie 238
Fromage 40
Herbes et essences 148
Légumes 180
Poissons et fruits de mer 268
Volailles 104
Stufatu 135
Suprême de brochet 26
Suprême de volaille 32

T

Tanche à la lorraine 58
Tapenade 118
Tarte
Tarte aux mirabelles 68
Tarte aux oignons 56
Tarte aux pommes 69
Tarte des demoiselles Tatin 234
Terrine
Pâté lorrain 56
Pâté vendéen 220
Terrine de poissons aux herbes 132
Thon à la cocotte 254
Tomates
Champignons aux tomates 55
Oignons marinés 118
Omelette aux tomates 123
Salade poitevine 218
Tomates à la provençale 124
Tourain 158
Truffade 101
Tôt-fait 69
Tourain 158
Tourteaux 270
Tripes
Tripes à la mode de Caen 258
Tripes frites 96
Truffade 101
Truffade au fromage 203
Truffes: Poularde demi-deuil 97
Truites 271
Truites au vin blanc 27
Truite au vin de Pupillin 58
Truites à l'ail 196
Truites du Gave 169

Ttorro 166
Turbot 269

V

Veau aux fines herbes 135
Vendanges 50
Vinaigrette: Fromage fort et poireaux à la vinaigrette 91

Index des recettes des entrées aux gâteaux

Entrées

Artichauts à la caillebotte 252
Caillettes de Valence 89
Cèpes à la bordelaise 162
Cèpes Côte d'Argent 162
Champignons aux tomates 55
Croûte aux morilles 54
Flan à la bourguignonne 88
Fromage fort et poireaux à la vinaigrette 91
Jambon persillé 86
Omelettes provençales 122
Œufs en meurette 90
Œufs frits à la gasconne 160
Pâté au ris de veau 24
Pâté creusois aux pommes de terre 194
Pâté lorrain 56
Pâté vendéen 220
Pissaladière 120
Quiche lorraine 57
Ratatouille niçoise 124
Rigodon 88
Rillettes du Mans 219
Soufflé au fromage 54
Tapenade 118
Tarte aux oignons 56

Salades

Les cerneaux 218
Mesclun 121
Oignons marinés 118
Pissenlits au lard 23
Salade champenoise 23
Salade niçoise 119
Salade poitevine 218
Scarole au roquefort 120

Soupes

Aïgo-boulido 116
Bouillabaisse 128
Cousinat 193
Le mourtaïrol 158
Potage aux meuniers 250
Soupe à la choucroute 55
Soupe à la reine 22
Soupe à l'oignon 22
Soupe au cantal 192
Soupe au pain de seigle 193
Soupe au pistou 116
Soupe aux haricots et à l'oseille 159
Soupe aux pois chiches 117
Soupe de courge 192
Tourain 158

Poisson

Anchoïade 125
Bouillabaisse 128
Bouilleture d'anguilles 222
Brandade de morue 131
Brochet au beurre blanc 222
Carpe forézienne 197
Colin aux cèpes 224
Cotriade 256
Daurade farcie au merlan 26
Grand aïoli 126
Lotte à la bergeraçoise 168
Loup au fenouil 130
Maquereaux à la mode de Quimper 255
Matelote de brochet 59
Matelote normande 254
Quenelles de brochet 92
Sardines gratinées 130
Saumon au vin rosé 196
Saumon Val de Loire 223
Sole à la gasconne 168
Sole à la normande 256
Soufflé de turbot 257
Suprême de brochet 26
Tanche à la lorraine 58
Terrine de poissons aux herbes 132
Thon à la cocotte 254
Truite au vin blanc 27
Truite au vin de Pupillin 58
Truites à l'ail 196
Truites du Gave 169
Ttorro 166

Fruits de mer

Chipirons à la basquaise 164
Coquilles Saint-Jacques à la bordelaise 165
Homard à l'américaine 28
Matelote normande 254
Mouclade 164
Moules à la fécampoise 252
Moules aux herbes 253

Volaille

Cailles à la feuille de vigne 232
Cailles aux myrtilles 66
Canard à la provençale 136
Canard à la solognote 231
Canard aux navets 230
Canard nantais 262
Canard sauvage à la sauce infernale 67
Confit de canard 172
Coq à la bière 260
Coq à la comtoise 64
Coq au vin 96
Dinde de Noël 137
Faisan à l'alsacienne 66
Faisan au four 232
Fricassée de poulet 230
Oie en choucroute 63
Oie en daube à la normande 263
Perdrix à la vigneronne 34
Perdrix aux champignons 98
Pigeons au vin blanc 262
Pintade à la limousine 201
Poularde aux chanterelles 64
Poularde demi-deuil 97
Poule à la mode de Gray 65
Poule en hochepot 33
Poulet au champagne 32
Poulet aux marrons 200
Poulet aux olives 136
Poulet Célestine (variante) 97
Poussins aux morilles 200
Soupe à la reine 22
Suprême de volaille 32

Lapin

Gibelotte de lapin 34
Lapin à la bressane 98
Lapin aux pruneaux 261
Pâté vendéen 220

Lièvre

Civet de lièvre 141
Haricot de lièvre 35
Lièvre en cabessal 174
Râble de lièvre 99

Viande

Baeckeofe 60
Biftecks à la poitevine 226
Bœuf à la mode 31
Bœuf à la mode de Bellac 198
Bœuf bourguignon 94
Cabri en ragoût 138
Cassoulet de Castelnaudary 134
Choucroute garnie 62
Côtes de veau 62
Cuissot de marcassin 140
Cul de veau à la mode du vieux presbytère 228
Entrecôte à la bordelaise 170
Escalopes à la cajarçoise 170
Escalopes de chevreuil 233
Escalopes de porc aux pruneaux 227
Escalopes de porc farcies 198
Faux-filet à la landaise 171
Filets de porc à la moutarde 94
Gigot à la bretonne 260
Gigot à la solognote 226
Pieds de veau à la rouennaise 259
Queues de bœuf à la vigneronne 95
Rillettes du Mans 219
Sanglier en marinade 139
Stufatu 135
Veau aux fines herbes 135

Abats

Caillettes de Valence 89
Foie de veau à la briarde 30
Ris de veau à la normande 258
Ris de veau aux cèpes 199
Tripes à la mode de Caen 258
Tripes frites 96

Gibier

Cuissot de marcassin 140
Escalopes de chevreuil 233
Sanglier en marinade 139

Accompagnements

Châtaignes blanchies 203
Endives à l'ardennaise 37
Galette lyonnaise 100
Gratin dauphinois 100
Gratin de potiron 101
Pommes de terre en pot 202
Pommes soufflées 36
Purée Crécy 36
Purée d'oignons 37
Ratatouille niçoise 124
Truffade 101
Truffade au fromage 203

Légumes

Aubergine farcies 125
Endives à l'ardennaise 37
Grand aïoli 126
Petits pois et carottes 202
Pipérade 163
Ratatouille niçoise 124
Tomates à la provençale 124

Desserts

Baba au rhum 70
Charlotte aux framboises 208
Clafoutis 204
Crème Bourdaloue 39
Crème champenoise 38
Crème renversée au caramel
  209
Crémets d'Angers 236
Crêpes au blé noir 266
Flamusse 102
Fraises au poivre 205
Fritelles 142
Les 13 desserts de Caléna 144
Mousse au chocolat 208
Œufs au lait 179
Omelette normande 265
Petits choux à la crème 209
Poires au vin rouge 102
Poires aux macarons 205
Poires Belle Dijonnaise 103
Pruneaux au vin rouge 179
Pudding aux noix 236
Sorbet au champagne 38
Tarte des demoiselles Tatin
  234
Tôt-fait 69

Pâtisseries

Bourdelots 265
Calissons d'Aix 143
Flaugnarde 176
Friands périgourdins 178
Pasten de Châteaulin 264

Gâteaux et tartes

Croustade 142
Far breton 264
Fouace d'Auvergne 204
Galette beauceronne 237
Gâteau à l'armagnac 176
Gâteau au chocolat 68
Gâteau des rois 177
Millassou 178
Pain d'épice 103
Tarte aux mirabelles 68
Tarte aux pommes 69

Crédits photographiques

Photos de couverture et des recettes: FoodPhotography Eising

Christian Andreani/AV-Bilderbank
pp. 43 h. g., 43 h. d., 112 m., 113 h., 113 m., 271 b. d.

Nina Andres
pp. 15 m., 182 b. g.

Wilfried Becker
pp. 4 b. d., 106/107, 111 h. g., 114 b. d.

Josef Bieker fotodesign
pp. 2/3, 4 m. d., 15 b., 40, 109 m., 213 h.d., 215 m. g., 268 m. d., 269 h.d., 271 h. g.

Julien Biere/AV-Bilderbank
pp. 113 b., 146

C.I.V.C. Epernay
pp. 14 b. g., 18 b. g., 19 b. m., 19 b. d., 20

Th. Ebert/jd
p. 187 h. g.

Armin Faber
pp. 17 h. g., 73 h., 79 m. g., 213 h. g., 213 m.

Herbert Hartmann
pp. 47 m., 47 b. g., 80 b. d., 81 h., 112 h., 112 b., 181 m. d., 268 h., 270 b. g.

IPR & O
pp. 238, 239

Laenderpress, Düsseldorf
pp. 75 m. d., 148 h., 149 m., 186 d., 188 m., 188 b. g., 190, 240, 248 b.

Le Valaine (R)
p. 42

Prof. Harald Mante Fotodesigner
pp. 4 b. g., 206 b.

Daniele Messina
p. 49 h. g.

Gerhard P. Muller
p. 5 b. d.

Real bild Klaus D. Neumann
pp. 12/13, 16 h., 16 m.

Werner Neumeister
pp. 11 m., 14 h., 15 h. d., 16 b., 44/45, 46 b., 47 b. d., 52 m., 210/211, 213 m. d., 213, b., 214 b. g., 214 b. d., 215 b., 216 m., 216 b.

Photo J.P. Paireault/Collection C.I.V.C.
p. 19 h.

J. Poblete/jd
p. 247 b. d.

Hermann Rademacker
p. 14 b. d., 17 b. g., 17 b. d., 18 h. d., 18 m., 18 b. d., 41, 43 m. g., 43 m. d., 47 h. d., 52 b. g., 52 b. d., 73 m., 74 m., 105 m. d., 105 b. d., 147 m. g., 149 h., 152 m. d., 155 h. d., 182 m. g., 184/185, 186 b. g., 189 b. d., 212 m., 212 b., 215 h. d., 215 m. d., 241, 245 h., 245 b. d., 270 h., 270 b. d.

M.Radkai/jd
pp. 72, 73 b.

Franz Roth Photo-u. Presse-agentur
pp. 4 m. g., 17 m. g.

Lothar Schiffler/AV Bilderbank
pp. 5 m. g., 6, 10, 17 m. d., 43 b. g., 43 b. d., 49 b., 50, 51, 75 m. g., 78 m., 80 h. d., 104 h., 108 m., 180 b. g., 181 b. d., 183 m. d., 183 b. d., 187 h. d., 188 b. d., 189 h. g., 189 h. d., 189 m., couverture-verso

Sopexa
pp. 78 b. g., 104 m.

Thomas Stankiewicz
pp. 48, 76/77, 78 b. d., 80 b. g., 82 d., 83 h., 83 b.

Dr. Arnold Tafferner
p. 155 b.

Martin Thomas
pp. 5 b. g., 5 m. d., 11 b., 17 h. d., 46 h., 47 m. d., 49 m., 49 h. d;, 74 b. d., 79 h. g., 79 b. g., 79 m. d., 80 m. d., 81 m., 81 b. d., 82 g., 83 m., 84, 105 h., 108 h., 108 b., 109 h., 109 b., 110 h. m., 110 b., 111 h. d., 111 m. d., 111 b. d., 114 b. g., 147 m. d., 147 b. g., 148 b., 150/151, 152 b., 153, 154 g., 155 h. g., 155 m. g., 156, 180 m., 182 m., 187 m., 187 b., 206 m., 207 m., 207 b., 242/243, 244 h., 244 b., 245 m. g., 245 m., 245 b. g., 246 h., 246 b. d., 247 h. d., 247 m. g., 247 m. d., 268 b. g.,

Heinz Wohner
pp. 245 m. d., 247 h. g.

L'auteur

Susi Piroué
est diplômée en commerce et est depuis des années écrivain et rédactrice en livres de cuisine et sur les vins. Quand elle se maria avec un Français, elle se découvrit une passion pour la cuisine française. Depuis, elle cuisine surtout des recettes de ce pays. Pour ce livre, elle a recherché des recettes originales faisant partie de la cuisine française régionale.

Les photographes

Les photographies des plats ont été réalisées par Pete A. et Susie Eising. Ils ont étudié dans une académie de photographies à Munich et se sont découvert après leurs études une passion commune pour la culture culinaire et les photographies de plats.
En 1981, ils montèrent leur propre studio.
Lors de nombreux voyages, ils approfondirent leurs connaissances de la cuisine et de la culture d'autres pays.
Martina Görlach fait partie de l'équipe depuis des années.
Ulla Krause s'occupe des décors et des accessoires.

Remerciements

Vin de Champagne Informationsbüro, Reutlingen
Centre d'Information du Cognac c/o IPR & O, Hamburg
SOPEXA Deutschland, Düsseldorf
Le Valaine, Manoir de Cateuil, Etretat
Ets. Debrise-Dulac & Cie, reims
Porcelaines Bernardaud (Limoges)
Gien, France
Manufacture de Lunéville-saint-Clément
Alain saint-Joanis
Siecle, Paris
Christofle
Cristalleries de Saint-Louis
La Maison Française, München
Steigerwald, München
Kochgut, München
Die Einrichtung, München
A. Schmitz, Solingen

Edition originale: *Die echte französische Küche*
© 1994 Gräfe und Unzer GmbH, München.
Alle rechten vorbehalten.

© Zuidnederlandse Uitgeverij N.V., Aartselaar, Belgique, MCMXCV.
Alle rechten voorbehouden.

Cette édition par: Chantecler, Belgique-France
Traduction française: M. Bozet
D-MCMXCV-0001-167